JN045475

RED ARCHIVES 05

党はどこへ行ったのか
私と革共同

岩本愼三郎

社会評論社

プロローグ

私は、一九歳、大学一年生のときに革共同全国委員会にかかわり、以降六八歳のときまで関係をもってきた。この文章はその回顧録である。何人かの旧友から、生きているうちに書いておけ、書く責任があるだろうと言われ、パソコンに向かった。組織を離れてすでに十数年経った。何よりも実践的なバネがなくなっている。愚痴に類する記述があるとすればお許し願いたい。

少し読んでもらえれば分かるように私はいわゆる理論家ではない。読書家ともいえないかもしれない。数十年の関係だったが、私は幾つかの実践活動、編集活動にかかわり、それが必要とする限りで多少の文章を書いてきたにすぎない。

もちろん私も、マルクスも読んだし、レーニンも読んだし、トロツキーも読んだ。多くを学んだし、大きな影響も受けた。しかし私の人生の中で、もっと大きな影響を受けたのは、一九六〇年の樺美智子の死であり、一九七五年の本多延嘉の死である。

樺とは生前、顔を合わせたこともない。ただ彼女が殺されたとき、私も同じ国会南通用門にいたというに過ぎない。あれから六三年経った。雨は今年も沛然と降っている。少々気恥しい気がしないでもないが、彼女が死の数年前に書いた詩を引用させてもらいたい。多分、許してくれるだろう。

「最後に」

誰かが私を笑っている
こっちでも向うでも
私をあざ笑っている
でもかまわないさ
私は自分の道を行く

笑っている連中もやはり
各々の道を行くのだろう
よく云うじゃないか
「最後に笑うものが
最もよく笑うものだ」と

でも私は
いつまでも笑わないだろう
いつまでも笑えないだろう
それでいいのだ

ただ許されるものなら
最後に
人知れず　ほほえみたいものだ

一九五六年

（『人しれず微笑まん』樺美智子遺稿集）

党はどこへ行ったのか——私と革共同

目次

RED ARCHIVES 05

第Ⅰ部　私と革共同——光と影の幾歳月

第1章　革共同全国委員会の出発
——六〇年安保闘争と三全総

戦後民主主義の子

革命的共産主義者同盟全国委員会が出発するのは一九五九年八月、革共同第二次分裂を経てである。書記長・本多延嘉を中心とする一握りの組織だった。私はこの年の四月に東京工業大学に入学している。すでに六〇年安保闘争は始まっていた。

私は一九四〇年に朝鮮半島のソウル（当時の京城）で生まれた。いわゆる戦争体験はない。米軍も朝鮮は空襲をしなかった。しかし日本の敗戦後の四五年一〇月、母と姉と三人で過酷な引き揚げは経験している。興安丸に乗って釜山から仙崎まで揺られながら、「はぐれたら終わりだよ」と言われ、母親の腰と私の腰を何メートルかの紐で結わいつけられて神奈川の田舎の祖父の実家までたどり着いたことを覚えている。父は仕事の整理の関係だろう、何ヵ月か遅れて帰国した。軍人でも警官でもなかったが会社の役員をやっており、朝鮮植民地支配の一端を担っていた。朝鮮での暮らしの記憶はない。しかし自分が朝鮮で生まれ育ったことに、私はその後負い目のようなものを持つようになっていく。

翌年四月に私は近くの国民学校に入った。戦前の学制がまだ残っていた。「みんなで学校うれしいな、国民学校一年生」という歌のメロディーをいまも覚えている。そこにいる先生も、昨日までは「小国民」教育に励んでいたのだろうが、そんなことは知る由もない。体の弱い子どもだった私を可愛がってくれた。ただ教科書は戦前のまま、大半のページが黒く塗りつぶされていた。「ススメ、ススメ、ヘイタイススメ」などの個所を消したのだろう。あと、紙というものが全くなかった。ノートなど論外。代わりに、各自に小さな黒板が渡され、そこに石蝋で字を書いたり消したりながら勉強した。もちろん一年生のガキに、先生が戦争の話などすることはなかった。しかし何も教えられなくても、これらのことから、私は子ども心にも、日本が昨日まで戦争をやっていたこと、そしてそれに負け、いま新しい大変な時代が始まろうとしていることを感じ取ることはできた。

時代は敗戦後の激動に覆われていた。しかし私は、こうした労働運動や左翼運動とは無縁なところにいた。わずかに小学校五年のころ、担任の女の先生がクラスのみんなに、「みなさん、日本で一番大切なものは何ですか。答えてください」と問いかけたことを覚えている。「はい、お父さんとお母さんです」という優等生もいた。「おカネだと思います」というマセたのもいた。「先生です」と言って、げらげら笑うワルもいた。「みんな違います。日本で一番大切なもの、それはケンポウです」と先生は言った。「え〜、ケンポウってなんだ。どこにしまってあるんだ」と思った。朝鮮戦争が始まったころかもしれない。警察予備隊がつくられ、「再軍備」が声高に叫ばれていたころだろう。あるいはこの先生は組合運動に関係していたのか。いずれにせよ私は戦後民主主義の子だった。

その後私の家は東京に越し、私はある区立中学校に入った。相変わらず私は政治や社会などに無関心だった。しかし一点、昭和天皇の存在だけは許せなかった。生理的に受けつけなかった。あの戦争の最大の責任者だということを、多分小学生のころから理解していたと思う。ところが私が高校に進もうというとき、私の父親は私に学習院高等科に進学しろと言い出すのである。そこは私の家から歩いて通えるところにあった。「おまえは体が弱いから受験戦争などに耐えられない。学習院ならそのまま大学に行ける」というのである。父親はまだそれほどの歳ではなかったが、体を悪くし、先行き不安だったのだろう。私はかなり激しく反発し、抵抗した。しかし最後は親戚も動員しての説得に屈し学習院に入った。こんなこともあって、その後、私は受験勉強に全力をあげ、自分の望んだ大学に入ったとき、これからは自分の思う道を生きてゆくぞという解放感に満ちていた。

東工大学生運動への参加

五九年の入学直後に、私は自分の意志で東工大学友会室に行っている。四月には安保改定反対のデモに初めて参加し、五月には東工大のストを決行している。先輩が、全学連でも全国で一番早いストだと自慢していた。もちろん安保問題についてそんなに詳しく分かっていたわけではない。ただはっきりしていたことは、この安保改定が、岸信介政権によってごり押しされていることだ。岸といえば、戦前の東条内閣の閣僚として戦争の片棒を担いだ人物である。そして戦後はA級戦犯として巣鴨に入りながら、アメリカ占領軍に見込まれて政界復帰した人物であることぐらいは知っていた。そしてそれぐらい知っていれば十分だった。岸は、前年には、警職法（警察官職務執行法）の改悪を試み、強い反対運動を呼び起こした。「デートもできない警職法」などといわれた。要するに岸は、この日本を再び戦前のような戦争と暗黒の時代に逆戻りさせようとしているのだ。敗戦からまだ十数年しか経っていない中でのこの歴史の大逆流、これを阻止しなければならない――これが、大学入学とともに私が飛び込んだ安保改定反対運動、そして翌年にかけて、幾十百万の労働者・学生・市民を巻き込んで燃え広がっていった一大国民運動としての六〇年安保闘争を貫くガイストだったたと思う。

だが、運動参加とともにすぐにぶつかるのが党派選択の問題だった。まず日本共産党だが、当時の全学連の指導部の多くが、昨日まではここに属していた。しかしまず、共産党は日本の対米従属を批判して安保改定に反対していたが、その中身は「反米愛国主義」で、売国資本家とは闘うが、愛国資本家とは手を組むなどと腰の定まらないものだった。実践的には、「歌と踊りの民青」と揶揄されたような徹底した合法主義と議会主義だった。こうして全学連の指導部は、共産党に所属していた時代から、五七年「流血の砂川」などの実力闘争の伝統をもっていたが、五八年一二月の時点で集団的に離党、いわゆるブント（共産主義者同盟）を結成するのである。学連新党であり、ここがその後、六〇年安保闘争の戦闘的展開をけん引する。

しかし東工大にはこのブントは存在しなかった。五〇年代後半に、知識人などを中心に、ロシア革命の指導者・トロツキーと彼が作った第四インターの伝統を引き継ぐ革共同が生まれるが、東工大には五九年時点でもそれがそのまま残っていた。だがそれも内外の激動的情勢のなかで分裂する。これが革共同第二次分裂で、五九年八月の、第四インター系と全国委員会系の分裂である。対立点は幾つかあった。ソ連論は、前者がトロツキーの主張をそのまま引き継いで、「反帝・労働者国家無条件擁護、スターリン主義官僚打倒」を唱えたのに対し、全国委員会の側は「反帝国主義・反スターリン主義」を掲げた。組織論は、前者が社会党・共産党への加入戦術を是とする方針を出していたのに対し、全国委員会は「党のための闘い」を強調、あくまで社共に代わる独自の労働者党建設を目指していた。

六〇年安保闘争と全学連

これらはともに極めて重要な論点だったが、より直接的に、のっぴきならない対立点になったのは、すでに始まっていた六〇年安保闘争の戦術をめぐる問題だった。当時日本共産党系の学生は、ブント全学連の急進主義的街頭戦術に反対し、大衆運動レベルでも全自連という分裂組織をつくっていた。ジグザグデモの是非をめぐる対立などがあったが、決定的になるのは五九年一一・二七国会突入闘争をめぐってである。この日の国会デモは、正門をはじめとする何ヵ所かから国会構内に突入する戦術をたて（これは全学連だけでなく、当時高野派[1]の影響力も残っていた東京地評なども周到に意思一致していた）決行されたもので、何時間にもわたる国会構内での労働者・学生の集会・デモをかちとった。当時はまだ牧歌的で、構内に警察の装甲車などなく、守衛が正門のかんぬきを内側から抑えているだけ。東工大のデモ隊は先頭にたって国会正門を破って構内に突入した。何時間かの構内集会・デモを繰り返した。この闘いのインパクトは大きく、六〇年安保闘争は新たな段階に入った。

しかし反動も激しかった。構内集会の現場段階から社共・総評の幹部は「解散」を絶叫していたが、翌日からはマスコミの集中砲火が始まった。このなかで、昨日まで全学連と行動をともにしていた革共同第四インター系の諸君までこの合唱に合流し、これ以降、全学連と手を切り、全自連と行動をともにするにいたる。これに対し革共同全国委は最後まで全学連と行動をともにした。大学一年生の私は、それまでも学内の革共同が二つに割れていることは理解していたが、この闘いを契機に全国委員会系を積極的に支持し、行動を共にするようになる。

六〇年安保闘争の最後の闘いとなる六〇年六・一五国会突入闘争に際しても、東工大学友会は意見が割れるが、パスすべきだという第四インター系を押し切って参加方針を貫いた。デモの先頭にたった樺美智子が機動隊に虐殺された歴史的闘いの日である。私も、一六日未明まで国会南通用門付近にいて、「一人の学生が殺された」という話が伝わってくる中、午前二時か三時ごろ、タクシーで東工大のある大岡山まで帰ったことを覚えている。そしてすぐビラを作り、そのビラを朝の校門でまき、午前中はクラス討論に入り、午後はまた国会にもどり、夕方からは寮のオルグに入り、夜中からはまた翌朝のビラを作り、というような、ほとんど眠る時間がない三〜四日をその後過ごすことになる。ジグザグデモのコールは「キシヲタオセ！カンパサンヲカエセ！」の繰り返しだった。安保改定が自然成立した六月一九日は、やっと自宅に帰るために電車に乗ったが、ぐっすり眠ってしまい、そのまま山手線を三周ぐらいしたという記憶もある。

ブントの破産と革共同

六〇年安保闘争とは何だったのか。確かに、戦後民主主義の最左派の闘いだったのかもしれない。担い手はあくまで労働組合であり学生自治会だった。「声なき声の会」などという市民運動もあったが。一一・二七闘争のあと、警察は二名の東大生を指名手配する。その一人である清水丈夫は東大駒場に、葉山岳夫は本郷にそれぞれ立てこもるが、警察は手を出さず、一二月にデモで学外に出てきたときにはじめて逮捕した。「大学の自治」がまだあった。一〇年後の「大学解体」を掲げる全共闘の時代とは全く違う。

しかし、他方でこれは単なる戦後民主主義の闘いだったかというと、私はそうは思わない。何よりも敵が岸信介だったということだ。日本は、戦前と戦後でもちろん大きく断絶している。「鬼畜米英」との国を挙げての戦争から「平和と民主主義」に一夜にして変わった。だが本当に日本は八・一五で生まれ変わったのか。いや、日本の戦前と戦後は地続きではないか。われわれは岸と闘うことでこのことを教えられた。「地続き」の中身は何か。「日本帝国主義」である。六〇年安保闘争はこれと正面から闘った。ブント、革共同などの新左翼は、もちろんソ連などを「スターリン主義」と批判する点で社共など既成左翼と決別し、ここが決定的だったのだが、それが「反共主義」に堕さなかったのは、敵を日本帝国主義と見定め、これと徹底的に闘う道を選んだからである。そして岸こそ、この戦前戦後を貫く日本帝国主義の体現者として日米安保改定を進めていたのである。

　だが間もなく安保改定が国会で自然成立し、六〇年安保闘争が敗北すると、目標を見失ったブント（とそのもとにある社学同）が一挙に空中分解する。当時全学連内は、ブントが圧倒的多数派であるのに対して、全国委員会系は極少数派だった。だがブント指導部のかなりの部分が革共同全国委に結集する。もっぱら学生部隊に依拠し、「物情騒然たる街頭闘争」を起こせば革命情勢が来るいうブントのブランキズム的主張の破産があまりにも明らかになる中で、六〇年過程でブントと行動をともにしながらも、同時に労働運動と党建設の重要性を強調する革共同の優位性は明らかだった。この過程は本多延嘉のイニシアティブで進行した。当時の革共同やブントにグラムシの影響はなかったが、あえてグラムシ的用語を借りれば、六〇年ブントが機動戦一本やりだったのに対し、革共同は機動戦を支持しながらも同時に陣地戦を決定的に重視した。これはその後の革共同を考えるうえでも重要である。

　かくて革共同全国委とその下に結成されたマルクス主義学生同盟は、生まれて間もない日本の革命的左翼の中心に躍り出た。学生戦線では、六一年七月に全学連第一七回大会が開かれるが、これは革共同系が全一的に支配したマル学同全学連で、これに対抗して社学同再建派などの反マル学同勢力が連合して大会会場に押し掛けるが、マル学同側が追い返し、この過程で一定の暴力的衝突も起きた。

　他方、労働戦線では、革共同は六一年一月にマルクス主義青年労働者同盟を結成する。しかし当時の革共同には、ブントから結集した活動家も含めて労働運動をまともに経験したものなど殆どいなかった。学生運動については六〇年安保闘争を経験しているから違ったが、ここでは逆にブントの破産のなかで自己批判して革共同に結集した活動家の方が、実践的・運動的には、もとからマル学同にいたメンバーなどより遥かに能力があるというねじれの中で、様々な組織問題も起きた。この時期で、私などが印象に残っているのは、六一年九月にソ連が核実験を強行し、日本共産党がこれを「支持」する中で、五四年第五福竜丸事件以降続いてきた原水禁運動は大混乱に陥ったことだ。マル学同全学連は全力で米ソ核実験反対闘争を闘った。また六二年六月には参議院選挙があり、「社共に代わる労働者党」をうたう革共同は黒田寛一を候補者として、これに挑戦した。

三全総――革共同の原点

さて六二年九月に開かれた三全総（革共同第三回全国委員総会）は、ブントにとって代わった革共同のこうした挑戦が極めて画期的な地平を切り開くと同時に、いかに幼稚な誤りと限界に満ちていたものであったかを徹底的に明らかにした。そしてこれを深刻に総括し、階級闘争全般に責任をとる党派として進むべき道を示そうとした。そしてこれが、革マル派との分裂、革共同第三次分裂を招くのである。重要なのでやや詳しく紹介するが、本多執筆の報告そのものでは、反戦闘争、選挙闘争、労働運動と過去一年間の全面的総括とそれを突破するための実践的・組織的環が何であるかを提起している。（以下、特に断りない場合は三全総報告からの引用）

まず反戦闘争については、すでに前年から「日本革命的共産主義運動に内在する『原水禁運動』にたいするセクト主義的態度ならびに『帝国主義の打倒なくして平和なし』という原則的立場を直接に『原水禁運動』に対置するという極左空論主義的傾向について、根本的な検討」を呼びかけていたが、三全総は、五〇年代のスターリン主義的「平和擁護闘争の完全な破産と、いわゆる階級闘争（勤評闘争、警職法闘争）への移行、……そのために、過去の平和擁護運動の具体的検討は何ひとつ試みられず、投げ捨てられ、核実験に反対する労働者人民の意向はすべてスターリン主義的な規範のもとに放置された」ことを指摘。「このような召喚主義的・空論主義的傾向を克服」するためには、「日本における革命的共産主義運動の全面的な検討、とりわけ、五八年の全学連の転換のなしくずし的性格の根本的批判が不可欠」としたのである。そして「わが革命的反戦闘争をただたんにわが同盟の周辺の若干のものだけに密教的に宣教していくような矮小なイメージでとらえてはいけない。職場の全労働者を大胆にわれわれのスローガンのもとに組織するかまえが必要」としたのである。

黒田を候補者に押し立てた六二年六月の参院選への挑戦はさらに大変だった。私自身はこのときすでに革共同のメンバーだったが、一体投票所に行くべきか否かを細胞会議で深刻に討論した記憶がある。三全総報告は、そもそも選挙の経験者が革共同にはひとりもいなかった、「だが解決しなければならない問題は、そのような技術的なことではなくして、わが同盟の内外に存在する小児病的な『選挙嫌い』との闘争であった」としている。「選挙闘争の準備にあたってまずわが同盟がしなければならなかったところの『選挙嫌い』＝ブルジョア議会制にたいする小ブル的潔癖感との闘争は、わが同盟に残存する小ブル的母斑との闘争であり、わが同盟を清潔な批判的グループに矮小化しようとする反動的同伴者たちとの闘争であった」と述べている。そして「われわれの活動、とくに情宣活動に根づよくこびりついている極左セクト主義を真剣に克服し」とか、「わが同盟の内部に残っている小児病的な極左空論主義や政治的未熟さ」を厳しく指摘したうえで、「選挙闘争は腐敗堕落した社会民主主義者やスターリン主義者にたいするきわめて高度な党派闘争」であるとした。

戦闘的労働者との接点の拡大

さて労働運動に関して報告は、高度経済成長下の民同[2]的指導部の右傾化とこれに対する日本共産党や高野派の没階級的な政治主義のなかで、日本労働運動の危機はより深刻化しているが、「企業防衛と労資協調の新路線は、現実の階級闘争の過程のなかで、労働者の日常の利益を守るためにたたかわれている日本労働運動の全戦線において強い抵抗をうけており、けっして全面的勝利をかちとってはいない」、「わが同盟は日本労働運動の総体的な後退のなかで、攻撃と防衛の錯綜した戦線で苦闘する戦闘的労働者との全面的交流をつくりだすために全力をあげてたたかうための組織戦術の再調整をただちに開始しなければならない」としている。

そして「戦闘的労働運動と反ダラ幹闘争の意義について明確にし、わが同盟の内部に根強く残存している極左空論主義と組織的セクト主義を克服して戦闘的労働者と革命的共産主義運動の接点を全面的に拡大し、交通するための方向をうちかためることである」。「労働者大衆、いな、戦闘的労働者の政治意識を先まわりして高踏的断定をふりまわして、みずからその結合を断ち切ってしまうような過ちをくりかえしてはならない。とくにこのことは『同盟名入りのビラ』の内容に関連がふかいが、民同的指導部や日共的指導部の規範のもとにある労働者にむかって、はじめから職場労働者の感情や意識を無視してダラ幹批判をはじめるような稚拙な方法を真剣に再検討する必要がある」とした。

また、「日本における革命的共産主義運動の現段階を明確化し、革命的労働者の産別委員会と地区党の建設をとおして、革命的労働者の単一の全国的同盟を結成するために全力をあげてたたかう」とし、産別労働者委員会という「わが同盟の創造的な組織戦術の根底によこたわる主体的根拠」の意義を再確認しつつ、「だが、われわれは、産別的な労働者委員会とその細胞の縦わり的組織と、その中央的な連合だけでは、けっして革命的労働者党を創成することができないというレーニン主義的原則をはっきりと確認していかなければならない」、「われわれは、このような地区党をもつことによって、一つの産業のなかで資本との個別的な部分的な戦闘をつづけている戦闘的労働者を、その限定された職場を、より広大な戦線に位置づける条件を拡大させ、資本との全戦線にわたる戦闘を遂行しうる革命的労働者党の一員に自己変革せしめうるのである」と結論づけた。

革マル派の分裂と暴走

以上、三全総報告のポイントを挙げたが、要するにこの報告全体に流れる考え方・精神に「大衆運動主義」「党建設がない」などと反発して分裂していったのが革マル派だということである。結局それは、労働運動、反戦闘争、選挙運動のすべてを通して、①革共同と労働者階級・人民大衆との全面的な、生きた交通・交流をつくりだす、そのためには同盟内に残存する小ブルセクト主義・空論主義を一掃する、②同盟組織において産業別労働者委員会を引き続き重視するとともに、個別的・部分的な、限定された職場での闘いを、狭い職業的意識から解き放ち、資本との全戦線にわたる闘いに推し進めるための地区党を建設する、の二点に絞られた。だが黒田とその一部の追従者がこれに激しく反発し、陰謀的で、非組織的な分派活動を開始し、「党のためのたたかいがない」などという呪文を唱える中で、革共同の大分裂が生起する。さらに革マル派結成前の段階である、六三年三月上旬に予定されていたマル青労同主催の春闘討論集会が黒田が差し向けた学生の暴力的介入と警察権力の介入によって中止に追い込まれる事態にもなっていく。これらの学生たちはその分派会議で「勝つためにはいかなる策謀も許される」と意思一致していたといわれるが、革マル派の「左翼」の一線を越えた革マル的特異性はその原点から明らかになっていた。

結局ここでは、当面する革共同の闘争＝組織戦術的環がなんであるかの問題を通して、そもそも党とはなにか、レーニン主義的党とはなにか、その規律と民主主義はいかにして守られるのか、反スターリン主義を党是とする革共同が、スターリン主義党をのりこえる党をいかに建設していくのかが激しく問われたのである。「民主主義的中央集権制」を掲げるレーニン主義的な党は、必ず、不可避的にスターリン主義的な官僚主義の党になっていくという俗説は当時からあった。違う、そうではないということを、身をもって示そうとしたのが、革共同であり、三全総と革マル派の分裂との闘いだった。スターリン主義を経験したわれわれにとって、党の官僚主義的変質といかに闘うかは極めて大きな課題であったが、その核心は決して党のさまざまな民主的規則や民主主義的約束事（それはそれでもちろん重要なのだが）等々によってではなく、第一に党と権力・資本との関係、革命にむかってのあくことなき、不断の闘いの中にあり、第二に党と階級・人民大衆との関係、生き生きとした交通・交流関係を倦まずたゆまず豊かに形成していく中にあるのである。一方的な、党→階級、党→大衆の上下関係ではなく、生きた相互関係であること、党による「外部注入」が必要な瞬間は、同時に党が階級・大衆から学び、吸収し、より大きく発展していく瞬間でなくてはならない。三全総が繰り返し強調している「戦闘的労働者と革命的共産主義運動の接点の拡大」「生きた、全面的な交通・交流」とはこのことを意味している。まさにレーニンが強調した通り「政治的なものを、組織的なものから、機械的に切りはなすわけにはゆかない」のである。

スターリン主義発生の問題

本多は、革マル派との分裂がいよいよ公然化した段階での論文「革命的共産主義運動の基本路線とは何か」の中で、革マル派を召喚主義と解党主義の二言で批判している。ここで強調されていることは、党と権力・資本との関係と党と階級・大衆との関係の一個二重的関係の問題である。本多は「党と大衆運動との過程的な弁証法」とか「党と大衆との力強い相互作用」を全く理解しえない革マル派が、三全総提起の「戦闘的労働運動の防衛」という「防衛」的表現で「右傾化の流れに抗してたたかう」路線に「労働運動主義」と反発することを通して、つまるところ「自分の組合のなかでは民同顔まけのズブズブの組合主義者として行動し、革マル派のフラクに出席すると『思想闘争』の重要性を強調する、という二元論的な日和見主義のなかに逃避する傾向」、すなわち「主体形成主義的なケルン主義と、組合主義的な民同没入主義との雑炊的結合」に陥っており、「共産主義的意識の発展をプロレタリアート全体の階級意識の発展との統一と区別において理解しえぬ小ブル的個人主義」「黒田の個人的権威に追従する同心円的な宗派」に転落していると批判している。

そして重要な点は、これが「われわれが共産主義運動のスターリン主義的歪曲を直感し、その革命的打破を決意する過程のなかで、たえずわれわれのまえに提起されたところのものだったのである。なぜならば、この問題は、きわめて鋭角的にスターリン主義の発生の問題とかかわっている」としている。すなわち本多は、「別の表現をとるならば、革命党の内部の規律と民主主義は、敵階級にたいする階級闘争のあいまいさを許さぬ厳しさのなかにあるのである。ボルシェビキ党内で進行しつつあった官僚主義的腐敗は、ボルシェビキ党がスターリンの指導のもとに世界革命戦略から一国社会主義建設路線に転化し、国際帝国主義を持続的に打倒していくための国際プロレタリアートの階級戦から『革命のロシア』とボルシェビキ党を召喚してしまったとき決定的なものになったのである。まさにこのような国際的な階級闘争を捨象してボルシェビキ党の官僚的疎外を考察するところに、官僚制的ソ連の起源にかんするいっさいの社会学的説明の非実践的な、したがって非科学的な本質があるのである」と言及している。

大管法闘争をめぐる分裂

私自身も学生党員としてこの分裂のただ中にいたが、この第三次分裂に際しての選択に何の迷いもなかった。東工大は当時東京におけるマル学同の拠点校で、同盟員は二〇名近くいたが、基本的に全員革マル派に流れた。黒田の腰巾着の道を選んだのである。全国的にも、学生組織では圧倒的多数が革マル派を選択した。「マルクスなんか読まなくてもいい。クロカンを読めばいい」と言われていた時代である。しかし私にとっては、クロカンよりも自分が必死に取り組んできた六〇年安保闘争を始めとする大衆運動の方が重要だった。大衆運動に背をむけた党建設など信用できなかった。私は本多を先頭とする革共同政治局を選んだ。間もなく学生戦線では「中核派」が結成された。

米ソ核実験反対闘争の総括など三全総報告では学生運動に関係する問題も大いに提起されている。しかしあれだけ明快にその問題点を指摘・総括されながら、学生党員の大半はそれに反発し革マル派を支持した。分裂前の「革命的反戦闘争」などと称して実現した大衆運動がいかに水準の低い代物でしかなったかを裏書きしている。三全総の直後の六二年秋、いわゆるキューバ危機が起こり、人類は第三次世界大戦、全面核戦争の瀬戸際に立たされる。この時『前進』に「アメリカはキューバから手をひけ」と題する論文が掲載された。これに対し黒田とそのエピゴーネンたちは「これは民族主義だ。階級闘争がない」などと称して、すでにこの段階で黒田が学生組織を中心に秘密裏に組織していた反政治局のフラクで、『前進』批判の意見書を書かせるという指導が下ろされた。当時の革共同、特に学生戦線は、六〇年安保ブントに対する優越感とコンプレックスのないまぜになった混沌を突き破って、再出発することを求められたのである。

だが学生運動をめぐっては、反戦闘争とともに、六二年秋に池田政権が出してきた大学管理法案（大管法案）という大きな問題があった。六〇年安保闘争のようなことを二度と大学を舞台に起こさせないという治安法であった。結局これは廃案になるのだが、重要なのは、この問題をめぐって、六一年全学連第一七回大会以降バラバラになっていた学生運動を再統一しようという機運が生まれてくることである。どういう経緯でこうした動きが生まれたかなど私は全く知らないが、ともかくこの年の一一月三〇日に、東大本郷の銀杏並木に他大学からも集まってマル学同系・反マル学同系をこえた数千の反対集会を開いたのである。場所が場所だから、社学同系がヘゲモニーをとったのかもしれないが、革共同＝マル学同も積極的に応じた。六〇年以後分裂していた学生戦線を再統一する画期的な試みだった。東工大学友会はストライキで参加した。ところがその翌日には私の大学で、マル学同の署名入りで「銀杏並木集会は正しかったか」などというビラがまかれるのである。「これは何だ！」と食って掛かる私に対し、ビラを撒いているマル学同同盟員が「統一戦線などくだらない。問題は党建設だ。あんたは大衆運動には熱心だが党建設ができない」などと応えてきた。「クラス討論ひとつまともに出来ない、まともなビラ一枚書けない奴が、何が党建設だ。笑わせるな」というのが私の思いだった。私は六二年暮れの時点で、東工大の革共同から排除された。私についてきたのは二名だった。しかし、私は一年後には六三年入学の新入生などを獲得して、東工大に中核派を作り、学友会執行部を取り戻した。原子力潜水艦の横須賀寄港に反対する闘いなどに取り組んでいった。

六〇年安保闘争をどう総括するのか

革マル派と中核派の分裂の原点・革共同三全総の概要はほぼ以上のようなものである。だが、いまにして思うが、ここでの分裂の根幹にあったのは、結局六〇年安保闘争という歴史的闘いに対する姿勢・認識にあったと思う。革共同は安保ブントを批判した。確かにブントは、安保改定の成立・六〇年安保闘争の敗北のあと空中分解し、批判にも値しないような惨状を呈していた。しかし問題は、この安保ブンド批判と同時に、六〇年安保闘争そのものを「くだらない」として、全面的に否定・清算するような考えが、革共同の一部、黒田その人と学生組織の多くに生まれたことである。これに対して本多は、あくまで六〇年安保闘争を偉大な、歴史的な国民運動としてとらえ、ブンドの破産を乗り越えて、これをいかに引き継ぎ、発展させていくかという立場にたったのである。私は、革共同第三次分裂の根っこにあったのはこの問題、つまり六〇年安保闘争をいかに総括するかの問題であったと思う。

そして中核派と革マル派はその後周知のような形で血を血で洗う戦争の歴史を繰り返す。それは、三全総が起点であったといえるが、しかしその直接的延長においてではなく、六七年から始まる激動の五ヵ年＝七〇年安保・沖縄闘争の爆発と、その対極における革マル派の反革命的転落を経ての出来事であった。

【注】

（1）高野派／高野実は戦前一時共産党に入党するが、その後合法左派に転じ、労働運動にかかわる。戦後は総同盟左派に所属、同時に民主化同盟と連携して労働運動の主導権を共産党から奪還し、「ニワトリからアヒルへ」で知られる五一年三月の総評第二回大会で総評事務局長に就任以降、その戦闘化を主導した。五五年には岩井章に敗れ事務局長を退くが、その後も太田・岩井らの労働者同志会に対抗する高野派の総師として労働運動に影響をもち続けた。

（2）民同／戦後革命期における労働運動を主導した産別会議における共産党フラクションの引き回し的指導に対する不満を背景に、四八年二月産別会議前事務局次長の細谷松太を中心に「組合を組合員の手に」をスローガンに産別民主化同盟が結成された。その前後には、総同盟の民主化運動の提唱、国労内における国鉄反共連盟結成などもあり、これらの民同派の動きが戦後労働運動の再編成を決定的なものにした。民同運動は二年足らずのうちに官民を問わず全体に波及、運動の主導権を握った。しかし民同派は、総評結成を経て、五一年になると特に講和・安保問題をめぐって左右に分裂、民同左派がその後の総評労働運動の主導権を長く握る。

第2章　七〇年安保・沖縄闘争という挑戦

革共同第三回大会路線

三全総報告そのものにはそういう表現はないが、革マル派と分裂して間もなく、革共同は「党のための闘い」と「党としての闘い」という言い方で、その活動を整理し、両者を一体のものとして推進していくという考え方を確立してゆく。革共同はいまだ一人前の党ではなく、建設途上の党であり、党を建設することは引き続き最優先の課題だが、しかしそれは決して真空の中で達成されるのではない、あくまでその時々のさまざまなテーマをめぐる権力・資本との闘い、階級闘争をいまある力で全力をあげて闘うただなかでこそ、真に闘う革命党は建設されるという考え方である。それが職場生産点における闘いであれ、街頭政治闘争であれ、あるいは選挙をめぐる地域の闘いであれ、もちろんいま現在の組織の力量に縛られてだが、しかし労働者人民の闘いがあるところでは、可能な限りどこでもその先頭に立ち、その運動の責任を引き受け、勝利のために全力をあげる、その坩堝のなかでこそ、真に階級・大衆に根をはった革命党を建設することができるということである。労働戦線で、学生戦線で、革共同は着実に前進していった。だがこうした党勢の拡大はさらに大きな試練にさらされた。ベトナムにおけるアメリカの軍事的敗勢というただならぬ世界情勢を背景に、日本ではそれと直結する七〇年安保・沖縄問題が迫っていた。一九七〇年を前後する政治的激動への突入である。

すでに半世紀以上前になるこの闘いについては、「七〇年闘争」という呼び方もあるし、「六八年闘争」という呼び方もある。重要なことは、六〇年安保闘争が日本一国的な闘いであったのに対して、一〇年後の闘いは全世界的な、同時多発的闘いとしてあったことである。アメリカの公民権運動、フランスの五月学生革命、さらにドイツやイタリアでも激しい新左翼運動が火を吹き、また中国での文化大革命もあった。プラハの春もあった。それは、なによりもベトナム戦争情勢に規定されたもので「世界革命」とも呼ばれた。「ベトナム」は、戦後米ソ冷戦体制下の資本主義の繁栄とスターリン主義の隆盛を根底から揺るがした。ゲバラは「二つ、三つ、さらに多くのベトナムを！　それが合言葉だ」と言った。その頂点が一九六八年だった。日本でもその一環としてベトナム反戦、大学、三里塚、国鉄等々の幾多のテーマをめぐる、それまでの戦後階級闘争の質を大きく突き破る闘いが繰りひろげられた。その意味では「一九六八年闘争」と呼んだ方が正しい。しかしここで、あくまで「七〇年闘争」と言い方にこだわるのは、この全過程において、特に日本的には、安保・沖縄問題が、一九七二年五月の沖縄復帰までの数年間を貫く大テーマ、日帝戦後体制の根幹を揺るがすテーマとしてあったからである。いやそれは、二一世紀の今日まで続く戦後日本の「国体」＝自主的・構造的対米属国化の核心に黒々と横たわる大テーマでもあるのだ。

革共同は六六年八月に第三回大会を開き、ここで七〇年にむかっての時代認識を打ち出し、戦略的方針を提起した（特に清水丈夫執筆の第二報告）。一つは六五年の北爆開始にみられるアメリカ帝国主義のベトナム侵略戦争の本格化・全面化・泥沼化とそこにおける米軍の敗勢という覆いがたい現実、いま一つは、戦後資本主義経済をけん引してきた米帝経済が、世界経済の不均等発展のなかで六〇年代中ごろ以降、日欧帝国主義との軋轢を深め、いわゆるドル不安・危機が生じていること、さらにこれに対するスターリン主義は、ベトナムをはじめとする民族解放闘争の爆発的発展の中で、中ソ対立という内部分裂と歴史的破産を激しく進行させていた。第三回大会は、これを「国際帝国主義の戦後体制の根底的動揺の時代の始まり」と「スターリン主義の歴史的破産」ととらえ、反帝・反スターリン主義世界革命戦略を深化させた。さらに国内情勢的には、このような世界情勢を背景に、「アメリカ帝国主義との強盗同盟に命運をかけざるをえない日本帝国主義」「日米同盟は日帝の反動化の環」などの認識を打ち出した。

それは、一方で日本共産党的な「民族・民主革命論」を批判し、日米安保を日帝の帝国主義的本質に根差す攻撃であり、敵は日本帝国主義そのものであることを強調し、他方では依然として新左翼の一部に残っていた「日帝自立論」的偏向、そこから日米安保との闘いを「民族主義」と軽視するような誤った傾向からの決別としてあった。

日本のベトナム参戦国化

だがこの第三回大会路線もそこに至る数々の闘いのうえに勝ちとられたものだった。六五年の日韓条約反対闘争では、われわれが直面している戦争は決して戦争一般ではなく、日本帝国主義の侵略戦争であり、その基底には近代日本のアジア侵略と植民地支配の歴史が横たわっていることを学んだ。日韓会談とは、日本政府が戦前三六年におよぶ韓国併合＝朝鮮植民地支配の歴史を完全に居直り、僅かばかりの有償・無償の賠償金でけりをつけ、それを呼び水に新たな朝鮮半島への侵略に踏み出そうという政策であった。韓国学生運動の決死の闘いがあった。われわれは日本政府のこのような侵略政策を許している日本人民が「抑圧民族」の一員であることを知り、「他民族を抑圧する民族に自由はありえない」ことを学んだ。日本資本主義の帝国主義的復活と正面から対峙することになった。

ベトナム問題はさらに深刻だった。ベトナムにおける民族解放戦争は、帝国主義の植民地支配を打倒するために立ち上がったベトナム人民が、戦いの中で武装し、前進し、さらに武装し、戦い、ついには世界最強のアメリカ帝国主義の軍隊を打ち破りつつあるという現実だった。これに対し米軍は北爆という雨あられのようなナパーム弾などの投下によってベトナム人民を皆殺しにしていった。しかもこの空爆は主にB52によって強行された。それは何よりも沖縄の基地から飛び立っていった。われわれは、日米安保を許しているわれわれがこの残虐非道な戦争の「加害者」であることを突きつけられた。事実、五〇年代の朝鮮特需に続いて六〇年代のベトナム特需は、戦後日本の経済成長に大いに貢献した。六七年秋の佐藤の南ベトナム訪問をわれわれは「日本のベトナム参戦国化」ととらえたが、一〇・八羽田の戦闘的・英雄的闘いを突き動かしていたのは、「このままわれわれは侵略者、加害者の一員として安穏としていていいのか」という魂の叫びにあった。動揺を開始したとはいえ国際資本主義の戦後的繁栄・高度経済成長は続いていた。日本においても七〇年大阪万博などに象徴される爛熟する経済・社会に多くの国民が動員されていた。こうした停滞を突き破る、孤立を恐れぬ先進的学生・労働者の渾身の決起・叛乱としてそれはあったのである。

日米安保体制の誕生

日米安保条約は、一九五二年四月のサンフランシスコ講和条約と一体的に締結された。日本は第二次世界大戦での壊滅的敗北以降の米軍占領をここで脱し、一応独立を回復するが、折からの朝鮮戦争の最前線基地である在日米軍基地はそのまま維持し、それと関連して日米行政協定(後の地位協定)などによって日本の主権は著しく侵害されたままという状況を強制された。講和＝日本の独立回復をめぐる日米交渉は朝鮮戦争のただ中で行われた。それは複雑な曲折をたどるが、日本側の当事者には吉田茂(当時首相)だけでなく天皇裕仁も一枚かんでいたことが極めて重要である。朝鮮戦争勃発の翌日・一九五〇年六月二六日に昭和天皇は朝鮮情勢に怯えながら、吉田、マッカーサーの頭越しに来日中のダレス（後の国務長官）に講和問題をめぐるメッセージを出している。それは占領下の公職追放によって退けられてきた「多くの有能で先見の明と立派な志を持った人々」からなる「諮問会議」の設置を進言したもので、「講和問題の決着」をもはや吉田に任せておくことはできないという立場を鮮明にしたものであった。ダレスはこの天皇メッセージを「今回の旅行における最も重要な成果」と歓迎したという。それはその後の日米安保成立に決定的役割を果たした（豊下楢彦『安保条約の成立―吉田外交と天皇外交』）。そのダレスの一九五一年一月の発言が残っている。「われわれは日本に、われわれが望むだけの軍隊を、望む場所に、望む期間だけ駐留させる権利を獲得できるであろうか？　これが根本的な問題である」。そして五二年に締結される旧安保は、このダレスの意向に一〇〇％沿った一方的駐軍協定になるのである。さらにとりわけ沖縄については、引き続き米軍占領がそのまま継続する。第二次世界大戦の敗戦国の中でも他に例を見ない奴隷的従属関係であった。そこには天皇裕仁の意志が深々と介在していた。六〇年安保改定は、この対米隷属化をいささかも改めるのではなく、日本帝国主義の意志としてこの戦後的日米関係の永続化を自主的に選択するものであった。

こうして革共同は、日米安保を戦後日帝の基本政策としてとらえ、日米安保の粉砕こそ日本における革命の戦略的環であることを明らかにし、「安保粉砕・日帝打倒」を七〇年に向かって大きく打ち出した。他方当時日本の首相であった佐藤栄作は、すでに六五年の時点で「沖縄の復帰なくして日本の戦後は終わらない」と高言する。六〇年安保改定から一〇年目の七〇年をめどに、折からのベトナム戦争の最前線基地となっている沖縄の施政権をペテン的に日本に「返還」させ、日米安保体制をさらに強大な軍事同盟に飛躍させるという大攻撃に踏み切る。革共同が沖縄問題を本格的に対象化するのは六八年以降だが、一〇・八とそれに始まる「激動の七ヵ月」を闘い、七〇年安保・沖縄闘争の血路を切りひらく中で、「沖縄奪還、安保粉砕・日帝打倒」「闘うアジア人民と連帯し日帝のアジア侵略を内乱に転化せよ」などの戦略的総路線を確立していった。

一〇・八と激動の七ヵ月

私は山﨑博昭が機動隊に虐殺された六七年一〇・八羽田闘争には参加していない。まだ学生組織に属していたが年齢の問題もあり、革共同本部のある前進社で留守番をしていた。それに続く激動の七ヵ月でも私は裏方で、間もなく革共同機関紙『前進』編集局に移籍した。私はこの過程、佐世保[1]にも、王子[2]にも、三里塚にも参加しているが、どこでも極めて印象的だったのは、学生と機動隊が激しく街頭で衝突するなかで、周囲に集まってきた群衆が学生とともに機動隊に石をなげ、機動隊に追われる学生を家にかくまうなど、圧倒的に学生の味方として現れたことである。六八年一〇月新宿では、ベトナム戦争のためのジェット燃料を運ぶ米軍タンク車に対する闘いが空前の高揚をみせ、ついに騒擾罪が発動された。そこにはさまざまな党派が集まっていたが、それ以上に何よりも主役は群衆だった。この年は全国各地で米軍基地に対する闘いが燃え広がった。他方で日大、東大の大学闘争が火を吹いた。翌六九年一月東大安田講堂決戦にいたる全共闘運動の爆発である。

私は、六〇年代後半の一時期、マル学同書記局の一員として日大支部のオルグについていた。「アウシュビッツ大学」といわれていたころである。日常的に右翼・体育会の暴力が吹き荒れる中でマル学同のメンバーもなにも出来なかった。ところがその彼らが、六八年になると、いわゆる「二〇〇メートルデモ」の決行を突破口にたちまち日大各学部校舎の占拠・バリケード封鎖に踏み切り、白山通りが日大一〇万学生の地鳴りのようなデモに埋め尽くされるのである。私は、昨日までしがないアパートの片隅で激励していたマル学同メンバーが学部長室でふんぞり返っている中を取材した。他の学部では他の党派の活動家が別の学部長室を占拠していた。「暴力」のすさまじい自己解放性である。しかしこの日大闘争はどこかの党派が仕掛けた闘いかというとそうではない。一〇・八以降の騒然とした情勢そのものによって生み出された闘いだった。いや単に日本国内的に説明できることではなく、遠くベトナムの旧正月における南ベトナム解放民族戦線のテト攻勢(3)と米軍の決定的敗北、アメリカ本土におけるベトナム反戦闘争の爆発的高揚とジョンソン政権の退陣という激動的世界情勢に呼応するものとしてあった。

沖縄奪還論の提起

そのなかで革共同は、切迫する沖縄情勢に対応して「沖縄奪還」という方針を打ち出す。そこにはベトナム戦争とともにますます重くのしかかる沖縄米軍基地の撤去と依然として米軍が握っている沖縄の施政権を本土に返還するという一個二重の課題が横たわっていた。沖縄祖国復帰協議会ができるのは六〇年だったが、当初この闘いは、平和憲法をもつ本土に復帰することは、すなわち基地を撤去させる道でもあるとして、日の丸の小旗を振った沖縄教職員会などを中心とする運動だった。だが間もなく佐藤政権の沖縄「返還」は、基地撤去どころか、核基地をそのまま温存して施政権だけ日本に返すという、実は「沖縄返還」に名を借りた日米安保の実質的な大改悪、巨大な軍事同盟への飛躍であることが明らかになっていく。そのなかで沖縄の闘いは「一切の軍事基地撤去」「即時・無条件・全面返還」を掲げた米帝・日帝との闘いへと急展開していくのである。

だがこの中で、新左翼の一部の党派は「本土復帰」にかかわるスローガンを唱えること自体が民族主義だとして否定するのである。そして「沖縄解放」などという旗も掲げられた。だがわれわれはこのような傾向に反対して、沖縄問題は米軍基地撤去の問題であると同時に、本土（ヤマト）―沖縄関係の問題であることにあくまでこだわった。沖縄はあの沖縄戦で、二〇万もの犠牲者を出しながら、日本本土防衛の「捨て石」にされた。その後二十数年間も本土から切り離され、憲法の外に置かれた。遡れば明治初めの近代日本の対外膨張政策の中で、それまで琉球王国であった沖縄を、朝鮮・中国に先駆けて併合したのが一八七九年の琉球処分だった。以降今日まで日本帝国主義は沖縄に対して内国植民地的な分断と差別の政策を敷き、本土人民はそれを許してきたのである。このことに対する痛烈な反省に踏まえて、革共同は、日本政府のペテン的返還路線と対決しつつ、日本人民による帝国主義的分断と差別を打ち破るスローガンとして「沖縄奪還」の旗を掲げた。これをめぐっては様々な議論が起こるが、私はあくまで沖縄復帰問題が政治焦点化していた当時の方針としては正しかったと思っている。

こうして革共同は、六九年四・二八沖縄奪還大闘争を、破防法の発動、本多延嘉ら最高指導部三名の逮捕を乗り越えて打ち抜き、同年秋には佐藤訪米阻止・日米共同声明粉砕の一一月決戦を闘い抜き、七一年一一月にはペテン的沖縄返還協定批准阻止闘争を、二度目の破防法発動に抗して闘いきった。ここでは学生だけではなく反戦青年委員会に結集する労働者が軍団を形成して機動隊との激戦を各地で繰り広げた。それは日本帝国主義の戦後体制の根幹に迫る闘いであった。革共同はもちろん、このことを当時から自覚的にとらえ闘争を進めてきた。だがその後明らかにされる新しい情報・研究等によって、今日では戦後日本の国のあり方における沖縄問題の死活的重要性はいっそう明らかになっている。何よりも重要なのは七九年に進藤榮一によって暴露される昭和天皇の「沖縄メッセージ」である（『分割された領土―もうひとつの戦後史』）。

天皇の沖縄メッセージ

一九四一年八月、アメリカが第二次世界大戦に突入する前夜、米大統領ルーズベルトと英首相チャーチルが会談、「大西洋憲章」を発する。それは第一次世界大戦の戦後処理の失敗（独ナチスの台頭を許した）の「反省」から第二次世界大戦後の目標を示したもので、領土拡大を求めない、民族自決の権利・植民地の否定などを打ち出した。ところが対日戦が終わると、マッカーサーを先頭に米軍は、激戦場となった沖縄のアメリカへの併合を主張するのである。中国情勢を含む東アジアにおける軍事的緊張の高まりを背景としていた。だがそれはアメリカが自ら大西洋憲章を破る話だった。米国はソ連などの介入を恐れた。しかし現実には、戦後日本の初の総選挙（帝国議会）は四六年四月のことだが、このときすでに沖縄は除外され、新憲法を制定する議会に沖縄選出議員はいなかった。そして四七年九月、いわゆる「沖縄メッセージ」が昭和天皇から発出される。

そこでは「①天皇はアメリカによる琉球諸島の軍事占領の継続を望むこと、②沖縄の占領は日本の主権を残したまま長期租借によるべきこと、③沖縄占領および長期租借は米国と日本の二国間条約によるべきこと」が謳われる。米軍の野望を、昭和天皇が先回りして日本側からの意向・希望として打ち出したのである。自主的・奴隷的対米従属の原点である。これについては天皇あるいは側近が率先して出したという説とアメリカ側が根回しして天皇に出させたという説があるがどちらでもいい。天皇がここで戦後日本国家の形成について決定的役割を果たし、それは先述した五〇年六月の講和をめぐる天皇メッセージを経て、五二年講和以降も続く沖縄の分離・軍事支配とそれを核とする日米安保体制に受け継がれた。そして七二年「返還」もまさにペテンで、いっそう過酷な米軍基地を引き続き沖縄に押し付けるものとなり、さらに二一世紀の今日、「台湾有事」の名による琉球諸島・南西諸島の極限的な軍事要塞化と恐るべき「第二の沖縄戦」の危機をたぐり寄せているのである。

新憲法が公布されるのは四六年一一月だが、マッカーサーに主導された天皇制の存続（東京裁判での裕仁免責）と憲法第九条による戦争放棄は、戦後日本をアメリカのくびきの下で国際社会に復帰させるための表裏一体の政策だった。同時に九条は沖縄の分離・軍事支配とも一体不可分だった。九条の美しい文言の裏には、当初から沖縄米軍基地がべったりと張り付いていた。そしてこの沖縄を要石として、その後、戦後日帝の基本政策としての日米安保同盟政策が生まれる。憲法九条と安保・沖縄と象徴天皇制、この三位一体的関係のなかに戦後民主主義、戦後平和主義の醜い正体がある。戦後的「平和と民主主義」の化けの皮を一皮めくれば、第二次世界大戦で勝った帝国主義と負けた帝国主義の間の強盗同盟がある。アメリカは極めて早い段階から、天皇を使った戦後日本の統治を構想していた。後に駐日大使となるライシャワーは、「真珠湾攻撃の一年足らず後の四二年九月には日米戦争勝利後の『ヒロヒトを中心とした傀儡政権』を陸軍省に提言していた」というのである（加藤哲郎『象徴天皇制の起源』）。白井聡的にいえばここに戦後日本の「国体」がある。ジョン・ダワーは「天皇制民主主義」と呼んだ（『敗北を抱きしめて―第二次大戦後の日本人』)。七〇年闘争は、幾多の血と犠牲のうえにこの虚構と欺瞞を告発し弾劾する闘いとしてあったのである。

七・七自己批判と血債の思想

安保・沖縄問題を中心に七〇年闘争を見てきたが、七・七自己批判問題については追加する必要がある。七〇年七月七日の盧溝橋事件(日帝の中国侵略戦争への全面突入)から三三年目の日に、在日中国人青年らの組織である華青闘(華僑青年闘争委員会)が、革共同を始めとする七〇年闘争に参加している新左翼党派に対する糾弾闘争に立ち上がった。直接のきっかけは革共同の一メンバーの発言だったが、中身は要するに、お前たちは日帝のアジア侵略の歴史を本当に分かっているのか、在日中国人、在日韓国・朝鮮人の置かれている困難な現状、その法的地位、入管問題の大きさを分かっているのかという深刻なものだった。このとき本多は破防法で獄中にいたが、残された革共同指導部は清水を先頭に全力で、誠実に自己批判した。革マル派の「被抑圧民族迎合主義」などという悪罵をはねのけて、革共同は七〇年闘争を死力をつくして闘いぬいたからこそ、このような在日の糾弾を受けたのであり、これに対して徹底的な自己批判を貫徹しえたのである。

在日、特に在日韓国・朝鮮人は、戦前は「帝国臣民」だったが、戦後は一切の権利を奪われ、四七年五月二日、つまり新憲法施行の前日に出された最後のポツダム勅令・外国人登録令によって「外国人」にされた。戦後憲法・戦後民主主義は、沖縄に続いて在日を排除し、以降在日中国人を含め、これを過酷な入管体制のもとにおくのである。革共同はこの批判に応えて「入管決戦」方針なども出すが、求められていたのはそうした政治カンパニア方針はなく、地域的・持久的・陣地戦的な闘いの方針だった。そしてこの入管問題の焦点化を突破口に、部落、沖縄、障碍者、女性などの諸戦線が革共同内に構築されていった。差別と排外主義との闘いがその後たえず課題となり緊張を生んだ。ここには行き過ぎが生まれ、混乱も、過ちも生じた。組織内外における「糾弾主義的」な言動などである。しかしそれは徹底した討議で正していけばよかった。この自己批判＝「血債の思想」の重要性について革共同は、その後も長く再確認し、反芻し続けてきた。例えば清水は、九八年一〇月に書いた論文（清水著作選第2巻・序文）の中で次のように書いている。

「もちろんプロレタリアートは、日々の現実において資本と権力の階級支配と搾取・収奪を受け、どんなに排外主義に汚染されていても不断に階級的原点にたたされ、そこからの自己解放闘争に立つ以外に生きることができない階級としてあり、自己解放の主体としてありつづけることは明白である。……しかしこのことは、プロレタリアートは自動的に排外主義の汚染あるいはその蓄積からくる歴史的体質化から自由であるということではない」、「日本人プロレタリアート自身が、帝国主義と社・共既成指導部のもとで長いあいだアジア侵略とたたかいきれず敗北してきたこと、そして帝国主義的民族排外主義に汚染させられてきたこと――この日本人プロレタリアートのプロレタリアートとしてのいたらなさが、アジア人民の生命と生活とたたかいに与えてきた大きな打撃を考えたとき（彼らに流血を強制してきたことを考えてきたとき）、帝国主義の侵略責任とは別の意味で、プロレタリアートとしての血債をアジア人民に負っているということであった」、「このことは極めて厳しい階級的倫理性の問題ですらある。

われわれは、階級的倫理性ということには生命をかける重さがあると同時に、そこには革命論的な意味があることを確認した」。

ここでは何のあいまいさもなく七・七自己批判の中身が語られている。そして清水はこの論文の別の個所で、われわれはこの自己批判を通して、単に「侵略を内乱へ」だけではなく「連帯し侵略を内乱へ」と打ち出すことが出来たのだと書いている。革共同は、これを「血債の思想」と呼び、七〇年闘争全体を貫く内乱的質・飛躍と表裏一体のものとしてとらえた。それだけの重さと大きさを七・七自己批判はもっていた。ところがこの清水論文が書かれた一〇年後には「党の革命」なる茶番劇によって、これに「血債主義」のレッテルを張って弊履のごとく投げ捨てるのである。

今日になって私が感じることを付け加えれば、この革共同の七・七自己批判のなかに「天皇制問題」がなかったことである。人種差別からフェミニズムまでもちろん問題は日本だけの事柄ではなかった。PC（ポリティカルコネクトレス）などという慣行が全世界的に広がるのもここいらを出発点にしている。しかし特殊日本的には、沖縄にも、入管にも、部落にも、障碍者にも、女性・家族にもことごとく天皇制がからんでくる。「天皇制は一木一草のなかにある」と言ったのは竹内好だが、今日的にいえば、このどんよりとした日本の忖度、萎縮、空気、自粛、同調圧力から家父長制、LGBTまでの一切合切に天皇制問題は根を下ろしている。革共同は、問題を「天皇制・天皇制イデオロギー」として対象化していた。もちろん七一年には、天皇の訪欧阻止を叫ぶ沖縄青年委員会の皇居突入闘争などの闘いもあった。これだけでなく、沖縄からは七〇年問題を天皇制と結び付けて論ずる言説が繰り返し出された。しかし清水だけではなく、天皇制問題について自説を持っていたはずの本多も七〇年闘争過程の論文で天皇制に言及していない。なぜなのだろうか。もちろん昭和天皇の沖縄メッセージなどが明らかになるずっと前の話だが。

七〇年闘争と武装闘争

さて、こうした七〇年を前後する歴史的攻防の中で、革共同は闘いの実力闘争的・武装闘争的発展を推し進めていった。この激動的過程では、もちろん革共同以外の党派や、党派という形をとらない個人的グループの軍事行動があった。日本赤軍があり、よど号があり、あさま山荘があった。そして忘れてはならないのは七四年八月の東アジア反日武装戦線・狼による「レインボー作戦」である。不発に終わったとはいえ、それは日帝のアジア侵略断罪の標的を昭和天皇に定めた点で注目に値する。もちろんこれら多くのさまざまな試みには行き過ぎもあったし、混乱もあったし、偏向もあったし、挫折もあった。だが革共同がその先頭に立ったこと、そしてそれが日本階級闘争の中での歴史的挑戦であったことは事実である。

トロツキーは「労働者の武装は、ストライキのピケットから始まる」と言っている。ストライキは言うまでもなく非暴力の闘いである。しかしそれが一定の規模をこえて発展し、資本と権力に脅威を与えるとき、敵はしばしば、というよりも必ず警察機動隊、右翼暴力団、第二御用組合、あるいは時に軍隊を使ってこれを暴力的に鎮圧しようとする。これが資本であり国家権力というものである。これに対して非暴力のストライキを貫徹しようとすれば、労働者は自らの身と隊列を守るために「武装」しなければならない。実際暴力と非暴力の問題はこのような関係にあるのであって、絶対的な二者択一の問題としてあるのではない。事実、労働者・学生がヘルメットと角材で「武装」したのは決して七〇年闘争が初めてではなく、六〇年三池のストの中で、一人の三池組合員が右翼の襲撃で殺される中で、万単位の組合員がポッパー決戦にむけて「武装」して職場に立てこもるということも起きている。このときは総評・炭労の指導部が中労委斡旋をのんでストを収める中で不発に終わっただけである。六七年一〇月八日、革共同を始めとする各党派の学生隊列が、ヘルメット、角材、投石などで「武装」して羽田空港にむかって突き進んでいったのは、それ以外に佐藤の南ベトナム訪問に反対するどんなささやかな「表現の自由」も、十重二十重の警察機動隊の警備体制の中で奪われていたからである。

集会・集団行進の権利は、憲法二一条に定めている表現の自由である。だがこれを警察の事前の許可制にし、コースなど全て警察の言いなりに出来るようにしたのが、米軍占領下の一九四八年以降各都道府県に制定された公安条例であった。日本の警察は以降、あれこれの言いがかりをつけてデモを規制し、機動隊でデモ隊を重包囲し、重包囲の中で殴るけるの暴行を加え、不当逮捕を繰り返すなどの暴挙を続ける。当然これは各地で裁判闘争に発展し、早い段階から幾つもの公安条例違憲の判決を出しているが、六七年に入ってからだけでも下級審での違憲判決が相次いだ。一つだけ紹介すれば五月の東京地裁寺尾判決がある。これは実は公安条例合憲判決なのだが、そのあまりにもデタラメな運用に目をむけ運用違憲論を展開する。機動隊がデモ隊に強制するさまざまな「条件」についてふれ、「これに対する参加者のとるべき途は、機動隊員の命ずるところに従い、機動隊員らのいわゆるサンドイッチ規制をも甘受せざるをえないことになり、左右四列の機動隊員の中に五ないし六列の隊伍で参加者が集団行進をしている状況が現出し、まさに国家の包摂した表現の自由の奇観を呈する危険がある」と言っている。

一〇・八をどう総括したか

ここに言う「国家の包摂した表現の自由の奇観」が六〇年安保闘争敗北以降の六〇年代のデモ行進で常態化してきたのである。そしてこれをまさに実力で突破したのが一〇・八羽田の闘いであった。京大生・山﨑博昭は学生が乗っ取った装甲車にひき殺されたものだという警察のデマ宣伝を含め、それは激しい反動の嵐を呼び起こした。しかし他方ではこのようなマスコミを含む袋叩きを圧倒的なスケールではねかえす共感の渦を広範な民衆の中に呼び起こしたのである。この過程で闘いの先頭に立った革共同指導部は冷静であった。例えば本多は直後の論文でこの闘いを総括して次のように言っている。

「帝国主義者の攻撃と相呼応して一〇・八羽田闘争を非難している日共スターリン主義者の反労働者的な策動は論外としても、労働運動や学生運動の誠実な活動家のあいだにも一〇・八羽田デモの闘争形態に疑問をもっている人が数多くいることをけっして過小評価してはならない。われわれは、こういう人たちにたいし一〇・八羽田デモの意義を徹底的に擁護しぬくことを基礎に、その闘争形態の特殊的性格があくまで国家権力の暴力性との具体的関係においてとらざるをえなかった大衆的示威運動の『防衛的』対応であることを提起しながら、同時に一〇・八羽田闘争をわれわれの総体的な戦術展開のうえに積極的に位置づけることを訴えてゆくであろう。『ブハーリンの電撃的攻勢論の再現』としてその意義を否定する右翼日和見主義を断固として歴史のクズ箱に投げ捨てて前進するとともに、他方、一〇・八羽田デモの特殊的な闘争形態を機械的に拡大し、あまつさえ労働者階級本体の運動形態のうえに直接的にもちこもうとする一部の無責任な極左的言動を決定的に封殺していかねばならない」(「羽田闘争の意義とたたかいの展望」)。

一〇・八羽田の戦術をここではあくまで「防衛的」と言っていることを記憶しておきたい。以降七一年まで約五年間続く七〇年安保・沖縄闘争の大きさの一つの指標として、警察庁警備局が発表している数字によれば、検挙者数では、六〇年闘争では八八六人、七〇年闘争では二万六三七三人、出動警察官数では、六〇年ではのべ約九〇万人、七〇年闘争ではのべ約六六五万人という数字が出ている。別に逮捕者の数でその闘争の意義が決まるわけではないが、七〇年闘争には、この数字の何十倍、何百倍の民衆、労働者・学生が立ち上がった。そして「武装」は角材から鉄パイプへ、投石から火炎瓶へ、爆弾へとエスカレートしていった。革共同の方針もこの過程で、本多が一〇・八直後に言っていた制約を超えて飛躍、学生だけでなく反戦派の労働者も軍団を形成して街頭闘争の前面に立ち、革共同の総力をあげた闘いに発展していった。これに対し国家権力は闘争現場での大量逮捕を繰り返すだけではなく「伝家の宝刀」破防法を発動、革共同最高指導部である本多の集会演説を「暴力主義的破壊活動」といいなし「せん動罪」を適用し、逮捕・起訴するのである(六九年四月)。

近代史の限界を打ち破る挑戦

日本の階級闘争の歴史、民衆運動の歴史の中で、かつて例をみない地平が到来した。確かに戦後階級闘争の中でも、五〇年朝鮮戦争に呼応した、日本共産党主導の、在日朝鮮人を先頭とした軍事路線、武装闘争、火炎瓶闘争があった。この過程で、血のメーデーや吹田、大須などの三大騒乱事件も起きた。しかしこの中国革命方式を直輸入した路線は、共産党自体が分裂している中での、せいぜい一年未満のもので、朝鮮休戦の影響もあったが、コミンフォルムの指導でたちまち中止され、それだけではなく、共産党の五五年六全協によって、また朝鮮総連の成立によって、こうした闘いの全てが「極左冒険主義的誤り」の名のもとに全面的に否定され、歴史の闇の中に葬り去られるのである。

しかもここで重要なことは、この政治過程で、最も重要な日本労働者階級の闘い、生まれたばかりの総評が担った五二年労闘スト（破防法反対スト）とこの軍事路線が完全に切り離されていたことである。軍事路線・武装闘争と労働運動・大衆運動が切断されていたことである。七〇年闘争における革共同の「連帯し侵略を内乱へ」の闘いは、まさにこの歴史の重い壁を乗り越え、打ち破ろうとする挑戦だった。いや戦後階級闘争の歴史の壁というよりも、近代日本階級闘争の壁を乗り越えようとしたといった方がいいかもしれない。そもそも日本人民は、あの八・一五敗戦にいたる最も悲惨な犠牲を強いられた過程を通して、どんなレジスタンス運動、どんなパルチザン闘争に立ち上がっただろうか。戦争が終わった後、日本人民が戦前の日本で誇ることができたのは、何人かの共産党幹部が、「獄中一八年」を非転向で頑張ったということぐらいしかなかったのである。革命的左翼はその出発点で、この「獄中一八年」の神話を徹底的に軽蔑したものである。このことと、日本における戦後革命の不発は深く連動している。二・一ストへの挑戦など確かにすさまじい激動のうねりがあった。しかし他方では、戦後間もなく天皇裕仁が全国を巡行すると、その戦争責任を問うどころか、日本の民衆の全てとは思わないが多くが「万歳、万歳」の歓呼の声でこれを迎えたのである。革共同はあの戦後の激動の時代を「戦後革命期」と呼んできた。確かに米占領軍も、日本の生き残り支配者たちも革命を恐れていた。近衛上奏文[4]などに見る通りである。しかし日本人民は、日本共産党を先頭に革命を自覚していなかった。挑戦しようともしなかった。だから天皇の戦争責任不問→象徴天皇制と戦争放棄と沖縄切捨てをセットにした新憲法のもとでやすやすと「国体護持」を許すのである。

なぜこうなったのか。それは一五年戦争の過程を見るだけでは不十分だろう。たぶん一九一〇年の大逆事件[5]、さらには一八八四年の秩父事件[6]、そして自由民権運動ぐらいまで遡って総括すべき問題だろう。いや明治維新そのものからの総括ではないのか。つまりスターリン主義云々はもちろん極めて重要だが、それ以前の問題、天皇制支配の問題と深く関わっているだろう。七〇年闘争は、明らかにこの近代日本の重い負の歴史を打ち破ろうとする試みだった。そして国家権力は、正確にそれを認識していたが故に本多延嘉らに対する破防法発動に踏み切った。本多が獄中に置かれたのは二年程度にすぎない。しかしこれによって革共同指導部は以降地下潜行という困難を強いられる。革共同は、これに対し組織の非合法・非公然体制を築き、七〇年闘争の地平を七〇年代的に発展・継承させようとした。だがその中心にいた本多その人が、その四年後には革マル派に襲撃されて殺されるのである。革共同にとって破防法と革マル派は一体の攻撃であった。七〇年安保・沖縄闘争を闘い抜いたことが呼び起こした二重の恐るべき反動・反革命であったのである。

【注】

（1）佐世保／六八年一月、アメリカ原子力空母エンタープライズ佐世保寄港阻止闘争。

（2）王子／六八年三月、アメリカ軍の王子野戦病院建設阻止闘争。

（3）テト攻勢／六八年一月、南ベトナム解放民族戦線と北ベトナム軍が旧正月にしかけた大攻勢。一時、首都サイゴンのアメリカ大使館がゲリラ側に占拠されるなど、アメリカに大きな政治的打撃を与え、ベトナム戦争での米軍敗退への大きな転機となった。

（4）近衛上奏文／四五年二月、近衛文麿は太平洋戦争の戦局悪化の中で、もはや敗戦は必至とし、真に恐るべきは敗戦そのものよりも、それに伴う革命、日本の共産化であるとして、「国体護持」のための早期戦争終結を進言した。しかし昭和天皇はこれを退けた。

（5）大逆事件／検察が「明治天皇暗殺計画」をでっち上げ、幸徳秋水、菅野スガら一二名に大逆罪を適用、これを処刑した事件。以降、明治社会主義運動は沈滞を強いられる。

（6）秩父事件／秩父地方で深刻な不況に苦しむ一万人を超す農民が蜂起、秩父困民党を結成し、高利貸などを襲った。軍隊が発動され一〇日間で鎮圧、死刑七名、重罪三百名などを出した。

第3章　いわゆる「内ゲバ」について

本多延嘉の暗殺

一九七五年三月一四日未明、革共同書記長の本多延嘉が革マル派に襲撃され、殺害された。死亡時刻が午前三時ごろというが、その四時間前まで私は本多と会っていた。確か墨田区あたりと思うが、一三日午後一一時ごろ私は本多と別れ、池袋の前進社までタクシーで帰った。一三日は木曜日で、毎週必ず翌週の月曜日に出す『前進』の最後の詰めのために、夜の二〜三時間の車中会議をもっていた。私は本多と、月曜日にも次の週の『前進』の編集方針を決めるための車中会議をもち、こちらは日中、数時間の時間をとった。革マル派との戦争が極めて厳しいなかでもこの週二回のスケジュールは変えなかった。本多は学生時代に『早稲田大学新聞』にかかわっており新聞には強い執着があった。前進社に帰った私はすぐ編集局員を集めて意志一致をし、寝床に入った。ところが間もなく「ラジオが変なこと言ってるよ」と起こされた。私は「何を言ってるんだ。さっきまで会っていたんだ。革マルの謀略デマに決まっているだろ」と言った。だが眠れなかった。そして少し後にラジオがこんどは「本多の指紋が出てきた」と言った。私は飛び起きた。

私が編集長になったときだから、七二年と記憶するが、本多は編集局員全員を集めて、レーニンの「なにをなすべきか？」の学習会を数回もった。定期的に発行される政治新聞とその配布網こそが、レーニン主義的な組織建設の核心であることを繰り返し叩き込まれた。編集局は政治局の下請けではない、政治局の主張をたれ流せばいいのではない、自分の肩の上に自分の頭をおいて仕事をしろ、とも説教された。革マル派との戦争の中で機関紙は焦点化した。「機関紙戦争」と呼んでいたが、それまで通っていた外注の印刷所が革マル派の襲撃で使えなくなった。そして確か七四年初頭から『前進』の発行を中止、「革共同通信」というタイプ刷りの代替え紙でしのいだ。秋には、移転した前進社内に独自の印刷所を建設し再刊するのだが、このとき本多が私に言ったのが、「一ページは必ず各産別の労働運動論文を載せてくれ」ということだった。国労から沖縄・全軍労まで思いつく限りの産別の名前をあげた。二四時間、戦争一色、革共同の労働者党員も出退勤時に革マル派から身を守ることがすべてで、労働運動を論ずるゆとりなど全くないころの話である。本多は戦争の指揮・指導の先頭に立っていた。しかし当然ではあるが本多は戦争が終わった後のことを考えていた。

内ゲバと「内ゲバ」

私はこの章の冒頭の見出しで「内ゲバ」という言葉を使った。だがこれは世間で広く流通しているから使っただけで、あくまで鍵カッコつきで使っている。革マル派との戦争を本当は内ゲバなどと思っていない。私は当時も、今も、革マル派をバリケードの内側の勢力・党派などと思っていないということである。いわゆる「内ゲバ」についてはさまざまな本が出ている。小西誠によると「内ゲバ」による死者の数は、総計一一三人、負傷者は約四六〇〇人以上、発生件数は約一九六〇件以上とある（二〇〇一年まで）。すさまじい数である（『検証内ゲバ—日本社会運動史の負の教訓』）。ここには連合赤軍内の粛清等も含まれるが、大半は革マル派と中核派（革共同）、解放派（革労協）との間のゲバルトによって生じたものである。そして「内ゲバ」に関する文章の大半が、これらの党派を「内ゲバ三派」とか「内ゲバ殺人党派」とか呼び、その「モラルの崩壊・堕落・荒廃・狂気」等々を声高に非難している。だがこれで何かを言ったことになるのか。

七〇年闘争が、日帝国家権力の根幹をめぐる激しい実力闘争に発展する中でしばしば党派関係にも暴力が持ち込まれた。言葉の真の意味での内ゲバである。私は革共同も含め、こんなものは最大限抑制・自粛すべきであったと思う。しかしこれと、革マル派と中核派、革マル派と解放派との間で進行したいわゆる「内ゲバ」は全く次元の違う事柄である。七〇年当時、共労党の幹部だった笠井潔が最近出した本で「内ゲバ」の原因について語っている（絓秀美との対談／『対論1968』）。それはまず「他党派の存在を許さない前衛党主義」、「暴力の無菌状態だった戦後（日本）社会への反発」をあげ、特に前者については、「第三インターナショナル（コミンテルン）は世界単一党で、各国共産党はその支部だから〝一国一党〟が原則だった。こうした組織論に由来する前衛党主義が内ゲバの大きな原因」としている。なるほどと思った。そもそも革共同も元を辿れば第四インター日本支部が出発点だった。七〇年過程の新左翼に関するさまざまな文献の中に「中核派の傲慢や横暴」を非難する言葉が数多くある。「唯一無謬の前衛党神話」―確かにこんなものを私ももっていた。だから内ゲバの責任の一端が革共同にもあったことは確かだ。だが笠井は次のように続ける。「と、中核派まではこれで説明がつくんだが、革マル派となると話が違ってくる。内ゲバの源流には、革マル派の路線化された他党派解体があることは間違いないよね。内ゲバ激化の第三の要因は、革マル派という政治カルトの存在だと思う」。

私に言わせれば、そこまで言うのなら、「左翼の一線を越えた政治カルト」「バリケードの向こう側に移行した政治カルト」と言ってほしかったと思う。七〇年闘争はすでに詳しく見てきたように激しい闘いだった。私自身大した役割を果たしていないが、よくついていけたと思う。革共同ももみくちゃになった。この数年の激動的過程で、数名の政治局員が革共同から離反している。だがその一人一人に対して、やれ「反革命」とか、やれ「スパイ」とかのレッテルを張り、断罪することなどなかった。本多の基本的姿勢は「去る者は追わず」だった。最近の革共同が、過激な実践とは無縁になりながら、「スパイ」摘発などとなると急に過激化するのとは随分話が違う。すでに見てきたように、他党派とも路線をめぐる対立はあったし、その延長で暴力が振るわれることもあった。革共同も多くの過ちを犯したと思う。しかしそこには一定の限度はあり、自制は働いていた。だが革マル派の、国家権力の破防法・騒乱罪を振りかざした弾圧と一体となった、「権力が首根っこを押さえている間に急所を狙え」と公言しながら発動される「暴力的他党派解体闘争」となると話は全く違ってくるのである。

革マル派の「サナダムシ」路線

七〇年代後半に革共同を離れ、作家に転身した今井公雄は、ネット上で「左翼過激派の二〇年――その文学的考察」と題する長い文章を公開していた。未完のまま今井は他界し、活字化もされていないのだが、その一節に革マル派の党首である黒田寛一による、革共同第三次分裂前の学習会の光景が描かれている。黒田と革マル派を理解するうえで実に興味深い箇所なので引用する。

「いま思い出すとそれは奇妙な光景だった。東工大の大教室でのことである。日曜日ゆえ暖房は入っていなかった。肌寒さを感じたことを覚えているので秋口のことだったと思う。茶坊主よろしく黒田の脇に付き添う法政の芳賀がテープコーダーを重そうに抱えて登場したこと。独特な巻き舌で黒板を使いながら講演する脇で清水丈夫が黒板消しを手にし神妙な面持ちで立っており、黒田が振り向いて黒板を使おうとするやいち早く不要になった書きなぐりを消していたこと。ここまでの記憶は鮮明なのだが、のちに黒田夫人となる新木新子についての記憶はない。全都の学生を集めておこなっていた黒田の講演学習会のことである。『黒田寛一をどうとらえるか』の巻末にある年譜によると六二年の九月から一一月にかけて四回の学習会が開かれているので、そのうちのいずれかだったと思われる。黒田はおおむね次のような主旨のことを話した。

『われわれはサナダムシである〜。サナダムシは〜、あごんところについてる鉤で胃壁に食らい付いてどんなことがあっても離さない。そんでもって、最後には本体を倒しちゃう。』

いまではあまり知られていないことだが、当時を知るものなら知らぬものない『全国委員会寄生虫論』である。

この比喩には、宿主が倒れると寄生物も生きてはいけなくなるという肝心な点が抜け落ちている。少し考えればじつにアホらしい話なので、まともな人間ならこの話を聞いただけで『この男、少しおかしいんじゃないか』と思う類のものである。しかし、その場に居合わせた『信者たち』は誰も疑うことなく聞いていたし、話している当人もそこにある矛盾に気づかず得意気に話していた（ように私には感じられた）。かくいう私も納得したわけではないが『そういうものなのか』と聞いていたひとりであったことは否定しない。その一方で『どうもおかしい』という感を拭いきれなかったのでこの話を鮮明に記憶しているのである。黒田に対する私の違和感は、このおりに耳にした話が基底にあるといっても過言でない。」

今井がここに紹介している学習会に私は参加した記憶はない。忘れただけなのかもしれないが、ただここには分裂前の革共同の雰囲気と黒田という人物の特徴が見事に描き出されているように思う。私自身は、勉強熱心ではない大衆運動主義者だったから、黒田と直接接した記憶が薄いが、黒田という存在が、ともかく絶対的権威とされていたことはよく覚えている。「マルクスなんか読まなくてもクロカンを読んでおけばいい」とか、「革共同には黒田という頭脳と松崎（当時動労青年部長）という心臓があるから不敗だ」などという神格化が公然とまかり通っていた。そして黒田著の『組織論序説』は、革共同の組織論の聖典として叩き込まれたが、その肝にあるのが、右の引用に出てくる「革共同寄生虫」論、「革共同サナダムシ」論である。ここに清水の名前も出てくるが、別に清水だけがエピゴーネンだったのではない。当時の学生党員など殆どが黒田のエピゴーネンだった。そして第三次分裂をへて、私のような「不純分子」を排除して出来るのが革マル派であり、ちょうど麻原彰晃あってのオウム真理教であったように、黒田寛一あっての革マル派だった。「優秀」な学生党員の大半が革マル派に行った。その『組織論序説』に次のような一節がある。

「永遠の今」としての党

「労働者階級の前衛とは、プロレタリアート自己解放の理論、共産主義思想を物質化し、現実化するための媒介形態としての革命的人間の組織である。前衛としての自覚、革命への献身、忍耐、自己犠牲などの資質をかねそなえた共産主義的人間への自己変革をなしとげたプロレタリア的人間を構成実体とする強固な『共同体』(これは革命的人間への変革の場であるとともに、実現されるべき将来社会の萌芽形態であり、共産主義的人間にとっては〝永遠の今〟としての意義をもつ)としての前衛組織こそは、プロレタリア的目的を革命的実践に適用し、プロレタリアートを一階級として組織しつつ革命をなしとげるために不可欠な手段である。」

ここでは、革命党の規律に言及したレーニン『「左翼」小児病(ママ)』に出てくる、党員の自覚、献身、忍耐、自己犠牲などの言葉はちりばめられているが、レーニンが強調した大衆との結びつきや正しい政治指導については一言もなく、つまり組織問題と政治問題の固有の弁証法的結びつきというレーニン組織論の核心を完全に没却したところで、ただ共産主義的人間、プロレタリア的人間の強固な「共同体」が語られている。そして革命、権力奪取、プロレタリア独裁にむけて闘う党ではなく、「革命的人間への変革の場」「実現されるべき将来社会の萌芽形態」、最後は「永遠の今」としての党の意義が語られているのである。この「永遠の今」論の延長上の永遠の未来・彼岸における「革命」を夢想するところに黒田組織論・革命論のすべてがある。

もともと革共同の出発点は、黒田を中心とする『探究』グループというサークル集団であった。そうして六〇年安保闘争において完全にブントにヘゲモニーをとられる。そして革共同は本多を先頭にブントの破産を乗り越え、三全総において日本の階級闘争全体に責任をとる党派へと飛躍しようとする。これに反発して生まれた革マル派は結局「党のための闘い」を空叫びしながら、ますますサークル主義的カルト化の道に迷い込む。だがこの結果、特に学生運動において著しい党勢の衰退が進行した。分裂当初は圧勝していたのに、六〇年代中期を通してたちまち中核派、再建ブント、解放派などに圧倒されていく。そこから出てくるのが「のりこえの論理」であった。

暴力的他党派解体闘争路線

つまり革マル派も大衆運動に無関心ではいられなくなる。しかしここが革マルの革マルたるゆえんだが、彼らはそこから己の責任でいかに大衆運動を組織するかに向かうのではなく、「大衆運動における党派闘争」のあり方・理論をこねくり回すのである。黒田いわく「他党派の戦術や理論を批判し〈理論上のりこえ〉、他党派を革命的に解体するための組織活動を展開する〈組織上ののりこえ〉ことを通じて、〈運動上ののりこえ〉を実現する」（『日本のスターリン主義運動』）。要するに眼中にあるのは、他党派、他党派、他党派だ。もちろん党派闘争は重要だ。党派闘争を通して、階級闘争も前進し研ぎ澄まされていく。しかしそれは、権力・資本との闘いのなかでの党派闘争ではないのか。だが革マル派のそれはその一番肝心な点が抜け落ちた党派闘争の自己目的化・自家中毒化だ。上記における三つの「のりこえ」の順番がそのすべてを物語っている。

立花隆の『中核 vs 革マル』は、七五年の本多虐殺の少し後に出版された本で、革共同の側では本多がインタビューに応じている。もちろんこの本の結論は「どっちもどっち」論だが、双方の機関紙など多くの資料の綿密な読み込みのうえで書かれたもので、いわゆる「内ゲバ」の実像について、単なる「内ゲバ党派の荒廃」論一般に流されない記述になっている。その立花が、右にあげた黒田組織論についてこう言っている。「私はここのところが、革マル派のいちばんの特徴ではないかと思っている。普通なら、他党派との競い合いにおける三つのポイント、関係はこうなるはずである。〈理論上ののりこえ〉〈運動上ののりこえ〉を通して、〈組織上ののりこえ〉を実現する」。「宗教上の信者獲得競争」にあてはめれば、「より説得力のある教義の提出（理論上ののりこえ）とそれによる信者のより多い獲得（運動上ののりこえ）によって、他宗派を圧倒する（組織上ののりこえ）のが普通の宗派間の競争（党派闘争）のあり方」である。にもかかわらず、革マル派の論では、〈運動上ののりこえ〉と〈組織上ののりこえ〉の順序が逆で、「順序がおかしいというよりも、あまりにも主観主義的な運動論である」「革マル派が他党派にくらべて、前々から党派闘争、内ゲバにとりわけ熱心だったのは、実はその背景にこうした理論があったからなのである。……革マル派はこの理論に導かれているがゆえに、一貫して〝他党派を革命的に解体するための組織活動〟を目的意識的に展開している。そして、その〝他党派解体のための組織活動〟においては、〝革命的暴力〟の行使を理論的に認めている」。「新左翼諸党派間に内ゲバを蔓延させた主要な原因の一つは、革マル派のこの理論と路線にあったといえよう」。立花は遠慮して「原因の一つ」と言っているが、「原因の大半」と言った方が正確だろう。

要するに革マル派にとって大衆運動に関心があるのは、権力や資本と闘うためではなく、「サナダムシ」となってその大衆運動を食い物にし、他党派を解体するためなのである。つまり、内においては教祖・黒田に帰依したプロレタリア的人間をつくるための「信仰」活動に埋没し、外に向かっては暴力・謀略・権力との密通などによる手段を選ばぬ他党派解体闘争に邁進する、これが「永遠の今」の同心円的拡大をめざすグロテスクな革マル式「革命運動」のαでありωなのである。そして革マル派は、この「のりこえの論理」をさらに深化・緻密化し、やれ「即自的党派闘争」とか「向自的党派闘争」とか、「大衆運動に従属した党派闘争」とか「党派闘争としての党派闘争」とかに関する際限のないスコラ論議を積み重ね、その凶暴な実践にのめりこんでいくのである。

暴力行使は早い段階から革マル式党派闘争の核心だったが、特に七〇年八月海老原事件の後の『革命的暴力とは何か？』出版以降は本格化・全面化する。一言でいえば、革マル派の暴力は革命的で、他党派の暴力はパラノイアで、武装蜂起妄動主義で、反革命的だというたわごとである。右の著作の出版は七〇年秋、つまり六七〜六九年の沖縄、大学、ベトナム反戦等々をめぐる階級的激動の後なのだが、革マル派の暴力論が権力に対する闘いを語ることは皆無で、ただひたすら他党派に対する暴力についてのみ云々されている。そしてこの「永遠の今」と「のりこえの論理」と「革命的暴力論」が結合したところに生まれるのが「内ゲバの元祖・元凶」としての革マル派である。

海老原事件と一二・四反革命

海老原事件とは、中核派が街頭カンパ活動中に、通りかかった革マル派学生を捕捉しリンチし、死に至らしめた事件である。背後には当時革共同が街頭カンパ活動をすると終わりごろを見計らって革マル派が襲撃し、集めた金を強奪することが頻発していたことがある。だがともかくこれは中核対革マルの「内ゲバ」での最初の死者だったが、革共同は対外的には沈黙を守った。これは本多が獄中にあるときで、政治局の中でどんな議論が行われたのか知らないが、私は間違っていたと思う。対外的にも釈明はすべきだった。そして対内的にはこのようなことを繰り返さないという指導を下ろすべきだった。立花などは、その「どっちもどっち」論における、中核派側の最大の誤りとしてこの「沈黙」をあげている。そうした釈明は戦局的には確かに革マル派をいっそう図に乗らせるだけだったろう。しかしそれは必要だったのではないか。もちろん重要なことは、これと一年数ヵ月後の七一年一二月に起こる革マル派による革共同に対する集中的テロ、三名の死、記者会見での公然たる居直りとは全く次元を異にする出来事だということだが。

革共同は革マル派との戦争を当時「二重対峙・対カクマル戦」と言っていた。七一年一一月、沖縄返還協定批准が政治焦点化する中で革共同は「第二の一一月決戦」に決起、二度目の破防法発動に抗して渋谷、日比谷における暴動闘争を貫徹した。沖縄現地での七〇年一二月コザ暴動[1]、七一年五月、一一月の全島ゼネストに呼応するものだった。この過程で革共同の労働者・学生二千人が逮捕され、さらに翌一二月にかけて公安条例によって中核派申請の集会デモはことごとく禁止された。満身創痍だった。そしてこの瞬間を狙いすまして革マル派が反革命襲撃を開始する。一二月四日には関西大学で二名の中核派学生、辻敏明と正田三郎が虐殺され、一五日には三重で革共同常任、武藤一郎が虐殺された。純然たる殺しのための殺し、目的意識的な殺害である。「警察＝革マル連合、K＝K連合」とわれわれは呼んだ。革共同は急速に組織の軍事化を進めていった。本多を先頭とする指導部は、「戦略的防御・革命的対峙・戦略的総反攻」という持久戦的な戦争方針を打ち出していった。革マル派は、以降も図に乗って居丈高に、革共同に対する白色襲撃を繰り返していった。七二年一一月には、早稲田大学で川口大三郎虐殺事件も起きた。だが革共同はこれに直対応せず、「戦略的防御」の姿勢を堅持していった。あるいは数千の早大生とともに早稲田解放闘争を闘っていった。「二つの一一月決戦」の傷、それに対する権力の弾圧に抗して力を回復するためにはそれだけの時間が必要だったのである。

そして革共同が、革マル派に対する軍事的反撃・報復の一歩を踏み出し、革命的対峙段階に突入するのは、一年九ヵ月も後の七三年九月のことであった。激しいやりあいが始まった。そしてこれとともに革マル派の初期的優位性は次々覆されていった。戦争は攻防入り乱れる本格的段階に入った。私はこのころ機関紙編集にはかかわっていたが、政治的・組織的指導、まして軍事的指導には全くかかわっていない。だから、ここで述べることは、「いま改めて、振り返って考えれば」ということにすぎないが、やはりこの「対峙段階」突入の決定的な瞬間をめぐって、さまざまな問題があったのではないかと思えてならない。まず、七三年八月に本多延嘉が書いたいわゆる『前進』六四六号論文、「革命闘争と革命党の事業の堅実で全面的な発展のために」と題する論文である。この論文は、本格的な対革マル戦争突入前夜に、「堅実な」とか「全面的な」というタイトルをつけているところがまず注目に値するが、この直後に本多はこれを棚上げするのである。

六四六号論文の全面的提起

六四六号論文について三つの特徴を上げておく。第一は、冒頭で、「早稲田解放闘争の全人民的な発展」「沖縄におけるたたかいの前進と定着化」「労働戦線における逆拠点化のたたかい」「政治闘争と経済闘争での戦略的前進」などを列挙していることである。早稲田、沖縄、国鉄、この革マルの三つの拠点を転覆し、逆拠点化する、これを軍事を最先端にしながら、しかし政治的・組織的にも、つまり全面的に実現しようという方針だった。特に注目すべきは、労働戦線を取り上げ、国鉄を射程に入れていることである。

第二に、もうひとつの大きな特徴は、「革命的情勢への過渡期の成熟」という時代認識を打ち出したことである。「革命的情勢」そのものではなく、「への過渡期の成熟」という言葉に示されるような非常に用心深い言い方だが、いずれにせよ「革命的情勢」に触れ、そのもとでの党の任務を語っていることである。ここで本多は、レーニンの周知の革命的情勢に関する規定の紹介から始めている。レーニンは、「革命的情勢なしには革命は不可能であり、しかも、どんな革命情勢でも革命に導くとはかぎらない」として「革命的情勢の三つのおもな徴候」として、「①支配階級にとって、不変のかたちでは、その支配を維持することが不可能になること。②被抑圧階級の貧困と窮乏が普通以上に激化すること。③大衆の活動力がいちじるしくたかまること」をあげている。これに踏まえて本多は「革命的情勢に応じた革命党の三つの義務」として、「⑴革命の問題の真向からの提起、宣伝、煽動、⑵革命的行動への移行の促進、⑶非合法的組織、合非の問題の正しい解決」をうちだしている。だがそこには、次のような慎重な言葉が続く。「もとよりわれわれは、レーニンによって提起された三つの義務を機械的に確認するのではなく、それを現在の情勢のもとで具体的、創造的に適用していく実践的方法にたたなくてはならない」「党そのものがいまだ建設途上にあることを徹底的に重視しなければならない」「情勢そのものが過渡的、端緒的な段階にあることをはっきり見すえ」「時機尚早の決起にひきこまれることなく、また、情勢の急速な爆発に不意打ちをくうことなく、情勢の確実な進展にそって一歩一歩じっくりと前進しなくてはならない」「全党の組織と活動を非合法の質で武装するためにたたかうとともに、党の合法的陣地、合法的活動を徹底的に重視し、そこにおいても強大な前進をかちとっていかなくてはならない」。

第三にこの論文は、言うまでもなく「革命的対峙段階の戦取」を打ち出し、当然ながら「戦争の客観的な法則にふまえた戦争の指導原則の明確化、デモのような政治的大衆行動とはおのずから別個のそれじしんの固有の特殊的法則性をもった戦争の特質の明確化、これこそ、われわれがひきつづき強めていかなくてはならない重大な実践上の課題である」としつつ、同時にこの戦争は「持久戦的な性格をもっている」「圧倒的に劣勢な味方が、圧倒的に優勢な敵に対峙し、戦争をもって戦争を養い、戦争をもって味方の戦闘力とその政治的基礎をたえず強め、敵の完全な打倒をかちとる、という独自な発展性格をもった一個の戦争である」「われわれは、昨年春、速戦勝利論と戦争回避論という二つの敗北主義の克服をとおして、反革命カクマルにたいする戦略的防御戦争の不敗の戦略と態勢をつくりあげることに成功した。いまや、われわれは、このたたかいを一歩すすめ、戦略的防御から戦略的攻勢への過渡としての革命的対峙の段階をかちとらなくてはならない。われわれのプログラム、われわれのヘゲモニーをもって、戦争の段階をじっくり前進させるのである」「味方の鉄壁防御をいっそううちかためるとともに、敵の襲撃にたいする革命的報復を本格的におしすすめ、革命的対峙の段階への突入をじっくりかちとっていかなくてはならない」とした。総じてこの論文は、タイトルがよく示しているように、この段階における革共同が直面する政治的・組織的・軍事的課題を、対革マル戦争から大衆運動、党建設まで、文字通り「全面的」に提起したものであった。

革命的対峙段階への突入

しかしまさにそうであるが故に、本多はこの論文を、対峙戦突入とともに「棚上げ」する。「堅実で全面的な発展」の道を当面「封印」し、息を殺しての対革マル戦一本やりに舵を切るのである。この背後には、九月段階におけるある対革マル集団戦上の予期せぬ失態などがあったようだが、いずれにせよ、ここで本多は「堅実」も「全面的」も「じっくり」もお預けにするのである。

こうして、二ヵ月後の同年一〇月に発表された本多の「革命的対峙段階戦取にむけて」論文の論旨は一変している。これは五つの任務を列挙した純然たる戦争論文である。こちらでも「持久戦」は語られているが、「持久戦的な戦略のもとでの速戦即決的な報復の連続的な貫徹」というような言い方である。

もちろんこの二つの論文は、性格が違うものであり、後者は対峙段階への飛躍という極度の軍事的緊張の中で書かれたものである。本多は、このとき迫られた決断の大きさについて、七五年『前進』新年号論文(「七五年決戦で総反攻を完遂せよ」—本多が書いた最後の路線論文だろう)で次のように書いている。「革命的対峙戦への移行をかたくちかいあって九・二一決起に突入した日のあのギラギラするような戦闘的決意をおもいおこし、それを今日的に発展させていかなくてはならない。戦略的防御戦から革命的対峙戦への移行は、蜂起の決定にも似た極度に緊張した過程であった。ここでは一瞬、歴史が停止する。勝利か敗北か。決起の成否によって歴史の方向はさだまり、歴史はふたたびあゆみを開始する。九・二一に突入するときのわれわれをおそったものは、まさにこのような歴史の転換点に直面したときの人間の主体的決意であった」。だがここには、極度の戦局的緊張下における、路線論文の「棚上げ」「書き直し」があるとともに、この戦争の性格規定における明らかな転換がはらまれているように見える。「長期持久戦」論から「短期軍事決着」論への転換である。

いずれにせよ、革共同の側からの凄まじい報復戦が七三年から七四年にかけて展開されていく。そして革マル派は耐え切れずに、七四年六月以降、いわゆる「権力の謀略論」、すなわち「われわれはもはや中核と戦っているのではない、権力の謀略攻撃と戦っているのだ」などと言い出すが、それは彼らの限界のあからさまな自白であった。これに対し革共同は七四年八月には戦略的総反攻段階への突入を宣言し、攻勢をさらに強めた。この時期本多はこの先頭に立ちつつ、同時にこの対革マル戦争をいかに収めるか、集約するかを模索し、迷っていたと思う。しかし翌年の本多の死によってこの戦争を終わらせる選択はなくなった。立花隆は、前述書の最後のところ、本多の死直後に、「本多書記長虐殺を理由に一方的なテロ攻撃をつづけることは、海老原・水山事件を理由に一方的なテロ攻撃をつづけた、かつての革マル派と同列の集団に身を墜とすことになるだろう。〝身を墜とす〟といったのは、むろん、私が革マル派の暴力的他党派解体路線が根底的に誤っていると考えるからにほかならない。主義主張が異なるものに対して、〝教育的措置〟という名目をつけさえすれば、暴力的に相手をテロってもよいという発想は、ファシズムの発想と同じものであるからである」と記している。だが戦争は始めるよりも終わらせる方がむつかしいといわれる。革共同はもはや「復讐の全面戦争」へさらに戦争をエスカレートさせる以外になかった。

防衛優位の軍事科学的教訓

上記からも明らかなように、本多を先頭とする革共同指導部は、いろいろな意見や幅があったのだと思うが、少なくともこの過程では、革マル派との戦争を、一方では持久戦と言いながら、結局比較的に短い期間で軍事的に決着をつけると構想していたように思える。だがこれは正しかったのか。無理があったのではないか。現実に七五年三・一四反革命によって、軍事的短期決着路線は破産し、その後は「軍事的短期決着路線の長期化」ともいうべき深刻な困難を革共同は強いられたのである。より長いスパンでの政治的・組織的・軍事的対峙という持久戦、それを通して革マル派という稀代の反革命党派を完全に打倒・解体・一掃する構想があってもよかったのではないか。六四六号論文路線は、そのもう一つの道をも内包していたと思えるのである。特にすでに数年後には、日本の階級闘争を揺るがす国鉄問題、「戦後政治の総決算」を呼号する中曽根民活攻撃が襲いかかり、沖縄闘争時にもまして革マル派の正体が全人民的に明らかになる中で、沖縄と国鉄を一つの流れとしてとらえ返したとき、そう思わざるをえないのである。「内ゲバ」は七〇年代で終わったのではない、八〇年代の国鉄分割・民営化攻防の中でいっそう死活的の問われるのである。もちろん今だから言えることだが。

本多は、破防法による逮捕で獄中生活を送っているとき、主要に暴力論、軍事論、戦争論について学習・研究しているが、その中で「暴力の復権のために」という論文も書いている。全体としてそれは、例えばマルクスの「革命は、支配階級を打倒するには他のどんな方法によってもなしえないという理由から必要であるばかりではなく、さらに打倒する階級は革命においてのみいっさいの古い汚物をはらいのけ、新しい社会建設の能力を付与されるにいたりうるという理由からいっても必要なのである」をとりあげ、「これは暴力論においても真理である」とし、「議会主義、組合主義、合法主義を拒否し、階級闘争の暴力性をとりもどすたたかい」の必要性を強調したものである。だがこの論文で注目したいのは本多が、「議会主義の尻尾をつけた左翼は、本当は議会的コースをとって合法的に革命が達成されるのが望ましいのだが、国家暴力が不当にもその道をとざしたからやむをえず暴力革命という非常な手段をとるのだ、と考えた方がよいのではないか」と言うが、「この疑問には、考慮すべきいくつかの問題をもっていることはいうまでもない」として、「トロツキーもいうように、軍事問題は大衆獲得の論理としては防衛的に提起されるという政治科学的法則性をわれわれは徹底的に重視しなければならない。また、防御優位の軍事科学的教訓を無視するならば、われわれはしかるべき制裁をうけることになろう」と記していることである。もちろんこの論文は「暴力の復権」を強調している論文で、この個所は、その間に挟まれたわずかな但し書きのように見える。しかし私は、この問題は、民衆の暴力を考えたとき、単なる但し書き、注意事項にとどまらない、本質的問題ではないかと思う。世の中の大半の民衆は、よくても本多の言葉を借りれば「議会主義の尻尾をつけた左翼」なのだ。

政治の延長としての戦争

民衆の暴力にとって民衆の支持は不可欠である。民衆の支持を失った民衆の暴力はただ無力であるだけでなく、敵権力の格好の餌食になるだけである。それは民衆の運動の前進に貢献するどころか、その災いに転化する。このことは、言い換えれば民衆の暴力には、一定の防衛的・従属的・抑制的節度が求められているということではないか。本質的次元においてである。もちろん軍事には軍事の論理がある。きれいごとではすまない。「攻撃は最大の防御なり」もまた圧倒的真実である。たとえば日大・東大などの全共闘運動の中で「孤立を恐れず、連帯を求めて」というスローガンが流行ったが、ただ民衆の支持を求めて何もやらないというのでは民青以下である。その民青は、東大では反全共闘のゲバ部隊として登場した。民衆の支持を獲得するための宣伝・煽動、大衆運動に全力をあげることを土台にして、権力との闘いが一定のレベルをこえたときのための暴力の奪還をめざさなければならない。だが暴力をもてあそんではならない。そこでは民衆の支持との鋭い緊張関係を十分自覚した、本質的にいって、一定の防衛的・従属的・抑制的限界があるということである。言葉をかえて言えば、高度な政治判断が求められているということである。軍事の一人歩きは許されない。戦争は政治の延長である。戦争は必ず政治のコントロールのもとにおかれなければならない。特に国家権力との戦争、あるいは権力の手先となった民間反革命との戦争においては厳しく求められることである。しかし革共同は、まさにこの原則からいつしか逸脱し、本多の言う「しかるべき制裁をうける」ことになったと思わざるを得ない。三・一四という取り返しのつかない敗北を喫したと思わざるを得ないのである。

革共同は本多の死を乗り越えて対革マル戦争をその後も貫き、八〇年代の三里塚を中心とする対権力実力闘争・武装闘争を推進していく。だが、そこで大きく問題となるのは政治と軍事の関係、党と軍の関係の問題であったと思う。はっきり言って両者の関係の逆転・転倒をしばしば許したのではないか。軍事と戦争が政治と党を離れて一人歩きする事態が多々生じたのではないか。それは七〇年代中葉から八〇年代末までの革共同にとっての最大の組織問題だったと思うが、これを招き寄せた起点にあるのが、七三年本多論文の「棚上げ」だったのではないかと私には思う。その精神を、「堅実で、全面的な」という精神そのものを忘れ去ったことは大きな誤りであったのではないのかということである。

【注】

(1) コザ暴動／一九七〇年一二月、コザ市で群衆が蜂起、米軍車両を狙い撃ちして八十数台を破壊・炎上させた事件。直前に糸満市で起きた轢殺事件に対し、軍法会議が加害米兵に無罪判決を出したことに対する怒りの爆発だったといわれる。

第4章　三里塚二期攻防と先制的内戦戦略

先制的内戦戦略

先制的内戦戦略とは、本多が殺されて半年ぐらい後の七五年一〇月に出される革共同の路線である。清水は「朝鮮侵略戦争の歴史的前夜における革命党の基本的任務体系」という論文で次のように言っている。「革命派は、すでに直接的に内戦的形式さえとってきている民間反革命との対決を革命的内戦の徹底的推進の立場から極めて積極的に『階級闘争全体をそれにひきずりこむかたちで』展開し、先制的に内戦形式を形成・発展させていくことによって敵階級にたいして本質的にはむしろ一歩先んじたかたちで内戦的激動期の戦争陣形をつくりだしていかなければならないのである。このことが先制的内戦戦略の核心的内容をなすのである」。

革マル派による本多延嘉虐殺を受けて、これに対する復讐戦争はあらゆる手段でやり遂げなければならないというのが当時の革共同の一致した考えだった。しかし対革マル戦争だけではいつまでも続けられない。革共同は革マル派と違って他党派解体一本やりではやっていけない。折からベトナムではサイゴン陥落で米帝の敗退が確定し、これはアジアなどのアメリカの新植民地主義支配体制を大きく揺さぶる。中東を含む全世界的規模でのある種の「戦後革命」的危機を惹起させた。特に韓国は、朴正煕政権がベトナム戦争に大量派兵してきた経緯もあり、深刻な政治危機に叩き込まれていた。七九年一〇月の朴暗殺、八〇年五月の光州事件[1]などが起こる。並行して中東では七八年ソ連のアフガニスタン侵攻、イランにおける七九年イスラム革命も起こる。こうした不穏な情勢を背景に、日帝は、ソ連を仮想敵国とし第二次石油危機に対応するために、シーレーン防衛なども含め七八年一一月の日米防衛ガイドライン締結に踏み切る。八〇年代中曽根の軍事大国化路線、「日本列島不沈空母」論に至る道である。

革共同は、七三年段階で組織した革命軍の任務として、対革マル派の戦争と対権力の武装闘争を「二重対峙戦」として闘う方針を打ち出した。その中で、八四年九月の自民党本部放火や八六年五月の迎賓館ロケット弾など、中曽根政権を直接対象とするゲリラ戦も闘われた。だがここでいう「朝鮮戦争前夜情勢」はそう単純には進行しなかった。そこで様々な議論・曲折を経て、革共同はやがて対権力闘争の柱を三里塚二期工事をめぐる闘争を据えるのである。三里塚基軸論だ。正式に決めるのは八一年秋の第五回大会だが、それ以前から七八年三里塚一期開港決戦情勢などに激しく煽られていた。そしてこれはジェット燃料貨車輸送をめぐる動労千葉の闘いと一体だった。

『破防法研究』

私自身のことについていえば、本多の死後一定経ってから、ある病を得て、長期の入院生活を送り、それを境に『前進』編集局の任から離れる。そしてさらに一定経過してから、『破防法研究』という雑誌の編集に携わるようになる。これは九二年まで続き、七三号をもって終刊とした。この雑誌は六九年の革共同への破防法発動以降、裁判闘争支援の一環として創刊されたもので、浅田光輝が毎号破防法裁判傍聴記を寄せた。本多が生きているときこそ一定の位置づけを与えられていたが、その死後は破防法裁判闘争もやや後景化し、この雑誌の編集を一人で任されるというのは『前進』編集長に比べれば気楽な任務といってよかった。だが後から振り返れば、八〇年代を挟んで十数年間、『破防法研究』の編集に関わることができたのは私にとっては極めて幸せだった。学生時代から革共同一筋で生きてきた私にとって、なにより世界が広がった。編集者と筆者という関係で、浅田、丸山照雄、古波津英興、川田康代、高島喜久男、尾崎秀樹、白井佳夫等々、実の多くの、個性的な先輩から親しくしてもらい、多くを学ぶことができた。

浅田とは毎年夏には軽井沢で泊まり込みでいろいろ話し込んだ。あるとき「本多君は優れた指導者だった。しかし彼は所感派[2]なんだよね。所感派はダメだよ」などという話も聞いた。彼は共産党時代は「神山派[3]のプリンス」といわれて活躍した経歴をもっていた。丸山は日蓮宗の僧侶だったが、少し前まで『情況』の編集長でもあり、人脈も広く、彼の家に通って雑談することが私にとっては『破防法研究』の編集会議だった。尾崎とは毎年ロシア革命の記念日に多磨霊園に行って、ゾルゲ[4]・尾崎秀実の墓参会に参加した。ゾルゲの愛人といわれた石井花子が参加したこともあり、ソ連崩壊過程の「社会主義は間違っていた」という世論を嘆き、「そんなことありませんよね」と叫んでいたこともあった。すべてなつかしい。同時に私は、上記雑誌の編集という全くフリーな立場からだが、革共同の大衆運動の現場にも精力的に取材活動をかけた。特に三里塚と動労千葉には頻繁に出かけた。少し経つと編集委員も複数になり、一般書店に置いてもらう電話オルグなども必死にかけた。だが『破防法研究』は何より党内でかなり売れた。一切強制はしなかったのだが、八〇年代、党の出版物が非常に狭い、限られたテーマしか取り上げなかったのに対して、『破防法研究』は私の思いつくまま、自由に関心があるテーマは何でも取り上げたのが党員を引きつけたのかもしれない。多い時で六〜七千部は売れたと思う。

三里塚闘争と動労千葉

三里塚は、七一年九月の駒井野、天浪、木の根などの闘争拠点（と大木よねの宅地）に対する強制代執行をめぐる激烈な攻防と、時を同じくして敢行された東峰十字路での青年行動隊の戦闘による三名の機動隊員の死によって敵に大きな打撃を与えた。しかしいずれにせよ、これで空港公団は用地を確保、一期開港は時間の問題と思われた。しかし二つの壁が立ちはだかった。まず滑走路南端に立つ岩山大鉄塔だが、これは七七年五月に闇討ち的に撤去された。この過程では一名の支援学生が殺された。福田内閣は七八年三月の開港を高言した。しかし三月二六日、その開港阻止現地集会が開かれている最中に、一〇名のゲリラ隊が警備の隙をついて空港管制塔に突入、これを破壊した。党派としていえば、第四インターを中心として敢行されたこの戦闘によって開港はさらに二ヵ月延期された。これら一連の過程は、七〇年闘争的地平を七〇年代的に継承・発展させている三里塚の偉大さを遺憾なく示した。この根底を貫き、突き動かしていたのは七〇年以来のさまざまな闘いのなかでも突出した農民的ラジカリズム、農地を奪われる農民の根源的怒りの爆発であった。

同時に、一期開港を経て三里塚は二期をめぐる攻防に突入するが、この過程で重要になってくるのが、動労千葉と労農連帯の闘いであった。ジェット燃料輸送は、当初出た千葉港、鹿島港から空港までのパイプラインによる輸送計画が沿線住民の強い反対で難航、結局暫定貨車輸送方針になり、この輸送を担うのは動労千葉地本の組合員ということになった。これに対して、動労は七六年末の中央委員会で「三里塚開港粉砕・貨車輸送阻止」という千葉地本の提案を満場一致で採択。これに沿って、千葉地本は三里塚開港の出鼻を挫くかたちで、ジェット燃料貨車輸送を拒否して七七年一二月から翌年三月までの長期強力減産闘争を闘う。だが動労本部革マル派はこれに敵対し、七八年七月になると「三里塚絶縁宣言」を出し、千葉地本組合員に対する襲撃、テロ・リンチを開始する。三里塚に対する「どん百姓」「ぼろくず」「警官殺し」「私有財産擁護の運動」などの悪罵が繰り返された。襲撃はその後も千葉地本各支部に執拗に繰り返されるが、千葉地本はこれを跳ね返しつつ貨車輸送阻止闘争を貫徹、その過程で七九年三月、革マルに牛耳られた動労本部と決別し分離・独立をかちとった。三里塚ジェット闘争は、その後も敵が三年間の暫定輸送という当初方針を反故にした延長に踏み切るなかで、これに対する八一年三月のストライキ闘争まで続く。

動労千葉の組合員の多くが千葉の農家の家系に生まれた農民の二・三男だった。そうした彼らにとって三里塚農民に襲いかかっている空港問題とそれをめぐる長期にわたる死闘は他人事ではなかった。この闘いの中での彼らの合言葉は「俺たちはゼニ・カネのためだけに闘うんじゃない」だったが、動労千葉は七〇年闘争以来のさまざまな闘争を経てだが、何よりもこの三里塚ジェット闘争を闘いぬく中で、民同的限界を超えて、迫りくる八〇年代国鉄分割・民営化攻撃と唯一実力で闘うことができる戦闘性と階級性をもった労働組合に飛躍していったといえよう。三里塚との連帯が、動労千葉という労働組合にとって果たした役割は極めて大きかった。

団結小屋と援農と産直

三里塚の意義についてあと一点つけ加えたい。それは三里塚闘争が、その大地性というか、陣地戦性というか、一言でいえば、北総台地に深く根を下ろした「動かざること山の如き」闘いとして推し進められてきたことである。もちろん三里塚では、強制代執行から鉄塔決戦、管制塔占拠、さらにずっと遅れては八五年一〇月の三里塚十字路の闘いなど、権力・機動隊を向こうに回した激戦＝機動戦を何度も経験している。そしてそこには、全国から七〇年闘争を闘った新左翼党派の活動家（日共と革マル派を除く）がはせ参じていた。

しかしそれは三里塚闘争のあくまで一面にすぎない。さらに重要なことは、この背後で、日常的な生活の場で、特に支援の学生が、三里塚、芝山とその周辺に何十という団結小屋をつくり、そこに長期にわたって住み着き、日々、反対同盟農民の援農に出かけ、文字通り生活を共にしたことである。そして少なくない農家で、支援の学生と農家の息子あるいは娘がその延長で結婚し、嫁となり婿となり、反対同盟農民そのものとなって、生活と闘争をともにするということも生まれた。三里塚に自分の人生をさげた支援の活動家は数知れないのである。また一定の時期からはいわゆる産直（産地直販）運動が組織され、反対同盟農民も全国に散在する支援者と直結することでその生活を成り立たせるという関係も生まれていった。革共同は、このような三里塚との関係を「血盟」関係という言葉で呼んだが、それは七～八〇年代を通して、対革マル戦争とか先制的内戦戦略という殺伐とした路線を推進するなかで、自己の階級的正義性と健全性を確信し反芻する上で、決定的な役割を果たした。

三里塚基軸論という名の天動説

このような意味で、七〇年代後半以降、革共同がその大衆運動方針の柱に三里塚を据えたのは圧倒的に正しかったと思う。だがそこには、ふたつの大きな過ちが孕まれていた。第一が三里塚軍事空港論であり､第二が三里塚基軸論である。成田空港はいうまでもなく民間空港として建設されようとしていた。しかしいったん有事の際は、その軍事利用が想定されていたことは、その後の有事法制制定過程などでの議論からも明らかである。だから軍事空港反対論が間違っていたというわけではない。だがそこでは、反戦闘争という革共同にとってお馴染みの方針で三里塚闘争も位置づけ、闘おうという安易な発想の陰で、貿易立国・高度経済成長路線のための農業・農民の切り捨てという、より根源的な三里塚闘争とらえ返しをネグレクトするという傾向があった。戦後日本帝国主義の高度経済成長政策は、まず六〇年三池を頂点とする石炭産業の切り捨て、八〇年代の国鉄切捨て、分割・民営化攻撃、そして六〜七〇年代を通して全国に広がる工業化政策に伴う水俣をはじめとする公害・原発などによる農民・漁民・住民の切り捨てを激しく進行させていった。三里塚は、まさにこれらの攻防の最大の焦点となっていったのである。事実、例えば七〇年代に愛媛県の伊方で原発建設が浮上するころ、反対運動の中で、「三里塚のように闘おう」という声と「三里塚のようになったらお仕舞だ」という声がせめぎ合っていたという記録も残っている。三里塚軍事空港論はここにある豊かな可能性を閉ざしたのではないか。

私は三里塚二期攻防の過程で、よく三里塚闘争会館に泊りがけで通い、反対同盟農民とも、現闘（現地闘争本部）メンバーとも深く付きあっていた。そこであくまで口頭で、半ば皮肉交じりに過ぎないが、現闘の指導部などに「三里塚基軸論なんておかしいぞ。これじゃあまるで三里塚天動説だ。革共同の大衆運動方針は天動説ではなくて地動説だ。これは三全総以来変わらない原則だ」と繰り返した記憶がある。それでは三里塚基軸論という名の三里塚天動説をなぜ革共同は選択したのか。それは簡単なことで、そこが革マル派との戦争の最も有利な戦場であり、また先制的内戦戦略における対権力武装闘争にとっても格好の舞台だったからである。革マル派は、三里塚農民の「農地死守」の闘いにすでに見てきたような聞くに堪えない悪罵を投げつけ、現地闘争に参加しようとする支援のバスを高速道路に釘をばらまいで妨害するなどの敵対を重ね、反対同盟から正式に「排除」を決議されていた。これは三里塚闘争の類まれな戦闘性と裏表の関係にあるが、革マル派との戦争に死活をかけていた当時の革共同にとって、三里塚を特殊に重要な戦場に押し上げた。しかし問題は、そもそも大衆運動全般について、いかに三里塚が重要とはいえ、そこにすべての力を集中し、それを三里塚基軸論などと称して正当化する資格がそもそも革共同に、いや党派一般にあるのかということである。大衆運動などというものは、あらゆる戦線から、あらゆる契機をつかんで起こり得るもので、そのどれが重要で、どれが重要でないとか、どれが基軸で、どれが基軸でないとかを決める権限など党派にはないのである。三全総の「戦闘的労働運動の防衛」路線とは、戦闘的労働運動が起きたときは、それがどの産別か、どの戦線か、民同の影響下か、日共の影響下かに関係なく、革共同党員はその先頭に立たなければならないという方針・考え方であった。三里塚天動説はその清算だった。

ここからふたつの弊害が起きた。ひとつは、三里塚闘争の「血盟」関係の名による独占、私物化、利用主義的傾向が露わのなっていったことである。端的にいってそこでは、三里塚闘争、三里塚反対同盟の利害・命運と革命党をめざす革共同のそれとを限りなくイコールで結び付けてしまったということである。逆にいえば、三里塚闘争がいかに重要であろうと、それはあくまで一つの大衆運動であることを忘れたということである。ここから、一期開港以降の三里塚闘争と反対同盟の危機に対する一面においては正しい、しかし一面においては、明らかに行き過ぎた、誤った革共同の方針とかかわりが生じてゆくのである。反対同盟のいわゆる北原派と熱田派の分裂を前後する数年にわたる混迷した過程の問題である。

不可避だった三・八分裂

反対同盟委員長の戸村一作は七九年に死去したが、その前夜から、つまり一期開港直後から、一部の反対同盟幹部、青年行動隊幹部の間で、空港公団、運輸省、政府との話し合いで問題を解決する、つまり二期工事をめぐる闘いでは、一期のときのような農地死守・空港絶対反対の実力闘争はやらない、という動きが始まる。水面下で政府高官との話し合いが何回ももたれる。この背後には、三里塚闘争の長期化への疲れ一般があるとともに、特殊に七一年の東峰十字路事件（三名の機動隊員の死）の影響が大きく、「このままでは跡取りが長期投獄される、奪われる」という農民の強い、切実な危機感・恐怖があったといわれている。ここに政府・公団の硬軟取り混ぜた懐柔・解体策動が襲いかかり、戸村死後の委員長代行の石橋政次も巻き込んで進んでゆく。反対同盟のなかにはこれに同調的な農民も多く生まれた。だが他方でこれにあくまで反対し、二期攻防でも農地死守、実力闘争を貫くという部分も生まれていった。そこには少数ながら天神峰などの敷地内農民もいた。前者がその後熱田派に流れ、後者はいわゆる北原派となってゆく。そして革共同は、石橋の裏切り糾弾闘争から始まって「脱落派」糾弾闘争をエスカレートさせ、他方熱田派とそれを支援する党派は、「中核派こそ諸悪の根源、中核派を排除しろ」と主張し、対立は非和解化し、八三年三・八分裂にいたった。

三・八分裂の少し後に、北原派の反対同盟編著で『大地をうてば響きあり—十八年目の三里塚』という本が、数十名の農民の聞き語りを軸に出版された。これに私は全面的にかかわっているが、Sというある高齢の敷地内農民はこう言っている。「百姓はよ、土地があってこそ農業ができる、だから闘いがあるわけだから、土地を守るためには、金にも負けない、法にも負けない、権力にも負けない、ということなんだよ」。また敷地外に住んでいたGという婦人行動隊長は「敷地のなかで収用法をかけられながら、がんばっている農民がいる、そのことに賭けようと、自分にいいきかせたものです。でも、がんばるぞ、がんばるぞと――」と語っている。これは、私自身、取材・編集に携わっていたからよくわかっているが、中核派に言わせられて言っているなどという言葉ではない。逆流に抗して闘う農民の血を吐くような叫びなのである。だから私は今でも、三・八分裂に際して、革共同が北原派を支持し、その支援に回ったことは正しかったと思っている。そしてこの分裂は避けられなかったとも思っている。

第四インター襲撃という犯罪行為

しかしものには限度というものがある。熱田派に走った農民が、「一坪共有化運動」などとさまざまなカモフラージュを施してだが、三里塚闘争を畳もうとしていたことは明白であり、少数とはいえ天神峰、東峰など敷地内であくまで闘おうとする農民がこれに激しく反発したことは確かである。三里塚闘争の原点・初志をあくまで貫くべきだという主張はもちろん正しかった。しかし敷地内はともかく敷地外を含めれば、熱田派は分裂前の反対同盟のなかで多数派を占めていた。もちろん対立は非和解的であり、分裂は不可避だったと思う。だが一番肝心なことは、三里塚闘争の主体はあくまで反対同盟であり、革共同を含め様々な党派はあくまで「支援」だということである。「支援」としてやっていいことと、やれないこと、やってはいけないことがあるということである。しかし三里塚基軸論の革共同はこの限界をこえて行動したと言わざるを得ない。それは石橋糾弾闘争あたりから始まり、特に決定的には三・八分裂後の八四年段階での熱田派を支援する第四インター活動家への革命軍の発動、二回にわたるテロ襲撃事件として露出する。

これは弁解の余地のない、犯罪的な過ちである。私自身、例えば前記本を、北原派の立場から三・八分裂を正当化するものとして作っており、間接的な関わりにすぎないとはいえ、この第四インター襲撃事件に関しては深刻な自己批判的立場ぬきに語ることはできない。要するにこの襲撃は、第四インターを革マル派と同じレベルの反革命党派とみなし、ゲバルトの発動で粉砕すべき対象とみなしたということである。三・八分裂に際して第四インターの選択が正しかったとは私は今も思っていない。しかし問題は、それがいかに重要な大衆運動であったとしても、一つの大衆運動の方針をめぐる政治的・運動的対立は、あくまで政治的に運動的に解決されなければならないという、当たり前のことである。われわれは運動上の意見の対立ゆえに、革マル派と戦争したのではない。革マル派が、革共同が国家権力と闘うときに、必ず権力の弾圧と相呼応して背後から革共同を襲撃する、そうした革共同（中核派）や革労協（解放派）の暴力的解体を己の最大の党派的使命としていることを何年も見極めたうえで、対革マル派戦争の発動に踏み切ったのである。

それに対し第四インターへのテロルは、最も悪い意味での、悪しき典型としての内ゲバである。軍事が政治の頭ごなしに暴走したのである。実際この犯罪的な戦闘行為をもって、革マル派ではない、革共同が「内ゲバ党派」の典型のように広範な人民から見られ、語られる事態が生まれるのである。そして七〇年闘争以来、延々と続いてきた新左翼党派間の共闘関係が、三里塚を集約点とする共闘関係が、大きくは三・八分裂によって、狭くは第四インターへのテロルによって、決定的に、最後的に、修復不能な形で、全戦線的に解体されるのである。これは広範な人民のなかに、新左翼総体への絶望を生み出すのである。そして革共同は、その重大性を自覚できないまでに、精神を鈍麻させていたということである。何によってか。三里塚基軸論とか三里塚血盟論という、超独善的・主観主義的・利用主義的路線によってである。そしてその、さらに背後にあるのが、本多の死の直後に出された先制的内戦戦略という名の軍事路線だったのではないか。当時「革命軍戦略」などという言葉も使われていたが、つまり政治のうえで軍事が暴走するという決定的な誤りが生じたと思わざるをえないのである。

八九年杉並都議会議員選挙

さて三里塚基軸論のいまひとつの弊害についてだが、それは八〇年代を通しての他のさまざまな大衆運動的、階級闘争的課題へのかかわりが決定的に弱められたということである。とりわけ強調しなければならないのは、八〇年代中曽根政権・第二臨調が「戦後政治の総決算」の旗を掲げて推し進めた国鉄分割・民営化との闘いである。だがこれは周知のように動労革マル派を最も凶悪な先兵とした国鉄労働運動解体攻撃、特に国労解体攻撃であり、革共同にとっては「内ゲバ」の第二幕ともいえる闘いだったが、少々長くなるので項を改めて述べる。そこにいく前に私が直接かかわった闘いとしては、ここで八九年の杉並都議会議員選挙についても簡単におさえておきたい。

革共同は、三全総以来、選挙を重要な闘いとして取り組み、杉並をその主戦場に据えてきた。六〇年代には北小路敏を都議選に担いで闘ったこともあったが、その後は長谷川英憲を区議会議員に当選させ、七〇年の激動の過程も革マル派との激しい「内ゲバ」時代も議席を守り抜いてきた。そして八五年の都議会議員選挙に長谷川を出馬させるのである。だが敗退。二年後の八七年区議選では長谷川に代えて二人の新人を担いで二議席を狙うが落選する。理由ははっきりしていて、前者では「軍事都市東京云々」、後者では「闘う三里塚と連帯し成田用水を云々」というような、選挙のイロハもわきまえない上から目線、上位下達的無内容で選挙に臨んだことにあった。八九年選挙では、この二回の惨敗を徹底的に批判し、杉並区民に偉そうな説教を垂れる前に、区民から学ぶこと、都政の現実、地域の問題、どぶ板の課題について、区民からまず教えてもらうことから始めなくてはならないことを確認した。数十名の選対メンバーの間で、「党改革」などという言葉も飛び交ったが、この意志一致に膨大な時間を費やした。これは、このときの選対の中心に元日大全共闘の複数の党員が座ったことも大きいが、「いまや革共同はトキか、パンダか、ともかく絶滅危惧種と化している。これを変えない限り選挙など問題外」という激しい議論も繰り返された。

私はこの選挙に宣伝担当、要するにビラを作る責任者として参加するが、この方針には基本的に大賛成だった。そして特に全戸ビラは毎回何十万という単位で刷ったが、まず私が書いた原稿を、Aという、東大を出て紙パ労連で書記として長年労働運動にかかわり、いまは引退して地域で長谷川の熱心な支持者になっている人の家に行って点検を受けた。あるときなど、「俺はこれでいいと思う。しかしカミさんにも見てもらおう」といって奥に引っ込み、「うんカミさんもいいと言ってる。これで大丈夫」と言われたこともあった。さらにこの選挙でも革マル派の妨害は激しく、支持者と分かれば住居の中に重油をばらまいたり、区内の無線放送をジャックして「人殺し長谷川云々」とわめくなどということが頻発した。ときはJR発足直後、動労革マル派の松崎明が、自民党や統一教会の新聞などに大々的に登場し、いわゆる「コペルニクス的転換」を吹聴していたころだ。私は、選挙妨害をしている連中の正体はこれだ、というリーフを作った。だがAはそれを一目見ただけで「これはダメ」といい、すでに刷っていた二万部を没にしたこともある。私は自分の不明を恥じた。

これは、竹下内閣のもとでリクルート・消費税問題が焦点化し、いわゆる土井たか子ブームが起こり、社会党が大躍進したときの選挙である。またこの年の初めには昭和天皇が死亡、自粛ブームが吹き荒れ、革共同はこれを打ち破るということで神社などに火をつけてまわるゲリラ戦も展開した。私はいまでもこの放火ゲリラを評価する気になれないが、しかし他方で杉並では最下位ながら、土井ブームに助けられながらだが、長谷川の当選を勝ち取るのだ。区議と都議では選挙のレベルが全く違う。杉並での都議当選は、後にも先にもこのときだけである。先制的内戦戦略などの軍事路線のもとで、革共同の組織的硬直化、絶滅危惧種化は極限にまで進んでいたが、杉並の勝利は、こうした現実に対する反発力がこのころまでの革共同には残っていたことを示したのである。

【注】

（1）光州事件／七九年の朴正熙射殺事件で軍事独裁政権に動揺が走ったことをきっかけに、ソウルを中心に民主化運動が一気に動き出した。この動きを封じるように全斗煥ら一部軍人がクーデターを決行、全権を掌握したとして全土に戒厳令を発布。特に光州市での数万の学生・市民の角材・鉄パイプ・火炎瓶などでの決起、「解放区」を組織しての抵抗に、空挺部隊を投入して徹底的に弾圧、「北朝鮮のスパイ策動」と宣伝し、反政府運動に対する見せしめにしようとした。民間人の死者は一六八名、行方不明者は四百人余といわれている。

（2）所感派／日本共産党の五〇年分裂の際の徳田球一、野坂参三らが率いる主流派のこと。朝鮮戦争前夜、コミンフォルムが日本における米軍解放軍規定や占領下の平和革命論を批判したのに対して、「所感」を出して反論したことからこの名がついた。これに対立しコミンフォルム批判を支持した宮本賢治らがいくつかのグループをつくり、国際派と呼ばれた。

（3）神山派／神山茂夫を首領とする国際派の一派のこと。

（4）ゾルゲ／リヒャルト・ゾルゲ。第二次世界大戦前夜の日本を舞台に駐日ドイツ大使館などに食い込み、ソ連のスパイ活動にかかわった。近衛内閣のブレーンだった尾崎秀実がこれに協力、ヒトラーのソ連侵攻政策や日本軍部の南進政策などの重要情報をソ連に流した。四四年一一月七日のロシア革命記念日にゾルゲ、尾崎は処刑された。秀樹は秀実の実弟。

第5章　国鉄分割・民営化と「戦後政治の総決算」

八〇年代三里塚・国鉄決戦

革共同は八〇年代半ば、「三里塚・国鉄決戦」を呼号していた。国鉄分割・民営化をめぐる闘いを三里塚とならぶ戦略的課題として重視していた。いうまでもなくその背後には、「戦後政治の総決算」を旗印とするこの反革命的攻撃そのものの重大性・歴史性がある。しかも重要なのは、それが長期にわたって戦後労働運動の中軸を担ってきた国労の解体に狙いを定め、動労革マル派がその凶悪な先兵として登場したこと、そして革共同の労働戦線における最大の拠点である動労千葉地本が、この大逆流に抗して、前章で触れた三里塚・ジェット闘争に続いて、八五年の国鉄分割・民営化反対のストライキにむけて組織をあげて決起したという事実があった。

これらの動きの一環としてだが、私に直接関係することでは、八三年一〇月に前進社から『臨調国鉄攻撃と労働者階級―資本の軍門に降った動労中央』という本を出している。当時私は基本会議などで清水丈夫と同席することはなかったが、不定期の学習会で顔を合わすことがあった。発行の一年ぐらい前だから八二年だと思うが、「国鉄の本を書かないか」と声をかけられ私は快諾した。情勢が煮詰まるなか、この本は革共同の中でも注目され、私は全国各地の学習会に呼ばれた。しかし注目したのは革共同だけではなかった。私は当然ペンネームでこの本を書いたが、直後から革マル派の追跡が始まり、国鉄解体＝ＪＲ発足をはさんだ八七年七月にアパートに一人でいるところを襲撃され、重傷を負った。朝日新聞襲撃の赤報隊事件の二ヵ月後だったことを覚えている。

第二臨調の発足

八一年三月に第二臨調[1]が発足し、八二年五月に国鉄の分割・民営化方針を打ち出すが、その背後には戦後高度経済成長の行き詰まりと日帝国家財政危機の深刻化があった。七八年には国債発行額が一〇兆円を突破、今日と比すれば桁がかなり違うが、「財政危機の政治問題化」が喧伝された。なによりもう朝鮮特需もベトナム特需もなかった。そこで大平内閣は七九年に一般消費税を打ち出すが、選挙で惨敗。こうして「増税なき財政再建」を掲げる臨調が作られ、「民間活力の導入」「民による官批判」などが声高に叫ばれる。ケインズ主義的な「大きな国家」こそ諸悪の根源、市場競争にまかせれば全てうまくいくというレーガン、サッチャー流の新自由主義・市場原理主義の始まりである。自民党は臨調・行革を「日本が二一世紀に生き残るための国家大改造」と謳った。

だが臨調の本当の目的は決して赤字問題の解決などにあったのではない。赤字解消の旗を掲げて有無恐れ入りますが、切手をお張り下さい。

〒113－0033

東京都文京区本郷

2－3－10

お茶の水ビル内

（株）社会評論社　行

おなまえ　　　　　　　　　　　　　　　　　　　　様

（　　　　才）

ご住所

メールアドレス

購入をご希望の本がございましたらお知らせ下さい。

（送料小社負担。請求書同封）

書名

メールでも承ります。　book@shahyo.com

今回お読みになった感想、ご意見お寄せ下さい。

書名

メールでも承ります。 book@shahyo.com

を言わせず「戦後政治」を「総決算」することにあった。経済危機の深化とともに、戦後政治を大きく枠づけてきた五五年体制、その一翼を形成する総評[2]と社会党、それを根底で支えてきた国労[3]の存在が、日帝とって耐えがたいものになっていた。だがなぜ国労なのか。戦後、国鉄は全国に張り巡らされていた。全国津々浦々に国鉄の職場があり国労があった。そしてこの国労を中心に教組や全逓や自治労なども含めてだが各地に地区労が組織された。これが地域の労働組合を支え、総評の土台を形成し、選挙のときは社会党を押し上げたのである。さまざまな限界があった。しかしこれが自民党の暴走に歯止めをかけて来たのである。その中心に、どこでも国労がいた。

膨大な国鉄の赤字は国労解体の格好の口実なった。一言いえばそれは反革命的階級戦争だった。日本労働運動の民間先行型の右翼的再編・統一攻撃は六〇年代から着々進み、六〇年代末に始まる国鉄マル生運動（生産性向上運動）はその総仕上げのはずだった。だが国労、動労の労働者の七〇年安保・沖縄闘争の高揚と結合した激しい抵抗によって粉砕された。これは七〇年闘争の沖縄、大学、三里塚等々とならぶ極めて大きな戦場であった。これによって総評解体・連合結成は一〇年遅れた。国家権力中枢の階級的危機感と憎悪は激しかった。だから臨調発足に際して中曽根は国鉄を「行革の成否を決する二〇三高地」と位置づける。

二〇万人の「人員整理」

戦後の国鉄の職員の数は、一時は復員兵なども抱え込んで六〇万人を超えていた。四九年の公共企業体化と一〇万人首切りを経て、六〇年代以降の新幹線建設に伴う赤字経営化のなかで「減量経営」「経営改善」が叫ばれるが、臨調以前の八〇年段階ではまだ四一万余りはいた。七九年に国鉄は「三五万人体制合理化」を開始する。これ自体一大首切り攻撃だった。ところがこれに代わって登場した臨調の分割・民営化を経て数年後に生まれたＪＲ（八七年四月発足）の定員はなんと二〇万一千人なのである。つまり国鉄労働者の二人に一人の「整理」によってＪＲが出発するのである。国鉄の赤字は、田中角栄の日本列島改造論に示されるように、国鉄という全国に広がる巨大利権を日帝ブルジョアジーがしゃぶり尽くすことによって生まれた。臨調はこれを開き直り、経営形態の変更＝分割・民営化を打ち出し、「改善ではなく改革を」と絶叫、返す刀で国鉄労働者のヤミ・カラ・サボのデマ宣伝の洪水のなかで国労・総評・五五年体制の解体を目論んだ。それはまさにファシストのワイマール体制批判のような転倒した論理構造をもった反革命攻撃だった。

　四九年の定員法での一〇万人首切りはマッカーサー占領軍下の出来事だった。下山、三鷹、松川などの血なまぐさい事件を伴って進行した。それでは八〇年代の臨調下での国鉄労働者二〇万人の「人員整理」は何によって可能だったか。まずは臨調発足と同時に始まるマスコミをあげての国鉄国賊キャンペーンの嵐である。長年の国鉄労使関係を「ヤミ協定・悪慣行」といいなしてその是正を叫び、重要なことはそこで「労」だけではなく「使」も「国賊」として切り捨てたことである。そのすさまじさは八二年九月段階での中曽根の言葉に端的に表現されている（自民党軽井沢セミナーでの講演）。曰く「私はまず第一番に岸信介先生のご意見を聞きました。すると先生は『日本で行革をやったのは明治維新とマッカーサーだけだよ。こんな平和なときにやろうと思ったら革命かクーデター以外は無理だよ。肚をすえてやりたまえ』と妙な激励を受けました。マッカーサーだってやりきれないでしょう。かれは軍事権力を持ち、公職追放という脅迫材料を持っていたから出来たんで、何もない徒手空拳の自民党内閣で果たしてやれるのかと、岸先生はよく見たなと思います。結局、これを達成するには国民の力を借りる以外にないわけです。ジャーナリズムがこれほど真剣に支援してくれたことは明治以来ないことでしょう。日露戦争のときは別にして。それだけ日本がもう断崖にたたされているということでしょう」。そして中曽根は「これが現代の革命というか、静かな革命のやり方です」と自慢する。こうした反革命的世論形成・反革命的階級戦争を背景に、国鉄は八二年以降の新規採用を止めるなどして急速に人員削減を進める。八四年から国鉄当局は「余剰人員対策三項目」として、退職・一時帰休・出向の「首切り三本柱」をごり押しする。これに抵抗したのが国労や動労千葉、これを受け入れたのが鉄労と動労である。しかしそれでも国鉄分割・民営化一年前の八六年初頭時点での国鉄職員数は三〇万人余。さらに一〇万の首切りが必要だった。

改革法二三条と人活センター

そこで臨調に集う狡猾な官僚、政治家、御用学者どもが考え出すのが、国鉄改革法二三条である。一言でいえば国会では「一人も路頭に迷わせません」などと言いながら、実は一〇万人の首を切る法的マジックだった。それは、国鉄は解体とともに国鉄清算事業団に移行する。国鉄職員も全員ここにいったん移る。そのなかから新会社（ＪＲ）に行きたいものは応募し、新会社が自社の採用基準にしたがって「新規採用」する。不採用になった職員はそのまま清算事業団に残るということだ。なるほどこれなら一人の解雇もしないで一〇万人の首を切れる。国家的不当労働行為である。しかし問題は、誰を残し、誰を切るかということだ。

まず国鉄は公企体だということで、組合のスト権を禁止してきた。その代わり各組合と雇用安定協約を結び、勝手に解雇をしないという約束をしてきた。ところが八五年一〇月に国労、動労千葉などに対しては首切り三本柱に協力しないからという理由でそれを破棄する。さらに八六年一月には、労使協調を謳う労使共同宣言を鉄労、動労とは調印し、国労などは排除した。そして国鉄当局は八六年七月には全国各地一〇一〇個所に「人材活用ンター」なるものを設置する。それは「格子なき牢獄」「国鉄アウシュビッツ」と呼ばれた。そして「辞めない、休まない、出向にいかない」のいわゆる「三ない運動」を続ける国労組合員などをここに何万人も送り込み、連日草むしりやペンキ塗など本業と全く関係ない雑務に従事させるのである。それが自分が国労組合員であるがゆえの仕打ちであることは誰にでもすぐ分かった。こうして多くの労働者が不安にかられ、悩み、苦しみ、迷い、パニック状態になり、家族会議などを経て、国労を去っていった。いや、仲間を裏切るよりも死を選んだ労働者も数多くいた。この過程での自殺者は二〇〇人といわれている。

権力の先兵となった松崎

そしてこの四〇万人を二〇万人に切り縮める国鉄解体攻撃のなかで、日帝・中曽根の最も凶暴な先兵として、最も狡猾で、陰湿で、おぞましい反革命として登場・暗躍するのが松崎明を頭目とする動労革マル派なのである。動労は、すでに八二年段階からヤミ・カラキャンペーンを背景とする人減らし攻撃に屈し、いわゆる「働こう運動」にのめり込む。「なんでも反対ではだめだ」「認めるべきところは認めるべきだ」「働くべきときは働くべきだ」と。そして八三年になると「労働運動は冬の時代に入った」「総評労働運動は終焉した」などと言い出し、ついには当局と一体になって「このままいったらみんな首になるぞ。首がいやなら国労をやめて動労にこい」と国労解体攻撃の先兵になってゆく。そして八四年以降の首切り三本柱への全面協力から、先述の労使共同宣言締結をへて、動労・松崎は八六年七月に鉄労全国大会に出席、「鉄労にご指導をお願いする」という一世一代の大演説をぶつ。いわゆる「コペ転」である。同席した国鉄総裁・杉浦喬也は「動労の〝華麗な転身〟こそ国鉄改革の原動力」と持ち上げた。この直後に動労は総評を脱退、社会党支持を撤回。松崎は自民党の「自由新報」や統一教会の「世界日報」に一面つぶして登場、「社会主義は間違っていた」「日の丸・君が代賛成」「核武装推進」などと喚きちらし、「文藝春秋」では「鬼の動労はなぜ仏になったのか」という対談を、産経新聞社の「正論」には「昨日の友は今日の敵、国労をつぶし、総評を解体する」という論文を掲載する。

松崎は革マル派との関係を問われると「とっくに辞めた」と繰り返す。真赤なウソだった。松崎が死ぬのは二十数年後の二〇一〇年だが、死ぬまで革マル派だった。八七年二月、鉄労、動労、全施労、真国労（直前に国労から分裂した純革マル派労組）の四組合が合流して鉄道労連（後のJR総連）が結成される。会長には鉄労組合長の志摩好達が、副委員長には動労委員長の松崎が座った。ところが志摩はこの後たちまち「松崎＝革マル」の正体に気づく。当時、革共同と革労協による動労や真国労の革マル派幹部に対する報復攻撃が相次いだことも影響しただろう。こうして鉄労は八七年七月の中央執行委員会で鉄道労連からの脱退を決めるのである。JR発足の三ヵ月後だ。だがこの動きは二週間で潰される。なぜか。志摩自身の言葉によれば「『発足したばかりのJRで、労働組合が再分裂するとなると、国鉄分割・民営化を推し進めてきた中曽根内閣に傷がつく』と自民党筋からも横槍が入った」からである（牧久『暴君―新左翼・松崎明に支配されたJR秘史』）。実は松崎が革マル派だという指摘は、その後も、他労組からだけではなく、JR資本や警察からも繰り返し出てくる。だがその都度潰される。ブレーキがかかる。誰の意志によってか。国家権力中枢の意志によってである。ここに国鉄解体と革マル派という問題の核心がある。

動労千葉の決起と国労修善寺大会

さて敵の標的は完全に国労に据えられていた。ところがその肝心の国労は一方では分割・民営化などできっこないとタカをくくっていた。国鉄官僚内で分割・民営化に抵抗していたいわゆる「国体護持派」に最後まで望みをつないでいた。他方では動労革マル派という稀代のファシスト反革命の存在を致命的に過小評価していた。そしてこの困難な情勢のなかで一人敢然と決起したのが動労千葉である。当時の動労千葉組合員数はわずか一三〇〇名、二〇万国労に比べれば一握りの組合だった。だが委員長の中野洋は、七〇年当時は千葉県反戦青年委員会の議長として先頭にたち、七〇年代前半の動労千葉地本の左転換を書記長としてけん引し、後半の三里塚ジェット闘争では本部革マル派の激しい襲撃を跳ね返して分離・独立をかちとった指導者だった。私は七〇年代以来、かなりの頻度で中野と会ってきた。前記国鉄本を書くときも、確か館山の旅館に三泊して中野の話を聞き、活字からは学べない生の国鉄労働運動を教えてらった。

動労千葉の二四時間ストは、八五年一一月、雇用安定協約期限切れ瞬間をとらえて決行された。八六年二月には第二派のストが決行された。「首切り三本柱」攻撃で国鉄職場はガタガタに揺さぶられていた。解雇されるのではないかという不安と焦りが全労働者をとらえた。出向・広域配転などに応じた動労革マル派が居丈高に国労組合員を攻め立てた。国労からの脱退者が相次いだ。動労革マル派は「国労脱退」の速報を連日掲示板に張り出し、拍手喝さいするという異様な日々を送っていた。たまりかねて国労は「三ない運動」を中止する。それでも攻撃は止まなかった。動労千葉の組合員にももちろん動揺は広がった。しかし彼らは何よりも敵の反革命性を知っていた。特に革マル派の正体を知っていた。だから一人一人の労働者が、千葉県という保守的な風土のなかで、親族会議を開くなど大変な葛藤を経てだが、「よーし、首にするんならしてみやがれ」「おー、俺も清算事業団だな」などとお互いに確認しあいながら、一丸となってこの歴史的なストライキに決起していったのだ。

しかし八五年一一月のストに対して、国労がスト破りに動くのではないかという危惧があった。そうすれば動労千葉がストを打っても電車は動く。だが国労千葉地本のなかにも動労千葉と志を同じくする労働者がいた。革共同は、国労の中にも少数ながらフラクションをもっていた。「国労共闘」といった。そして彼らが、国労のなかで、国労千葉地本、国労本部に働きかけ、ついに動労千葉のスト当日、国労はスト破りをしない、国労もストに入るという決定をかちとるのである。これも感動的な出来事だった。

こうして総武線の電車は完全にストップした。二波のストで計二八名が解雇された。

このストライキ過程での中野の殺し文句は「われわれが立ち上がれば必ず国労が続く」だった。だが国労は集中砲火のなかで後退を重ね、「大胆な妥協」という名の全面屈服路線に突き進んだ。しかし八六年一〇月修善寺大会では現場労働者の怒りが爆発、国労共闘の仲間も含む演壇占拠も起こるなかで本部の屈服路線を否決。右派が鉄産労として分裂し、国労は六本木敏という朴訥な、叩き上げ労働者を委員長に担いで辛うじて闘う路線を堅持した。

国労指導を忘れた革共同

動労千葉のストについてはもう一点つけ加えなければならないことがある。それは第一波ストの直前、一一月二八日未明に、革共同の何らかの部隊が国鉄沿線ケーブル切断と浅草橋駅を襲撃し炎上させるという信じがたい愚行に走ったことである。動労千葉の労働者が決死の覚悟でストに決起したのである。国労千葉の労働者があらゆる工作をしてこれを支え、総武線が全面ストップすることがはっきりしたのである。そこで、なぜケーブル切断、なぜ駅焼き討ちなのか。正気の沙汰とは思えない。同日夕方、国労と動労の幹部ががん首をそろえて仲良く共同で記者会見をしてこのゲリラを非難するという笑劇のオマケまでついている。浅田光輝が激怒しているという話が伝わってきた。動労千葉担当の常任が釈明に行ったが玄関で追い返された。「だから行ってくれ」といわれ私は行った。何時間か話した。だが私は「先生の言われていることは一〇〇%正しいです」という以外に何も言えなかった。浅田は、七〇年代初めから破防法裁判支援闘争で革共同と深くつきあってきたが、後半以降は三里塚二期攻防と動労千葉ジェット闘争の支援運動でも非常に大きな役割を担ってきた。国鉄分割・民営化攻防にも強い関心をもっていた。だが上記ゲリラの一件で革共同に絶望、『破防法研究』との関係は廃刊（九二年）まで続くが、それ以外の関係は一切断った。

関連して、国鉄分割・民営化をめぐる攻防における革共同のより深刻な、大きな問題についても触れないわけにはいかない。それは革共同の国鉄闘争がどこまでも動労千葉支援に止まっていたこと、肝心かなめの国労に対する工作・働きかけはほとんどなかったことである。そもそも八〇年代中ごろの革共同には労対（労働者組織委員会）というものがなきに等しかった。すでに述べたように国労のなかにも国労共闘という形での党員フラクはあった。個々のメンバーは国労をとりまく厳しい激動のなかで必死の格闘を続けていた。しかしそれによって国労を内側から変えていくという革共同の路線も指導もなかった。先制的内戦戦略の名のもとに、革共同は労働運動も労働組合運動もすっかり没却していた。その実践的結論が「浅草橋駅焼き討ち」だった。国鉄分割・民営化攻防は一面では「内ゲバ」の第二幕といってもよかった。だがまさに労働運動の「総決算」が問われているときに労働運動が眼中にない、これでは動労革マル派に勝てるわけがないのである。そしてこの問題は、七三年段階で本多延嘉が、「敵拠点の逆拠点化」を謳い「堅実で全面的」を唱えながら、これを棚上げし、結局革マル派に殺されたというあたりにまで遡って総括しなければならないことなのだと私は思っている。

国鉄一〇四七名闘争の出発

しかし国労が修善寺でともかく踏み留まったことは大きかった。国労は臨調前は二〇万人の組織だった。それが四万人余りにまで削られていた。そしてＪＲ発足の八七年四月一日時点で、手段を選ばぬ追い出し攻撃にもかかわらず、北海道と九州を中心に七六二八名の国鉄労働者が清算事業団に残った。活動家だから残ったというのではない。家の事情などで身動きがとれない、本州への広域配転などにも応じられない労働者が残った。首を切ることは建前上は出来なかった。そこで彼らは以後三年間、清算事業団雇用対策所で「再就職斡旋」を受けることになる。と言えば聞こえがいいが、実は連日、一日中狭い部屋に閉じ込められ、何もやらせない、嫌になって出ていく、自分で他に仕事を探して出ていかせるための「自学自習」という名の精神的拷問だった。多くの労働者が泣く泣く去っていった。しかし国労はこの採用差別を国家的不当労働行為として各地方労働委員会に提訴し、ＪＲ各社への採用を求めた。ところがＪＲ側は、国鉄とＪＲは別法人だからたとえ不採用が不当労働行為であったとしてもＪＲに責任はないと称して審議そのものをボイコットした。その結果もあって北海道でも九州でも本州でも、組合側の全面勝利の救済命令が出てくる。これが清算事業団労働者を勇気づけたこともあって、九〇年四月一日時点でも一〇四七名の労働者が残り、清算事業団から解雇されるのである。大半が国労組合員だった。生きてゆくために全国各地三六ヵ所に国労闘争団が結成された。闘いは続いた。

ここで一点つけ加えておけば、国鉄の最末期における人活センターや動労革マル派などを使った国労などの労働者に対する嫌がらせ・追い出し攻撃がいかに凄まじいものであったかは、北海度と九州でこそなお上記のように七千数百を超える「余剰人員」が残ったが、本州三社の場合はなんと定員割れを起したことによく示されている。本来国労の活動家などは一人残らず清算事業団に送るはずだった。ところがそれが出来なくなり、その結果私などもよく知っている国労共闘の仲間などが、東京でも関西でもJRに採用されることになるのだ。だが敵は決して彼らを本業にはつけさせない。売店や無人駅やベンディング職場に追いやる。ベンディングとは缶コーヒーなどの自動販売機の出し入れ作業の仕事である。そしてその作業を「背面監視」といって革マル派の職制に後ろから見張らせるのである。国労共闘のほとんどの仲間がこういう過酷な、屈辱的な条件のなかで、働き、闘っていた。

ファシスト的正体を露呈

だがいずれにせよ一〇四七名問題の発生は松崎を頭目とするJR総連革マル派を直撃した。そもそも国鉄分割・民営化問題は当初、革マル派という反革命党派にとってもとんでもない危機を意味していた。七〇年闘争過程で革マル派が、革共同などの新左翼に対して、暴力的他党派解体を至上命題として襲撃を繰り返してきたことはすでにみてきた。しかしこの段階では彼らはまだ「本来の戦線」論にしがみついていた。連中の「革命」路線にとっては労働者階級本体の組織化こそ最重要であり、動労で、全逓で、総評で、あらゆる権謀術策を駆使して多数派になることこそ「革命」の王道と信じ、かつ吹聴していた。これに対して反戦青年委員会などの労働者はハミダシであり、ルンプロであり、殲滅・解体の対象でしかなかった。七〇年安保・沖縄闘争に彼らもすり寄ってきたが、それは決起した労働者・学生を背後から襲撃するためだけだった。革共同は革マル派を正しくも「民同の反革命的補完物」と呼んだ。ところが国鉄分割・民営化攻撃は、この革マル派のいわゆる「本来の戦線」、つまり総評・民同そのものを解体・一掃する攻撃だったのである。だから革マル派も最初は共産党などと手を組み分割・民営化反対の悪あがきもする。だがそこは革マル派である。どうも分が悪いとみるや、こんどは手のひらを返したように、黒田「サナダムシ」路線の真価を発揮して、資本・権力そのもの、御用組合そのものに癒着し、寄生し、潜り込み、自ら「本来の戦線」解体、その中軸である国労解体の先兵になって、己のファシスト的組織拡大を図ろうとするのである。見事な「コペルニクス的転換」である。

鉄労でさえこの革マル派のあくどさにはついていけず逃げ出すなかで、松崎革マル派は一時JR総連を牛耳り、その野望はまんまと成功したかに見えた。だが一〇四七名が立ちはだかった。清算事業団の再就職斡旋は三年で切れることになっていた。だから一〇四七名の首は九〇年四月時点で切る以外になかった。だが国鉄改革法は建前上は一人の首切りも出さないことになっていた。そこで国家権力・清算事業団は、北海道、九州の労働者を本州のJR各社が形だけでも「広域採用」する方針を出すように働きかけた。形だけでもそうする必要があった。JR西日本とJR東海はこれに応じた。実際には何の実効性もなかったのだが。だがこれで逆上するのが松崎である。「国鉄改革の敵対者・国労をいまさら採用するとは何事か」と。そしてJR総連は「採用断固阻止」のスト権確立を叫び、追求する。「首切り反対」に反対するストライキだから前代未聞である。これに対して、鉄労系や鉄産労系も一定の力をもっていたJR西日本、JR東海、JR九州などの組合はこの松崎革マル派の血迷った妄動についていけず、

ＪＲ総連からの脱退を選択する。やがてこれらの労組はＪＲ連合を結成、箱根を境に東のＪＲ東日本、ＪＲ北海道、ＪＲ貨物などの革マル主導のＪＲ総連と大分裂することになる。一九九一年のことである。このときのＪＲ東海副社長は国鉄改革派官僚三人組のなかでも一時は松崎に最も近かった葛西敬之だが、これを期に松崎革マル派は「葛西！君と闘う」などと大見えを切りながら、大量のアカ新聞を刷ってその「愛人スキャンダル」なるものを大宣伝し、ファシスト的面目を遺憾なく発揮するのである。同時に、各所の線路に鎖を巻いたり、電車の座席に針を刺すなど陰湿なファシスト的列車妨害テロを起こす。激しい危機感が革マル派を正体むき出しにした蛮行に走らせた。それでもＪＲ東日本などは松崎べったりの姿勢を変えず、なにより警察を含む権力中枢が、国鉄分割・民営化の最大の功労者・革マル派をかばい続けた。先述の牧久の著作は「革マル派捜査『空白の十年間』の謎」という章をたてているが、「謎」でもなんでもない、「空白」は国家権力中枢の階級意志だったのである。

「オウムの次はＺだ」

有田芳生は昨年のテレビで、九〇年代中ごろに目つきの鋭い警察官を相手に統一教会問題について講演し、そのとき「これは何のための講演会か」と問うと「オウムの次は統一教会だ」という答えが返ってきたことを暴露している。ところが何の動きもないので、一〇年後に同じ警察官僚にあれはどうしたと質問すると「政治の圧力」だと弁解されたという。警察もバカではない。九六年段階では綾瀬アジト摘発などで革マル非公然部隊の尻尾をつかんでいる。警察官僚の間では「オウムの次はＺだ」という言葉も囁かれていたという（西岡研介『トラジャ―ＪＲ「革マル」三〇年の呪縛、労組の終焉』）。Ｚとは、革マル学生部隊のヘルメットに大きく書かれている文字である。九〇年代の日本の政治は一時自民党が野党に転落するなど大きく揺れ、国鉄問題でも革マル派切りに舵を切る動きも始まるのだが、ここでもブレーキが働き、ＪＲ東などの資本・革マル結託体制は松崎の死まで続く。ＪＲ東の資本の姿勢転換を背景に、ＪＲ東労組から三万三千人が脱退し、その大半がその後「非組」になるという革マル派支配の最後を迎えるのは何と二〇一八年になってからのことである。ＪＲ北海道などでは癒着体制が続くなかで二人の社長の自殺事件も起きたという。これも恐らく「政治の圧力」の結果であったにちがいない。

【注】

（１）第二臨調／第二次臨時行政調査会。

（２）総評／日本労働組合総評議会。五〇年にＧＨＱのテコ入れで結成されるが、五一年の第二回大会で「平和四原則」を採択して左旋回。高野事務局長の下で労闘ストなどを闘い、五五年以降も、太田・岩井ラインの下で高度経済成長期の階級的労働運動を担った。しかしその後民間大単産が次々資本に制圧される中で危機を深め、最後は八〇年代の国鉄分割・民営化攻撃と一戦も交えることなく解散に追い込まれていく。

（３）国労／戦後間もない四六年二月の国鉄総連合結成（五〇万九千名）をへて、四七年六月に単一体としての国鉄労働組合が結成された。二・一ストを含む戦後革命期の労働運動を牽引、四九年には下山、三鷹、松川事件などを背景とする公共企業体化・一〇万人首切りなどの集中攻撃を受ける。しかし朝鮮戦争下の国労新潟大会では、岩井章ら「平和四原則」を掲げる民同左派が勝利、以降長く総評労働運動の中軸を担っていく。

第6章　国鉄一〇四七名闘争始末記
――革共同の失われた三〇年①

革共同五月テーゼと私

革共同は、一九九一年の五月テーゼで、それまでの革命軍戦略・軍事闘争基軸路線を転換し、今後は党建設と大衆運動、特に労働運動に軸足をおいて闘いを進めていくという路線を打ち出した。これは、清水丈夫と中野洋の二人の会談を経て発表されたものだが、大きな背景があった。ひとつは、八九年あたりから進む、ソ連、東欧におけるスターリン主義の急速な崩壊である。いまひとつは、これも八九年の総評解体・連合結成という日本階級闘争のドラスティックな危機の進行である。だが、この路線転換をより直接的に規定したのは、長期にわたる軍事路線が革共同に強いた深刻な危機であった。清水執筆の五月テーゼは、まず先制的内戦戦略の意義と正当性をくどいくらい繰り返し強調してから路線転換に言及するという形をとっているが、そこにある清水自身の危機感は、例えば次のような関連文書の一節に端的に表現されている。

「われわれは未経験な非合法・非公然活動や内戦の面での血みどろの死闘にエネルギー、指導力の大半を投入しつくしてきたと言える。しかし、労働運動における党の現状、大衆運動における決定的不十分性の問題はもはや放置することはけっしてできない。このままで行くことは、党の死しか意味しないという絶対的飢餓の現実に直面していると言えるのである」(「五月テーゼについての党内へのアピール」)。

「党の死」とか「絶対的飢餓」に言及せざるをえないほどの危機感にかられた路線転換だったということだ。これとともに一定の人事配置・再編成も進んだ。一番大きくは軍を含む非公然分野からかなりの党員が公然面に移行した。そして私自身も、これ以降、労対(労働者組織委員会)の一員となり、国労担当の責任者を仰せつかる。重責だった。私は五月テーゼを大いに歓迎したし、新たな任務に勇んで取り組んでいった。国鉄一〇四七名闘争はいよいよ白熱した攻防局面を迎えていた。しかし結論の結論を先にいえば、私はこの攻防のなかで一定の役割を果たしたとは思っているが、恥ずかしながら与えられた重責に全く不十分にしか応えることはできなかった。問題は、すべて私個人の責任に帰着することだが、二重的に存在した。

まず私は、すでにこの文章で触れている通り、八七年段階で、国鉄絡みで、革マル派の襲撃を受けている。これ以降も私は革共同でさまざまな活動を続けるが、革マル派の襲撃を二度と許してはならないということは、私にとっての至上命題だった。国労共闘の仲間からは、「国労本部の書記には革マル派が入り込んでいるよ」という話も聞いていた。国労組合員のフラクション会議はもちろん私がやった。目まぐるしく動く一〇四七名闘争に関するビラの類もほとんど私が書いた。しかしそれ以上のことを私はしなかった。例えば、北海道や九州の国労闘争団のオルグに出かけることもしなかった。私がそれを担うのが無理なら、「もっと人をよこせ」と党に直訴すべきだった。革共同の組織をあげて国労工作を進めるよう進言すべきだった。問題は、八〇年代を通して分割・民営化の最大の標的だった国労をパスしてきた革共同の間違ったあり方を根本的に変革することだった。しかし私はそこに挑戦しなかった。私は与えられた任務を滞りなく消化するというあり方に終始した。七〇年代の後半以降、『破防法研究』という居心地のいいポジションに安住していたが、そこから脱却しようとしなかった。ということで、「革共同の失われた三〇年」の半ばは「私の失われた三〇年」でもあった。もっとも私が革共同を離れたのは〇八年初めで、これ以降十数年間は関係ないのだが。しかしなぜ私が組織を離れるに至ったのかにも関係するので、九〇年代以降の国鉄攻防と私のかかわりから見ていくこととする。

国家権力の路線転換

九〇年代に入ってからの国鉄攻防でまず大きいのは、九四年末に村山自社さきがけ政権の運輸相・亀井静香が打ち出した国労などに対する二〇二億円損害賠償請求訴訟の取り下げである。七五年のスト権ストに対して国はこれを担った国労、動労などに対して二〇二億円の損害賠償請求をおこなった。だが動労に対しては分割・民営化に協力したご褒美として、その前夜にこれを取り下げた。国労、全動労、動労千葉に対してはそのまま継続し、毎年の利子を加えこのころには四〇〇億円の請求に膨れ上がっていた。国鉄改革前から続く、敵の国鉄労働運動破壊攻撃の最重要の環だった。当然これは裁判になったが、もし組合側が負ければ、全財産差し押さえで組合解散を強いられるという問題だった。ところが九四年末に亀井は上記三労組の委員長を呼び出し、訴訟の取り下げを提案する。国労との間では当時東京駅八重洲口にあった国労会館の明け渡しも含む合意書に国＝清算事業団と国労が調印した。

これは明白な転換だった。つまり、一〇四七名闘争の出発とともにＪＲにおける資本・革マル結託体制が揺らぐ中で、もはやＪＲ総連革マル派の力で攻めるだけでは（あくまで「だけでは」ということだが）国労を潰せないことを国家権力中枢が悟ったということだ。そして国労の取り込みに動いた。これに松崎革マル派は激しく反発する。国労を「カメイ労組」と呼び、国労が亀井に巨額の献金をおこなったなどのデマをばらまき、例によって陰湿極まる列車妨害テロを大々的に組織した。だがそれは松崎のファシスト性をいよいよ自己暴露させるだけだった。最大の問題はこの決定的情勢に対する国労の対応だった。

八〇年代から、清算事業団に追いやられた国鉄労働者の訴えに対して、各地の地方労働委員会が例外なく組合側全面勝利の命令を出したことはすでに触れた。当然ながら改革法の上に憲法（労働基本権）をおき、採用差別が不当労働行為であることを認定し、その責任は国鉄からＪＲに引き継がれるとしたのである。これらを受け、中労委はずるずる引き延ばしていた命令を九三年末時点で出すが、それはＪＲの法的責任を認めるという点では地労委を引き継ぐものの、不当労働行為の成立は極く一部に限定するという極めて反動的な命令だった。双方が提訴するなかで闘いは裁判所に移った。

当該・国労闘争団の大勢は、あくまで国家的不当労働行為に法的にシロクロをつける、改革法の上に憲法があることをはっきりさせる、これは自分らだけの問題ではなく日本の労働者階級全体の死活問題だ、というところにあった。だが国労本部は違った。特に二〇二億円訴訟取り下げ以降は、まるで国家権力が国労の味方になったかのような幻想を振りまきながら「和解」によって国鉄闘争の幕を引くという路線にのめり込んでいくのである。

国労七・一臨時大会

ところが九八年五月に東京地裁が出した判決は、中労委命令をも完全否定し、「JRに法的責任なし」という組合側全面敗北の判決だった。国労本部はこれで叩き潰される。以降、改革法承認、不当労働行為の全提訴取り下げから「国労」の名称変更まであらゆる不様な延命策を重ね、結局は〇〇年五月末の四党合意（自民、公明、保守の与党三党と社民）の受け入れに動くのである。これは、国労がこれ以上国家的不当労働行為と法的に争わないことを大会で決めれば、「人道的観点から」雇用問題の「検討を要請」してもよいというふざけたもので、一〇四七名闘争の全面的・一方的幕引きを意味した。国労本部はこれを丸のみしようとする。これが七・一臨大である。しかしこれは、闘争団を先頭とする反対派組合員との激突の場となり、演壇が占拠され流会となる。北海道の音威子府（おといねっぷ）闘争団家族会の藤保美年子が駆け上がって感動的なスピーチをした大会である。それまで混乱と喧噪に覆われていた会場が、彼女の演説とともに静まり返ったという。

「国労の正しさを信じて闘ってきた私たちの一四年間がどうなるのかの瀬戸際です。誰が責任とってくれるんですか。JRに責任がないということを認めてしまうと、後は何が残っているんですか。闘争団員に何の相談もなく、そして四党合意するにあたって何の保証もあるわけでなし、何の担保もないことをわかってて、無責任に私たちの人生を勝手に決めないで下さい。私たちが望んでいるのは、どんなに苦しくたって、どんなに辛いことがあったって、夫の解雇撤回、政府の責任でJRに戻すこと、私たちの悩み苦しんだ一四年間に謝罪すること、この要求は一歩も譲れません。歳がいこうと、私たちは、解雇されたあの時から、止まっているんです。確かに顔を見たら皺もふえてる。確かに一四年たったら顔も老けた。だけど私たちの気持ちはあの時に止まっているんです。それを是非わかって闘うための方針を議論して下さい。家族からのお願いです」。

国労は、流会を受けて続開大会を開くがそこでも決まらず、結局一千の機動隊の厳戒体制下で強行した翌〇一年一月の臨大で四党合意受け入れを決める。要するに、政府・社民党との裏取引・裏約束を闘争団の意志など踏みつぶして貫徹したということだ。だがこんなことをしても闘争団の闘いは終わらない。後述する鉄建公団訴訟も始まる中で、〇二年一二月の段階で、なんとこんどは与党三党の側が愛想をつかして四党合意から離脱する中でそれは崩壊することになる。

歴史的な七・一臨大の直後に、中野洋は『戦後労働運動の軌跡と国鉄闘争』と題する本を出している(〇〇年九月)。一～三年前に行われた戦後労働運動史の講座がメインで、これに二〇〇〇年階級闘争を冒頭のインタビューで語った本だった。テープの起こしから編集まで私がかかわっているが、大きな特徴は、中野が国労七・一臨大を手放しで称え、絶賛していることである。「ここ数十年間の労働運動の歴史の中でもこれほどの快挙はなかった。日本の労働運動全体がいま全く無力になっている中で、二一世紀に向かってこういう闘いを軸にしてその戦闘的再生も可能になるということが、かいま見られた闘いだったと思います。あえていえば国労の諸君がどう思おうとも、客観的に見れば国鉄闘争はそういう存在になっている。あの音威子府闘争団の家族会の人の話、彼女が最初に演壇占拠したんですよ。家族会の特別発言だったら、代議員席からしゃべればいい。しかし彼女は自分から演壇にかけ上がって発言した。何もなければ、北海道の片田舎のポッポ屋のかあちゃんでしょう。こういう人がたいへんなアジテーションをやって、それが七・一臨大の結果を決めたんです」。

国労への絶望

さて闘争団、といってもそれはすでに本部につく賛成派闘争団とあくまで闘いを継続しようとする反対派闘争団に分裂していたが、その後どう動くのか。四党合意で終わりではなかった。闘う闘争団の有志二九五名が〇二年一月に旧清算事業団＝鉄道建設公団を相手取って地位確認、慰謝料、名誉回復措置を求める訴訟を東京地裁に提起したのだ。四党合意に対する闘う闘争団の側からの叛乱である。そして少し後になるが〇三年一二月に最高裁は九八年東京地裁判決を引き継いで「ＪＲに法的責任なし」の反動判決を出す。司法的にはＪＲ採用差別問題の結論は出た。だがこれは五人の判事のうち二人は反対意見を書くというきわどい判決だった。しかもそこでは「不当労働行為があったとすれば、国鉄・清算事業団の責任は免れない」と付記された。国家的不当労働行為を頬かむりし、憲法の上に改革法をおく判決は最高裁といえども容易ではなかったのだ。当然これは鉄建公団訴訟を勢いづけた。

だがこうした動きに対して徹底的にネガな姿勢をとるのが中野洋だった。〇〇年段階であれだけ言葉をつくして国労闘争団への期待を語っていたのに、〇三年には一変する。このとき中野は委員長を降り動労千葉顧問になっていた。同年九月に中野は『俺たちは鉄路に生きる2』という本を出すが、ここでは「国労の最大の弱点はＪＲ資本と全く闘わないところにあります。だから闘う闘争団も、運動方針は鉄建公団訴訟一本やり、しかも彼らが考えていることは、この裁判の過程でなんとか和解しようということでしかない。路線という次元では、『四党合意』反対派も、闘う闘争団も、考え方は賛成派と基本的に同じなんです。いまこそ国労の『解体的再生』と言わなければダメです」。確かに分割・民営化以降も動労千葉は資本との闘いを重ねてきた。国労は放棄してきた。それ自体は全く正しいし重要なことだ。しかしそれを被解雇者の集団である闘争団に言って何になるのか。お門違いではないのか。中野は以前から労働委員会闘争などくだらないという類の発言を繰り返していた。だがそれは違うだろう。地労委での連戦連勝が一〇四七名の団結をここまで維持させてきたのだ。それを四党合意に屈せず引き継ぐのが鉄建公団訴訟なのだ。そしてこの闘いに一縷の望みを繋いで、連合支配下で苦闘する幾多の労働者の闘いが存在してきたのだ。

〇三年段階の中野前掲書の結論を一言でいえば、国労闘争団と国鉄闘争への絶望である。三年前のあれだけの期待がなぜ絶望に変わったのか、私には分からない。だが八五年の分割・民液化反対スト以来の国労への熱い期待が絶望に変わることによって中野の骨が折れたのだと私は思う。そしてここから出てくるのが「動労千葉特化論」という愚劣を絵にかいたような議論なのである。

五・二七臨大闘争弾圧事件

そしてこの鉄建公団訴訟がどれだけ国労本部を震え上がらせたかを示す極めて特異な事件として生起するのが〇二年五・二七臨大闘争弾圧事件である。これは国労共闘への異常な弾圧だった。四党合意を国労がのんでも闘争団の闘いは続いた。これに四党のうちの与党三党が切れ、〇二年四月に、反対派闘争団を除名しろ、そうしなければ四党合意から離脱するという恫喝声明を出すのである。これに応じて国労本部が、闘う闘争団処分のために召集したのが五・二七臨大である。国労共闘はこれに対し、代議員の宿舎である御茶ノ水のホテル前で「奴隷の道を拒否せよ」というビラを撒こうとした。だがこれに国労本部と警視庁公安がつるんだ異様な弾圧が襲いかかる。早朝からの二十数名のビラまき隊に対し、警備係の代議員がバスに乗るために三列縦隊で突撃してくる。問題無用、ビラなど一切受け取らずで、当然ビラまき隊と一定接触する。怒鳴り合いにもなる。しかし暴力行為など一切なかった。現場にはすでに公安が張り付いていた。もし暴力行為が起これば即現場逮捕だ。しかし一人も逮捕されなかった。この過程を事前にバスに乗り込んでいた国労東京地本委員長のSら数名がビデオに撮っていた。警察と電話連絡もしていた。その記録がその後法廷に出されている。

「おい、110番しろ、110番」「全部、撮ってる?」「撮っているよ。撮っている」「もうパクるしかないだろう」「中核がねえ、あのお」「逮捕できないですかねえ」「淡、淡路、淡路町のグリーンホテル」「あの、110番したんですけどね、見ているだけなんですよ。あの、暴力、中核が暴力ふるっているもんですから。ええ、はい、よろしく」。

警察と話しているのはSである。そしてこの臨大から五ヵ月後の〇二年一〇月に、国労共闘の国労組合員七名（うち二名は闘争団員）と支援一名の計八名が、暴力行為等処罰法で令状逮捕・起訴されるのである。そして一年三ヵ月の長期勾留を強いられる。

この奇怪な国労本部の警察労働運動化は何なのか。はっきり言って国労共闘など一握りの集まりにすぎない。ただ国労共闘のビラは一番真っ当なことを主張していた。Sは翌年には国労本部委員長に出世しているが、この国労共闘に対する取り乱した憎悪は単にビラで痛いところを突かれたからだけではない。その背後には闘う闘争団の鉄建公団訴訟に対する底知れぬ恐怖が張り付いていたのである。その鉄建公団訴訟の東京地裁判決が〇五年九月に出る。難波判決である。この判決の画期性は、裁判所として初めて国鉄採用差別の不当労働行為性を認定したことである。結論は、原告らの「期待権」を侵害したとして、一人当たり五〇〇万円と利息を支払うという問題にもならない水準のものだった。弁護団はこれを「五％の勝利」と呼んで直ちに控訴した。しかしともかく不当労働行為を裁判所に認めさせたことは重要な「勝利」の第一歩だった。国労本部と賛成派闘争団は慌てた。「リセット」などと恥知らずな言を弄しながら、賛成派闘争団も第一次鉄建公団訴訟から遅れること五年後の〇六年一二月に鉄道運輸機構（鉄建公団を改称）を相手に提訴を起こす。動労千葉争議団九名も〇四年一二月に提訴している。

鉄建公団訴訟と中野洋

四党合意問題で深刻な分裂に陥った国労は、この鉄建公団訴訟を通して再び団結を回復するかに見えた。だがそののどに刺さったトゲのようなものとして五・二七臨大闘争弾圧事件の法廷闘争が進行していった。当然注目を集めた。裁判開始直後に「国労五・二七臨大闘争弾圧を許さない会」が作られた。そこには、佐藤昭夫を先頭に国鉄一〇四七名闘争を支援し続けてきた名だたる弁護士・人士が名を連ねた。こうして自ずと、国労の反対派も賛成派も、全動労も動労千葉も、もう一度手を組んで、一丸となって闘っていこうという機運が盛り上がり、〇六年二月には動労千葉も含む「一〇四七連絡会」という共闘組織が作られる。日本教育会館での結成集会では動労千葉争議団代表も発言するという事態も生まれた。ところがそれが半年後には、「四者・四団体[1]」という徹頭徹尾動労千葉排除・過激派排除を貫く枠組みが出来るのである。そしてこれが数年後の二〇一〇年の裏切り的な「四・九和解」へのレールになっていくのである。

もちろんこの過程を主導したのは国労本部であり、全動労である。彼らが一〇四七連絡会に反動的集中砲火を浴びせ、これを潰した。動労千葉は過激派だとして、分裂と分断を持ち込み、一〇四七名の団結を破壊した元凶が、あの警察と手を組んで国労共闘弾圧に血道をあげた国労本部であることは明白である。動労千葉が上手く立ち回れば一〇四七連絡会を守ることが出来たなどと思っているわけではない。しかし、この瞬間、正義は鉄建公団訴訟に立ち上がった闘う闘争団の側、その闘う闘争団を処分しようとする国労本部に対し「奴隷の道を拒否せよ」というビラを叩きつけた国労共闘の側にあったのである。言い換えれば、動労千葉、国労共闘が闘う闘争団と大きくスクラムを組む絶好のチャンス到来であったのだ。「五・二七弾圧を許さない会」の発起人の豪華な顔ぶれを見ても、支援者の中でも、いかにこの新たな共闘への期待が高まっていたかが示されている。もしこのチャンスを掴んでいれば、二〇一〇年のあの屈辱的な「四・九和解」をめぐる構図は全く異なったものになっていたのではないか。そういう意味で、この段階における中野洋の「国労への絶望」論、「賛成派も反対派も同じ」論、「鉄建公団訴訟ろくでもない」論、「動労千葉特化」論は大きな、決定的な間違いであったと思わざるをえないのである。

国労共闘の解散

もちろん中野の言動が全てを誤らせたというほど単純ではない。この〇六年には、三月に革共同関西で政変が起こり、翌〇七年秋にかけて革共同そのものの分裂・除名騒ぎなどが起こり、これが五・二七闘争にも跳ね返り、被告団が分裂、弁護団を解任するなどのドタバタ劇が起こる。だから全て中野の責任ということはできないが、やはり責任は大きかった。特に動労千葉特化論は致命的で、この延長線上に、これは私が脱党（〇八年）した後、中野が死亡（一〇年）した後になるが、国労共闘が解散し、動労総連合に合流するという珍事が発生する。この背景に何があったのか、おおよその見当はつくが詳細は知らない。しかしともかく信じられないことである。「共産主義における『左翼』小児病（ママ）」そのものである。レーニンは言っている。

「共産主義者が反動的な労働組合に参加しないという、この愚かな『理論』こそ、これら『左翼』共産主義者たちがどんなに軽々しく『大衆』にたいする影響の問題をとりあつかっているかを極めてはっきり示すのである。『大衆』をたすけ、『大衆』の同情、共鳴、支持をかちとるためには、困難をおそれてはならないし、『指導者たち』（日和見主義者や社会排外主義者であって、たいていの場合、直接間接に、ブルジョアジーや警察と結びついている指導者）の側からする言いがかり、あげ足とり、侮辱、迫害を恐れてならない。そして、ぜひとも大衆のいるところでこそ働かなくてはならない。たとえ最も反動的なものであろうとも、プロレタリア大衆あるいは半プロレタリア大衆さえいるなら、その機関、団体、組合内であらゆる犠牲に耐え抜き、最大の障害にもうちかって系統的に、頑強に、ねばり強く、しんぼう強く、宣伝煽動を実行なければならない」。もう十分だろう。

しかしこのように見てくると、中野の過ちはただ一〇四七名闘争の大詰め段階での一時的な過ちに過ぎなかったのかという疑問をもたざるをえない。繰り返し強調するが、私は中野洋が極めて優れた労働運動指導者であったことをよく知っている。動労千葉が逆流に抗して八〇年代の果敢な闘い・ストライキを撃ち抜いてきたことを間近で見ている。しかし中野がその後、総評解散・連合結成情勢の中で全国労組交流センターを立ち上げるが、あれはどうなったのか。もちろんそこにはス労自主（スタンダード・バキューム自主労組）なども加わるが、しょせん「動労千葉型労働運動」の延長・同心円的拡大を目指したのではなかったのか。それがはかばかしく進まない中で九五年からは動労千葉呼びかけの一一月労働者集会を始める。「闘う労働組合の全国ネットワーク」の旗が掲げられ、九八年からは例の国鉄闘争をめぐる東京地裁反動判決を受けて、全国金属機械港合同と全日建関西生コン支部も加わり、三労組呼びかけの企画となる。そして毎年一万人結集が呼びかけられる。これはこれで重要だったと思う。しかし、ちょっとでも面白い労働運動にツバをつけると直ぐここに引っ張り出して、演壇でしゃべらせて拍手喝采する、というのはどうしたものか。これを年間の総括軸にするというのは正しいか。これもまた「動労千葉型労働運動」の同心円的拡大路線ではないのか。この延長上に動労千葉特化論があり、国労への絶望が生まれ、国労共闘の解散と動労総連合への合流という自殺行為もあるのではないか。

党を忘れた「赤色労働組合主義」

結局のところそれは動労千葉を中心とする、これまた「天動説」である。だが正しいのは地動説なのであって、天動説は間違っているのだ。そして六二年の革共同三全総路線は、この地動説に基づく労働運動路線を打ち出した。それは「革命的労働運動の創造」ではなく「戦闘的労働運動の防衛」を打ち出した。指導部が民同であれ、革同であれ、社会民主主義者であれ、民主社会主義者であれ、スターリン主義者であれ、そこに労働者の闘いがあれば、その防衛と推進のために全力をあげなければならないというのが三全総だったのである。それを忘れたところでの「動労千葉型労働運動」は、職場を同じくする国労にさえ通用しない。職場で資本と闘わないのはダメだというのはもちろん正しい。しかし極端な例をあげれば、国労組合員が国労バッジをつけ続けることも立派な職場闘争だ。それによって七千数百人の組合員が清算事業団に送られた。それでも彼らはバッジを外さなかった。そうして労働者の誇りを守った。嫌味な言い方をすれば、動労千葉のバッジをつけても職場闘争にはならないだろう。しかし国労バッジは敵資本・権力を恐れさせる職場闘争なのだ。

動労千葉型労働運動の天動説的拡大路線というのは、その後「体制内労働運動」批判から「革共同の労働組合」なる妄想・うわ言にまでいきつく。要するに現代における「赤色労働組合主義」路線である。そこには党がない。三全総がない。そこで「階級的労働運動路線」がいかに叫ばれてもうつろに響くだけだ。党と階級、党と大衆の弁証法的関係を忘れ去ったところで繰り広げられる「党と労働組合」についての革共同内の不毛な議論を見るにつけ、中野を先頭とする五月テーゼ以降の革共同の労働運動指導に根本的問題があったことは明白であると思う。

【注】

(1) 四者・四団体／四者：国労闘争団全国連絡会議、鉄道建設公団訴訟原告団、鉄道運輸機構訴訟原告団、全動労争議団鉄道運輸機構訴訟原告団。四団体：国労、全動労、国鉄闘争支援中央共闘会議、国鉄闘争に勝利する共闘会議。要するに動労千葉と動労千葉争議団の排除を目的にした陣形）。

第7章　安保再定義と百万人署名運動

――革共同の失われた三〇年②

日米新安保ガイドライン

国鉄闘争の挫折がいかに大きな問題だったか、革共同がそこにどんな責任を負ってきたのかを見てきたが、その重大な節目となった二〇〇三年において、革共同はもう一つ、反戦政治闘争の放棄という信じられないような犯罪的な選択をする。〇三年とはいうまでもなく、三月にイラク戦争が起こり、自衛隊が参戦、六月に武力攻撃事態法など有事三法が国会で成立した年である。その五月に中野洋のヘゲモニーで、当面革共同はその総力を労働運動に集中する、「傾斜的生産方式」と称して、反戦闘争や選挙闘争は切り捨てるとは言わないが、二の次、三の次にするという「新指導路線」なるものを打ち出す。これを「階級的労働運動路線」なる立派なネーミングで高唱するという前代未聞の暴挙に踏み切ったのである。中野は六～七〇年代から一貫して反戦闘争や三里塚闘争の先頭に立ってきた。そうした街頭における国家権力との闘いが、職場生産点における資本との闘いにおいてもいかに重要かということを繰り返し強調してきた人物である。その中野が、いかに国労に絶望し骨が折れたとはいえ、ここまで愚劣な方針を出すというのは信じがたいことだが、それがそのまま革共同政治局でまかり通るというのも信じがたいことであった。実はこのときに革共同は、百万人署名運動という反戦運動を抱えていた。私はその指導の一端を担っていた。新指導路線はこの運動に破滅的打撃を与えた。

百万人署名運動とは、正式名称を「日米新安保ガイドラインと有事立法に反対する百万人署名運動」といい、一九九七年九月に、日米政府による「日米防衛協力指針（ガイドライン）の見直し」策定の前日に発足している。呼びかけ人には、家永三郎、尾崎秀樹、左幸子、本山等、弓削達など著名人が名を連ね、沖縄にも中野が直接オルグに出向き、新崎盛暉などの有力人士が参加した。発足にあたっての趣意書では、「新ガイドラインは、まさに戦争の手引き（WARマニュアル）です。『日本の安全』と称して朝鮮半島をはじめ、さらに地域を特定せずに、中国、台湾から中東までの戦争を想定しています。そのすべての場合において、日本が参戦しようとしているのです。これは日米新安保条約の締結に等しいものです。……新安保ガイドラインはまた、沖縄に対して、侵略戦争の最前線基地として、巨大な海上ヘリポート基地建設などさらに大きな犠牲を集中しようとしています。沖縄への差別・抑圧は絶対に許せません」と謳っている。ここにあるように、それはまさに新安保の締結そのものであった。そして言うまでもなくそれは、今日の台湾有事情勢の緊迫下における米中戦争と日本の参戦、いな日中戦争の危機、「新しい戦前」の進行に直結しているのである。

小沢「普通の国」論と同盟漂流

九七年日米新安保ガイドラインは、冷戦終結＝ソ連という仮想敵国の消失後の日米新安保条約であったが、そこにいたる過程は決して一直線ではなかった。まず九一年一月に湾岸戦争が起こる。フセインのイラク軍のクエート侵攻をとらえ、国連安保理決議の下での多国籍軍という形で米軍五〇万が動員され、十数万のイラク軍民を殺害し一方的に勝利する。米国はソ連に代わる「地域覇権主義」という新たな「脅威」を見出す。だが米国は唯一的な世界軍事支配力を誇示しながらも、他国からの膨大な戦費調達なしにこの戦争を戦えなかった。日本は戦費一三〇億ドルを拠出した。だが軍隊を出さなかったことで外交的に孤立、以降「国際貢献」の名のもとに自衛隊海外派兵に踏み出した。掃海艇ペルシャ湾派遣、PKOカンボジア派兵等である。米国防総省は九三年九月になると「米戦略構造の見直し」を発表、湾岸戦争クラスの「大規模地域戦争」が世界二ヵ所で同時に起きる場合に備え、欧州一〇万、東アジア一〇万の戦力配備を打ち出し、標的としてイラクと北朝鮮を明記した。米帝はそれらを「ならずもの国家」「悪の枢軸」などと呼んだ。そして九四年朝鮮危機では発動寸前までいき、〇三年には最悪のイラク戦争として火を吹いた。要するに重要なことは、冷戦崩壊で戦争がなくなったのではなく新たな戦争が始まり、日本の自衛隊は「専守防衛」の建前をかなぐり捨てて海外派兵に突き進んでいったのである。

だが当時の日本の政治では小沢一郎が影響力を持っていた。自民党政権が倒れ細川連立政権が生まれるのが九三年八月である。その小沢が打ち出すのが「普通の国」論で、日本は普通の国ではないから普通の国に変えなければいけないという主張だった。小沢は九三年五月に『日本改造計画』という本を出す。そこでは政治・経済にわたる全面的な「改革」を打ち出すが、軍事政策については「日本は、国内の経済的発展と財の分配しか考えてこなかった『片肺国家』から、国際社会で通用する一人前の『普通の国』に脱皮する」必要があると主張した。そしてその中身では「日米を基軸に平和維持」と日米安保を踏まえながらも、「国連中心主義の実践」「核の国連管理」「国連待機軍をつくれ」など、国連による世界平和を強調したものだった。

これに呼応して出てくるのが、九四年二月に細川内閣下で発足した防衛問題懇談会の樋口レポート[1]であった（提言提出は同年八月の村山内閣時）。「冷戦的防衛戦略から多角的防衛戦略へ」として、これも日米安保の（否定ではないが）相対化と国連安保、多角的安保の前面化が結論であった。ここには「日米安保が唯一の道か」をめぐる日本の支配階級内部の深刻な動揺が暴露されていた。「同盟漂流」といわれた事態である。こうした日本の動きに激甚に反応するのが米国防総省である。ジョセフ・ナイ米国防次官補が九四年一一月に訪日、翌年二月にはいわゆるナイ・レポート（東アジア戦略構想）を提出した。日米安保を「東アジアにおける米国の国益を守るための要」とし、「地球的規模での戦略的目標を達成するための基礎」と定義した。日本国内に台頭する安保相対論を封じ込め「安保再定義」を強力に打ち出したのである。この背後では、いわゆる「北朝鮮核疑惑」と金日成の死という鋭い朝鮮危機が進行していた。日本では細川退陣、羽田退陣を経て、小沢主導の連立政権から村山自社さ政権へ目まぐるしい政権交代が続く。

沖縄の反乱とナイ・レポート

だがこの安保再定義策動は全く別のところから重大な挑戦を受けた。九五年九月の沖縄米兵の少女暴行事件に端を発した沖縄人民の新たな反基地・反安保闘争の爆発である。一〇万沖縄県民の怒りの決起と大田昌秀知事の代理署名拒否によって、安保再定義策動は暗礁に乗り上げた。これを強引に突き破ったのが九六年四月の橋本・クリントンによる日米安保共同宣言である。しかもそれは単に安保再定義を再確認したにとどまらない。沖縄を欺くために、「基地の整理・統合・縮小」などと称して、沖縄米軍基地の中でも市街地のただ中にある最も危険な普天間基地の「今後五年ないし七年ぐらいに全面返還」を打ち出すのだ。だが全くのペテンだった。その代わりに「海上へリポート建設」が謳われるのだ。これが今日まで延々と続く辺野古新基地建設の出発点である。

もうひとつ、この共同宣言で決定的に重要なのは、七八年旧ガイドラインの見直しを盛り込んだことで、その最大の特徴は「周辺事態」にあった。しかもその「周辺事態の概念は、地理的なものではなく、事態の性質に着目したもの」とされたのである。周知のように現行安保条約では、五条で日本への武力攻撃があった場合の米軍の出動、六条で「極東の平和と安全のために」在日米軍は基地を使用できるとした。六〇年当時、極東の範囲が大いに論争になった。だがこの共同宣言での「周辺」は「日米両国の将来の安全と繁栄と密接に結びついている」グローバルな地域を指し、そこでの有事における日米協力を謳ったのである。ナイ・レポートを公式宣言化したのがこの日米共同宣言で、これを具体化したのが翌年の日米新ガイドラインだった。日本側の「後方地域支援」には補給、輸送、整備、衛生、警護、通信等々が列挙された。要するに米軍と一体となって自衛隊もグローバルな戦争を推進するということだ。まさにWARマニュアルそのもの、冷戦崩壊後の日米安保体制の永続化であり大改悪であった。

しかもそれはこの間の、日本政治権力中枢における小沢的・樋口レポート的動揺と沖縄の叛乱を叩き潰して貫徹された攻撃であった。仮想敵・ソ連がなくなった後も、日本はどこまでもアメリカに自発的・奴隷的に従属・隷属していくことを世界にむかって告知するものだったのである。ちなみにその後、〇九年に自民党政権が倒れて鳩山民主党政権が生まれると、鳩山は、普天間基地の移転先について「最低でも県外」と発言し、たちまち失脚する。別に小沢や鳩山に幻想を持つつもりはない。しかし、戦後日本の冷戦崩壊前後をはさんで続く対米従属化、いな対米属国化にいささかでも異を唱えれば、この日本で政治家などやっていけないことを、これらのことはまざまざと見せつけたのである。しかもそこでは決してその時々のアメリカ政府からの圧力（それはそれで大いにあったのだが）というだけではなく、日本の政治家、官僚、財界、学界、報道、いな国民そのもの（少なくともその多数）の奴隷根性が問われていた。まさに戦後日本の「国体」そのものが問われていたのである。

九・一一とイラク戦争

かくて九九年五月には周辺事態法が国会を通り、〇三年六月には有事三法が成立する。だが世界情勢は待ってくれなかった。〇一年九月一一日、ニューヨークのツイン・タワーを直撃する反米ゲリラが爆発した。米ブッシュ政権はその直後に、これをビン・ラディンの犯行として、アフガニスタン侵攻に突き進む。日本の小泉政権はこれを支持、テロ特措法によって自衛隊のインド洋給油支援に踏み切る。そしてその翌々年には、イラクのフセイン政権が大量破壊兵器を秘蔵しているという言いがかりをつけて米軍はイラク侵略戦争に突入。これは独仏などが反対する中での英米など「有志連合」による戦争だった。これに対し日本は今度はイラク特措法なるものをつくって陸上自衛隊を派遣する。派遣先は「非戦闘地域」と称したが立派な海外派兵だった。さすがに周辺事態法の適用という形はとらなかったが、国連PKOなどとは全く違う露骨な対米支援の海外派兵だった。特に、「何もかもむちゃくちゃにしたイラク戦争」（酒井啓子『9・11後の現代史』）は、米国ネオコンの「民主主義の輸出」論に基づく戦争だったが、そのでたらめな戦後処理を通して一方では泥沼の内戦とIS（イスラム国）の台頭を招き、他方では米帝の中東支配の決定的瓦解をもたらした。米英さえその後、過ちを認めている中で、あくまで自衛隊参戦を居直ってきたのが日本である。新ガイドライン関連法と絡まりながら、それを先取りするような戦争政策が進行していった。革共同はこの歴史的情勢を「労働運動の力で革命を」の空文句でパスした。

百万人署名運動の挑戦と挫折

百万人署名運動に話を戻そう。これは名前の通り、新ガイドラインに反対する署名運動だった。地べたをはい回って署名を集めるところから、反戦運動を立て直さなければならないという認識があった。新左翼運動としては全く新たな挑戦だった。目標は杉並の主婦の運動から始まったといわれる原水禁運動だった。私は九七年の段階で、引き続き国鉄闘争へのかかわりを継続していたが、軸足をこの百万人署名運動に移した。私は幾つかのことを肝に銘じた。まずこれを何か党派のひも付きにしないということだ。何か革共同の外郭団体のようなものにしない、立派な呼びかけ人を飾り物にしないということだ。当初は中島誠を司会とする呼びかけ人会議を定期的に開催した。私などの事務局はあくまで裏方に徹した。私は中島と個別によく会ったが、中島は「ともかく点から線へ、線から面へだ」と繰り返した。同時に下からの自発的な運動を盛り上げていくことに全力を挙げた。全国数十か所の「署名運動連絡会」を作り、それぞれ宣伝活動、集会デモ、署名運動などを独自に展開した。全国事務局は月一の通信を出し、会員から年三千円の会費を集めたが、うち一千五百円は連絡会の会計にあてた。各連絡会の独自財政をもった独自の活動を支えるためだ。連絡会もそれぞれの地域ごとに呼びかけ人を募り、党派のひも付きではない自立した運動をつくるために最大限の努力をした。

手ごたえを感じた。当時、陸・海・空・港湾二〇労組というナショナルセンターの枠をこえた運動体が活発に動き出し、大集会などを開いた。それだけ新ガイドラインというＷＡＲマニュアルに対する危機感が強まり、既成政党や既成の労働運動の停滞を突き破って、新しい運動を下から作り出そうという機運が高まっていたということだ。署名をどれだけ集めるかをめぐる連絡会の間の競争が始まった。会員同士の間の競争も始まった。そうした中で一人で何万もの署名を集める猛者も現れた。結局九〇万筆近い署名が集まった。新左翼運動としては空前のことである。九九年春には、日比谷野音を満席にする集会も開いた。革共同の全国動員などかけずにこれだけの集会を開くことができた。いよいよ本番の有事法制制定過程に向けて、新たな反戦闘争、新たな安保・沖縄闘争の圧倒的高揚を実現しようという段階を切り開いたのである。

百万人署名運動は、九九年周辺事態法のあと、名前を「とめよう戦争への道!百万人署名運動」と変えた。だが残念ながら署名運動の勢いは急速に鈍っていった。革共同の露骨なネグレクトのためである。私は百万人署名運動が高揚する中で、これを革共同が利用主義的に私物化するのを何よりも警戒した。だから『前進』などでの報道も極力抑えてもらった。だが革共同の各地方組織には全力で各地方連絡会を支えてもらう必要があった。革共同の力で革共同から自立した運動を何とか作ろうとした。それは半ば成功したかにみえた。しかしそこに無理があった。無い物ねだりだったというしかない。中野洋の「動労千葉特化論」「階級的労働運動路線」なるものがとどめを刺した。百万人署名運動はその後も続き、〇六年に第一次安倍政権が登場し改憲攻撃が浮上する中で、新たな百万人署名運動を呼びかけるが無残に破産した。私にとって、九七年新ガイドライン以降の怒涛のような戦争と改憲の攻撃、安保再定義の攻撃に対して決定的な反抗のカギを握る運動として百万人署名運動をとらえていた。その挫折は大きかった。〇六年三月の関西革共同での政変[2]を挟んで、「党の革命」「党の階級移行」などという寝言が全党を席巻する中で、私は〇六年末と〇七年末に二つの意見書を書き、〇八年一月初めに離党した。百万人署名運動からも手を引いた。

中島のあとをついで事務局次長として呼びかけ人会議の司会を務めてきた小田原紀雄は、〇九年一〇月に「百万人署名運動への永訣宣言」なる文章を書く。『永訣』などと大仰な言葉を使ってでも自らの心を鼓舞せねば書きたくない文章を綴ることにする。手許に『とめよう戦争への道!百万人署名運動全国活動者会議・事務局からの提案』なる文書がある。これを読みながら、かつて日米安保ガイドライン締結反対運動を署名運動を運動展開の中軸に据えて、全国各地で多くの方々のお知恵とお力をお借りしながら、八〇万人以上の人々に署名していただき、いわゆる新左翼運動系の大衆運動としては前人未到の百万人署名達成まであと一歩のところにまで迫ったこの運動は、確実に『一党派』の路線をそのまま踏襲した『党派運動』へと明確に舵を切ったと断定せざるをえない」（ピスカートル創刊号）。無念の想いに満ちた文章である。小田原もすでに故人となった。申し訳なかったという気持ちを今も私は抱いている。

新しい歴史教科書をつくる会

冷戦終結後も対米従属的な日米安保同盟政策がますます卑屈に永続化されてきたことは以上で見てきたとおりだが、これと並行して韓国、朝鮮、中国などを標的にしたますます傲慢で醜悪な超国家主義、民族排外主義、歴史修正主義もまた激しく進んでいった。対米隷属の救いがたい泥沼は、まるでその憂さを晴らさんとするかのような嫌韓・嫌中ヘイトを呼び起こした。両者は表裏一体・不可分の関係にあった。総じて日本の政治の劣化・右傾化・末期症状化が進行していった。バブル崩壊後の日本の社会と国民が壊れていった。

米ソ冷戦のもとで日本の戦争責任問題は長く封印されてきた。「共産主義の脅威」と対決し、高度経済成長のもとで日本を西側陣営の一角につなぎとめるためには、戦前の日本の侵略と戦争と暗黒の歴史を日本国民が忘れることが必要だった。それは戦後民主主義の建前に隠れながら、教育の場でも、報道の場でも、社会の全領域において周到に維持されてきたのである。日本軍の中国侵略戦争による中国側の犠牲者数は二千万人といわれている。凄まじい数である。ということは、南京大虐殺をはじめとして二千万人の中国人を殺した幾百千万の日本兵がいたということである。その一部はもちろん戦死したろうが、多くは戦後日本に帰ってきた。しかしその元日本兵のどれだけが自らの戦争犯罪を告白してきただろうか。いわゆる中帰連(3)以外にどれだけいるのだろうか。大半の日本人が死の沈黙を守り、過去を没却し、繁栄を謳歌してきたのである。

だがソ連崩壊によってこの重しが外れた。九一年には韓国の元従軍慰安婦の金学順が実名で過去の日本軍の犯罪行為を告発した。これに対し九三年の河野洋平官房長官談話が事実についての確認とお詫びを表明し、九五年になると村山富市首相談話が、日本の侵略と植民地支配そのものについての反省と謝罪を明らかにした。そして九六年になると、中学校の社会科教科書の検定では、従軍慰安婦の記述はすべて合格となった。だがそこまでだった。九七年一月になると「新しい歴史教科書をつくる会」が生まれ、その趣意書でこう謳った。「日本の戦後の歴史教育は、日本人の受けつぐべき文化と伝統を忘れ、日本人の誇りを失わせるものであった。特に近現代史では、日本人は子々孫々まで謝罪し続けることを運命づけられた罪人の如くにあつかわれている。冷戦終結後は自虐的傾向が強まり、現行の歴史教科書は従軍慰安婦のような旧敵国のプロパガンダを事実として記述している」。そして「つくる会」は、自民党国会議員を中心に政界工作を強め、やがて既成教科書に代わる「〝東京裁判史観〟や〝社会主義幻想史観〟を克服する、その双方の呪縛から解放された自由主義史観に基づく」教科書の作成に乗り出す。そしてそれは二〇〇一年には文科省の教科書図書検定に合格している。そのなかで例えば東京の杉並区では当時の極右区長のごり押しなどもあったが、「つくる会」は全国各地の自治体に働きかけて新しい歴史教科書の採用運動を組織する。彼らはこれを「歴史戦」と呼んで血道をあげた。

日本会議の誕生

「つくる会」とともに、やはり九七年に生まれるのが日本における最大の右翼団体といわれる日本会議である。これは「日本を守る会」という神社本庁などの多くの宗教右派を集めた政治運動体と「日本を守る国民会議」という極右文化人や財界人を並べ、元号法制化運動などを進めてきた団体が統合して誕生したものである。その主張は、改憲から夫婦別姓反対、首相の靖国神社公式参拝実現まで国粋主義的政策を網羅しているが、歴史認識では「太平洋戦争は東アジアを解放する戦争だった」とか「従軍慰安婦は強制連行ではなく公娼制度だ」とか「南京大虐殺など存在しない」など言いたい放題を並べている。

だが日本会議が注目されるのは、これらの反動的主張を言いっぱなしにせずに、個別目標に対応した別働団体を通じて、従来の右翼にはないような市民運動・国民運動を組織し、国と地方の政治にかんできたことである。結成後の「成功事例」としては歴史教科書採択運動や男女共同参画バッシングなどが挙げられている。そしてこの運動の事務局的中枢を担っているのが生長の家学生運動の流れである。特に七〇年当時、長崎大で全共闘のバリケード封鎖を破壊し、「大学正常化闘争に勝利した民族派学生運動のヒーロー」といわれた連中で、その中心にいた椛島有三が今日の日本会議事務総長として運動を取り仕切っている(菅野完『日本会議の研究』)。事実、日本会議の活動は、署名集めとか、シンポジュウムとか、地方議会への意見書提出とか、従来であれば左派・革新勢力側が得意とした手法を取り入れている。多分にファシスト的運動体といってよいだろう。

しかも重要なことは、日本会議結成と同時に日本会議国会議員懇談会が結成されていることで、自民党議員の大半がこれに名を連ねていることだ。特に安倍内閣になると閣僚の八~九割以上がこの懇談会のメンバーで構成され、「日本会議のお仲間内閣」とまでいわれるにいたる。こうして日本会議は下からと上からと、日本の超反動的国家改造に着々と成功しつつある。日本の政治が日本会議にハイジャックされているといっても過言ではない。そして少なくとも歴史観では真逆のはずの統一教会(〝日本は戦犯国家、サタンの国だ〟と主張)まで改憲やジェンダーバッシングなどでは日本会議と蜜月関係にあるのだ。以上「つくる会」と日本会議について見てきたが、繰り返し強調しなければならないのが、その結成がともに一九九七年、日米新安保ガイドライン締結と同じ年であるということである。

在特会とネトウヨの跋扈

続いて取り上げなければならないのが、在特会(在日特権を許さない市民の会)というさらに一段とグロテスクな運動体である。〇六年末に生まれた「街頭に躍り出たネット右翼」といわれる運動で、主に在日韓国人・朝鮮人を標的に、在日が多く住む東京の新大久保や大阪の鶴橋などへデモをかけ、日章旗、旭日旗を林立させ、「朝鮮人は死ね!殺せ!」「チャンコロを皆殺し!」「ゴキブリ!ウジ虫!」「コジキ!キチガイ!」などなど、思いつく限りの罵詈雑言、醜悪下劣な絶叫、ヘイトスピーチを繰り返し、憂さを晴らすことをもっぱらとする輩である。こういうレイシストたちがどんなごろつきかと思いきや、実は「ごくごく普通の若者たち」というのが、取材者の共通の認識である（安田浩一『ネットと愛国―在特会の「闇」を追いかけて』）。日本による三六年間の朝鮮植民地化の結果、一九四五年の敗戦時に日本には二〇〇万人の在日朝鮮人がいた。多くは帰国したが、やむを得ない事情で約六〇万人が日本に残った。彼ら・彼女らは日本国籍を奪われ、他方朝鮮半島の分断・戦争の中で韓国籍・朝鮮籍も取れず辛酸をなめてきた。そして長年の闘いの末、九一年にやっと「特定永住資格」をとり、例えば生活保護などを受け取ることができるようになる。これを「在日特権」と称して、襲撃を繰り返すのが在特会である。在日特権などというのなら、何よりも在日米軍のそれ、日米地位協定に守られて、たとえ犯罪を犯しても基地に逃れれば罪の問われないなどという「特権」をこそ問題にすべきだが、在特会はもちろんそんなことには見向きもしない。

そして連中はやがてヘイトスピーチの域を超えヘイトクライムに走る。〇九年には京都朝鮮学校を襲撃、駆け付けた警察も見守るだけ、さらに一〇年には徳島県教組乱入事件を起こし、ついに逮捕者も出す。国会でもこれは問題になるが、「表現の自由との兼ね合い」などというたわ言を並べてこれを放置した。しかしやがて在特会のあまりの無法・非道な蛮行に対し、一方では「レイシストしばき隊」を名乗る一団が在特会デモの実力粉砕に立ち上がり、他方では在特会周辺からも「いくらなんでも日の丸を冒涜するものだ」などという離反者が相次ぐという事態が起こる。そして一六年になると、何の罰則もない法律だが、ヘイトスピーチ解消法なるものも国会を通る。こうして在特会の運動は次第に後退していくが、その後も例えば今度は地上波で、沖縄・高江の抗議運動参加者は中国から金をもらっているなどのデマを流し、その黒幕が辛淑玉だと宣伝し、ネトウヨの攻撃が彼女に集中、一時海外亡命を余儀なくされるという事態も生じている。先日メディア側の損害賠償を確定させた勝利判決が出ているが。

それにしてもこういう醜怪なネトウヨ族が「普通の若者」の間に蔓延しているのはどうしたわけか。直接的には、アメリカ発の新自由主義的規制緩和の洪水の中で、九〇年代以降の日本の貧困と格差、非正規が四割という絶望的な生活環境、いな生活崩壊的現状からの出口を最も手ごろな在日叩きに求めているということだろう。しかしそのおぞましさは、自発的・奴隷的対米従属と驕慢・傲慢な嫌韓ヘイト・嫌中ヘイトが一体であることだ。白井聡は「発狂した奴隷たち」（『国体論―菊と星条旗』）と表現している。安田は「彼らは、われわれ日本人の〝意識〟が生み出した怪物ではないのか」と言っている。いずれにせよ百年前の関東大震災のときの朝鮮人大虐殺は決して昔の話ではないということだろう。

ところで革共同はこの在特会が「活躍」していたころ何をしていたか。「血債主義反対」を連呼していたのである。革共同もかつては入管闘争を闘ったこともあったのではないか。清水じしん、入管闘争の意義について九〇年代に入っても繰り返し強調していたのではないのか。七〇年七・七自己批判とは七〇年闘争そのものの極点の一つであり、切り離すことのできない一部であったのではないのか。それとも革共同は、「党の革命」によって七〇年闘争そのものを否定・清算することにしたのか。

そして他方では、こんなことはここに記すのも苦痛なことだが、〇二年一二月に革共同は、元政治局員の白井朗を、その言動が許せないということで襲撃、重傷を負わせる。百万人署名運動をネグレクトしていただけではない。その破壊に全力をあげていたのである。

天皇と国民の共犯関係

結局、日本人とは何なのか。在日韓国人の評論家・鄭敬謨はこう言っている。「日本は西洋的な〝名誉白人国家〟として振る舞うことで、民族の矜持とアイデンティティを維持してきた国である。明治維新以来、〝脱亜入欧〟を掲げて、ずっとそのように生きてきた。日清戦争でも日露戦争でも、日本は欧米列強のサロゲート（代理人）として戦い、彼らのアジア侵略の先兵として機能した。同じアジア人を売りながら峠を上り、ようやく〝名誉白人〟になれたと思った瞬間、その白人様に裏切られ峠から転がり落ちたのが、太平洋戦争だったのでは」（斎藤貴男など『徹底検証・日本の右傾化』）。その通りだ。日本という国の、延々と続く奴隷的対米隷属は、イギリスの番犬帝国主義として日露戦争を戦った歴史にまで遡ることができる。そして「太平洋戦争で峠から転がり落ちた」後も日本はそれを反省もせず、総括もせず、何も変わらなかったということだ。その核心にあるのが昭和天皇の戦争責任の問題である。ハーバート・ビックスは言っている（『昭和天皇』）。「結局のところ、多くの日本人は、戦争の遂行について天皇と共犯関係にあった。そして、国民は全体として、天皇が責任を負わないのだから、自分たちに責任を負う必要などあるわけがないと考えた」。

いやアメリカの学者を持ち出さなくとも、問題を見抜いていた先人は日本にもいた。映画『無法松の一生』の監督であった伊丹万作は、敗戦直後の一九四六年に、鬼畜米英からマッカーサー万歳に一夜で変身した日本国民をこう批判している（「戦争責任者の問題」）。戦争に負けて日本国民はみんなだまされたと言っているが、「だまされたということもまた一つの罪」であり、たやすくだまされるような己の「知識の不足」「信念すなわち意思の薄弱」を顧みず、そのような「薄弱な自分の解剖・分析・自己改造の努力」をせず、「いままで奴隷状態を存続せしめた責任を軍や警察や官僚にのみ負担させて、彼らの跳梁を許した自分たちの罪を真剣に反省しなかったならば、日本の国民というものは永久に救われるときはないであろう」、「『だまされていた』といって平気でいられる国民なら、おそらく今後も何度でもだまされるだろう」。

もう一人、政治学者の丸山眞男は五六年に「戦争責任論の盲点（ママ）」という論文を書くが、その結論は、多くの戦争責任論には二つの「省略」がある、ひとつは天皇の責任、もう一つは「次元は全く違うが、階級の前衛を名乗りながら戦争を阻止しえなかった共産党の責任だ」という、至極もっともなものであった。ところが日本共産党は、敗戦五〇年目前の九四年に、この論文をやり玉に時ならぬ丸山批判を満展開する。無謬神話を否定するとはなにごとかというわけだ。ここには共産党の本質が露呈しているが、共産党だけのことではない。日本の労働者人民の戦争責任などというと飛び上がって怒鳴り出す「左翼」党派などそこら中に腐るほどいる。そしてこの右と左からの戦争責任の否定とそれによる国民の安堵と洗脳こそ、今日の壊憲と戦争へと漂流する日本社会を最底辺で支えているのである。

ところがその昭和天皇が一度だけ自分の口から自分の戦争責任について語ったことがある。一九七五年訪米直後の記者会見の場の出来事である。一人の詩人が痛烈な一遍の詩を書き残している（「四海波静」『茨木のり子詩集』）。

戦争責任を問われて
その人は言った。
そういう言葉のアヤについて
文学方面をあまり研究していないので
お答えできかねます
思わず笑いが込みあげて
どす黒い笑い吐血のように
噴きあげては　止まり　また噴きあげる

記者会見における天皇裕仁の恥知らずな受け答えについて、こう書き出した詩は次のような言葉で締めくくられる。

「野ざらしのどくろさえ／カタカタカタと笑ったのに／笑殺どころか／頼朝級の野次ひとつ飛ばず／どこへ行ったか散じたか落首狂歌のスピリッツ／四海波静かにて／黙々と薄気味悪い群衆と／後白河以来の帝王学／無言のままに貼りついて／ことしも耳すます除夜の鐘」。

この詩が書かれてから数えてもすでに半世紀近く経っている。「薄気味わるい群衆」はさらに数をまして、「新しい戦前」という名の奈落への道を今日もまた「黙々と」歩み続けているのではないか。

絶望をこえて

私が革共同を離れてからのことについてはあまり情報も入ってこないし、関心も日々薄くなっている。ただ、中野洋に可愛がられた労働者党員が政治局員にまで「出世」してえらく権勢を振るったが、ご多聞にもれず女性問題か何かで失脚したらしい。どうでもいいことだが、総括は中野その人にまで遡ってしなければダメでしょうということは言っておきたい。あと、清水丈夫が五一年ぶりに浮上したらしい。いくらなんでも遅すぎるのではないかと思うが、それ以外に私には語る資格もないし、何も語るべきことはない。

運動的には、私は二〇一一年三・一一以降、脱原発運動、特に経産省前テントひろばの運動にかかわった。ここには福島から、特に福島の女性たちが集い、全国の多くの市民が集った。鎌田慧は「霞が関のヘソ、反原発の象徴、誰もが寄っていける峠の茶屋」と評価した。テントを建てたのが九月一一日、その一週間余り後の九月一九日に明治公園で六万人の脱原発集会が開かれ、福島から大挙して上京団が参加した。そして団を代表して武藤類子が挨拶、澄んだ声で「私たちは静かに怒りを燃やす東北の鬼です」と自己紹介をした。私は演壇の間近で聞いていた。武藤はその後、福島原発事故の刑事責任を東電幹部に問う福島原発告訴団を組織、私も末席に名を連ねた。だが、裁判は、地裁、高裁まで全員無罪の不当判決、いま最高裁にかかっている。日本の政治権力中枢は今日、完全に原発回帰に舵を切った。汚染水の海洋放出も始まろうとしている。「無責任の体系」はここでも脈々と生き続けている。

事故から一〇年後に武藤は言っている。「こんな絶望的な現実の中では、目を閉じ耳をふさぎたくなってしまうかもしれない。でも、まやかしの『夢』や『希望』に惑わされないためには、一度この絶望を、目を凝らして見つめなければならない。こんなにも理不尽なこと、酷いこと、絶望的なことが起きているのだということを認めたうえで、その中に光を見出せると信じて、あきらめずに抗いつづけたい」(『10年後の福島からあなたへ』)。

この短い文章の中に三回「絶望」の言葉が出てくる。しかし最後に「光」も出てくる。私も生ある限り「光」を追い続けたいと思う。

【注】

(1) 樋口レポート／樋口廣太郎アサヒビール会長(当時)を座長とする防衛問題懇談会のレポート。

(2) 関西革共同での政変／革共同関西地方委員会で、議長を務めていた人物とその周辺を実力で打倒・追放した事件。

(3) 中帰連／中国帰還者連絡会。中国の撫順戦犯管理所に戦争犯罪人として抑留された旧日本軍の軍人が、帰国後の五七年に結成した一千名規模の団体。中国の寛大政策に感謝し、731部隊や南京大虐殺、三光作戦などの戦争犯罪について出版などを通じて積極的に告白・証言活動を広げていったが、日本国内では中国に「洗脳」されたものとして徹底的に差別・迫害された。

第Ⅱ部　革共同の諸問題

第1章　共産主義的政治をとりもどす

——松本意見書No.1

二〇〇六年一二月

私は革共同を〇八年一月冒頭に離れているが、離れるにあたって二回、意見書を出している。No.1は、〇七年冒頭に提出したもので、〇六年三月のいわゆるAD革命以降、「党の革命」「党の階級移行」などと称して革共同の組合主義的・経済主義的病弊が進行、政治闘争のネグレクトが進む中で提出したものである。全党回覧にはなったが、基本的に無視・黙殺を決めこまれた。松本は当時の私の組織名。なお、党内文書で党内用語を繰り返し使っているところは一部修正した。

〇六年年末にあたって、二つの問題をめぐって私の意見を明らかにする。第一は憲法闘争について、第二は杉並区議問題である。私はこの意見書を基本的に書き終わった時点で〇七年『前進』新年号に接した。だからこれはそれを読む前のものである。しかし内容的に大きく変更させるべき点があるとは思わない。従ってこのまま提出する。

1　〇六年憲法闘争の無残の顛末

私は、〇五年末から会議X(1)に出席するようになった。一点、憲法闘争のためである。〇六年『前進』新年号一面論文の大見出しは、「小泉・奥田体制打倒！　四大産別決戦勝利！　改憲阻止闘争の勝利へ全力で驀進しよう！」である。

ここには、次のような文章もある。「したがって、改憲阻止決戦（A）と四大産別を軸とする民営化阻止決戦（B）を単にAプラスBとしてではなく、Bを徹底的・全面的に闘い抜くことを基軸・基底にすえて、そのもとでAとBを正しく結合して闘っていくことが求められている。そのようにして改憲決戦に断固として踏み込んでいくということである。〇六年をその巨大な突破口としよう」。

慎重な言い方だが、ここで確認すべき点は、第一に、AとBという二つの戦略的闘いを二つの柱として定立している、第二に、AとBを単純に並列的にはとらえない、Bが基軸・基底である、第三に、だがA＝Bではない、AがBを闘うことに解消されるのではない、第四に、だからAとBの関係を論じ、「正しい結合」を求めている、第五に、結論として〇六年をもって「改憲決戦（つまりA）に断固として踏み込んでいく」ということである。

しかし一年後の今日、私は苦渋の告白・告発をしなければならないが、革共同は〇六年を通して「断固として」どころか、おずおずとした一歩というレベルにおいてさえ、改憲決戦に踏み出していない。「巨大な突破口」どころか、蟻の穴という大きさにおいても、憲法闘争の道筋を切り開くことに成功していない。「成功していない」という言い方は不正確だ。革共同はその指導において、憲法闘争を徹頭徹尾放棄し、ネグレクトし、サボタージュ・ボイコットすることを○六年一年間を通して明らかにした。

憲法闘争の意義をここで云々する愚は避ける。だが憲法問題（それは鋭い朝鮮戦争危機を背景に進行している）がこの数年間の日本階級闘争の中期的最大テーマ、さらには日本革命の帰趨を左右する戦略的テーマであると私は考えている。そもそもこの認識において、不一致が存在するのであればそれまでだが、私の考えによれば、この憲法闘争をここまでトコトン放棄することは、革共同が革命党であることを止めるのに等しい。革共同の革命党としての死を意味する。

もちろん私の非力という問題はある。しかし私はこの一年を振り返って、私の力量や努力云々の水準で問題を考えることは出来ない。問題はもっと根本的である。憲法闘争について論じることは、○六年における革共同において最も大きな問題であったＡＤ革命(2)の認識と評価、さらにいえば新指導路線そのものの認識と評価と分かちがたく絡み合っている。私はそう考えるにいたった。これが私がこの意見書を書くにいたった主な理由である。

○六年における革共同の「憲法闘争ならざる憲法闘争」の展開から振り返る。

私は、○六年前半、八月ぐらいまでは、会議Ｘで努めて発言するようにした。発言の中身は、要するに、前述記号的言い方を繰り返せば、Ｂを闘うことがＡを闘うことにもなるというようなインチキな論調・雰囲気に対して、「違う、Ａ＝Ｂではない、Ａ≪Ｂでもない、ＡとしてのＡをしっかり確立させなければ、ＡとＢの正しい結合など出来るわけがない」ということだったと思う。そして革共同は今日的な階級関係、党派関係の中で、Aを何より百万人署名運動の成功にかけていることも当然強調した。

しかし秋に入ると発言することを止めた。無駄だということが分かったからだ。暖簾に腕押し、糠に釘ということをよく理解したからだ。実際、この会議において、憲法闘争や百万人署名運動について、ただの一度でもいいからまともな議論・討論になったことがあるか。いやそもそも議題にしたことがあるか。一度もない。かろうじてレジュメに一行、アリバイ的に「百万人署名運動は重要です」などという寝言が、ただ一行並んでいたのがせいぜいだ。一行だ！　私は、こんな会議でいつまでも憲法闘争や百万人署名運動についてのんべんだらりとお喋りを続けることは出来ない。

それでも〇六年前半は、私じしんについていえば、何ヵ所かの憲法問題学習会（東京、関東、東北など）に呼ばれた。また百万人署名運動は一、三月の全国代表者会議を経て、四月二二日の呼びかけ人会議で、九条改憲反対の新たな百万人署名運動を立ち上げることを決定した。決定事項は、①九条改憲反対の一本に絞った署名運動とする、②当面の目標は、来年七月参議院選挙までに全国で一〇〇万筆、③九月までに賛同人を五千人に拡大するだった。議論が様々あった。①についてはは国民投票法も入れた方がいいとか、②では目標は三〇〇万、いや五〇〇万がいいとか……。特に②に関しては、憲法闘争の危機的状況の中で、目標数を絞っても、改憲情勢をも左右する〇七年参院選までに局面を打開する必要があるということでこのような方針になった。四月中に署名用紙も完成、メーデーでは使い初め、五・二〇百万人署名運動全国集会でこの方針を大衆的に提起した。

目標一〇〇万とはいえ、当然これは革共同が組織をあげて取り組むことなしに達成されない。全国で一〇〇万なら、各地方・地区的にはそれぞれどんな目標を立てるのか、その目標を実現するためにどんな政策をもつのか、どう指導と点検を強めるのか――問われていたのは、百万人署名運動という運動体が決定した方針を成功させるために、革共同、とりわけ革共同指導部がこれにどう応えるのかの一点にあった。だが私が会議Xという会議に出て見ている限り、この方針を貫徹するために、革共同指導部がどんなささやかな努力をはらった形跡もない。それどころか、革共同の最高指導部は、百万人署名運動が新たな改憲反対運動の方針を決めてから何ヶ月も経た時点で、決まった方針の中身について正確に認識していないということを、私は会議Xで一再ならず知った。

会議Xでの忍耐は夏には限度に近づいていたが、この頃私の頭を占めていたのは、一一月集会の組織化と百万人署名運動をいかに結びつけるかにあった。つまりAとBをいかに結合させるかにあった。もちろん簡単でことではない。しかしそもそもこの二つの課題が対立していていいはずがない。必ず結合させせなければならない。それは〇六年『前進』新年号の路線を貫徹することでもある。Bを土台にしようが、基軸にしようが、必要なのはAに踏みだし、両者を結合することだ。もし結合出来なければ、その時は百万人署名運動は来年七月を待たずに破産が明らかとなる。改憲百万の成否はこの秋にかかっている。そこで私は中野洋を訪ねた。六~七月ごろだったろうか。

私が言ったことは、上記に加え、「労働者こそ憲法闘争の先頭に立たなければならない。このことをハッキリさせてほしい。そのためにも九月ぐらいに憲法問題を正面にすえた労働者集会をもてないか」というようなことだった。答えは「その通りだ。今年の一一月の半分は憲法だ。九月集会についてはすぐ手配しよう」であったと記憶する。

靖国が焦点化した八月、このことが当然百万の事務局会議でも議論になった。その結論として、八・

一五集会の現場で、百万事務局長の西川重則と事務局次長の小田原紀雄の二人が、わざわざがん首を揃えて、一一月集会を主催する三労組の一つである動労千葉の委員長に、一一月に向かう組織化の過程で、改憲百万の署名取り組みに力添えをお願いする西川署名の文書を手渡した。蛇足ながらこの文書は二～三日前に私が書いたものである。

小田原は八月末には同じ文書をもって関西に飛び、港合同の大和田幸治に改憲百万への取り組みを要請している。関生は先方の都合で会えず、同文書を郵送しただけに終わった。いずれにせよこれは、三組合を先頭とする一一月集会陣形への改憲署名取り組みの要請であった。結果はどうだったか。明々白々、その後の実践が示している通り、八・一五申し入れは完全に無視された。小田原は九月に入ると、労組交流センター全国常任運営委員会に参加し、同様の要請をし、さらに反戦共同行動全国活動者会議でも同じ訴えを繰り返した。小田原がそこでもらってきたのは、適当なオベンチャラだけだった。

九月集会は、結局九・二三労働者憲法集会となった。だが看板に偽りあり、私はこの集会の基調提起を一言も漏らさず聞いていたが、確か一時間近い話の中で憲法に触れたのは二～三分もなかった。労働者集会としては成功したろうが、これが憲法集会でないことは明白だった。当然ながら一一月集会に向かって、改憲署名は全く前進しなかった（九月キャラバン過程を除いて）。小田原は一一月集会での発言じたいをいやがっていた。しかし直前に闘病中の中野から電話の要請があったので、苦しい発言に立った。以上が、私が見てきた限りなく空しい〇六年憲法闘争の全てである。

なお、改憲阻止百万人署名運動の署名集約の現状を記しておく。

二〇〇六年一二月二七日現在、一四万五〇九二筆。

2 「レーニン的オーソドキシー」はどこへ行った

愚痴はこの辺で止めよう。単刀直入にいって一体いま何が問題なのか。私の考えでは、つまるところ革共同はレーニン主義を継承するのか否かが問われている。「レーニン的オーソドキシー」はどこに行ったのか。『なにをなすべきか?』をいつから革共同は清算することにしたのか。「社会民主主義的政治」を没却した革命党組織がまともに機能すると思っているのか。いつまでその組織的団結・単一性を維持できるのか。

私は労働組合運動に直接関わった経験を殆どもっていない。僅かに国鉄労働運動に、国労共闘の諸君と共にビラを書いたり、ささやかなオルグをした程度だ。しかしこれは一〇四七名闘争という、政治経済闘争ともいうべき、もちろん非常に重要だがかなり特殊な闘い。その意味で、私は労働組合運動の土台をなすいわゆる経済闘争や職場闘争について本当に何にも知らない。これから勉強しなければならないことばかりだ。前記憲法学習会などにおいても、新指導路線のもとでの生き生きとした現場労働者の発言からいろんな刺激を受けたという程度にすぎない。しかしにもかかわらず、私は、経済闘争や組合運動や職場闘争が、階級闘争と革命運動において極めて重要であるという結論については、一〇〇%、一点の曇りもなく理解しているつもりである。

一般論だけではない。私は今から四半世紀前に、第二臨調・行革、国鉄分割・民営化問題について一冊の本を書いた。これを継承し、発展させるような仕事をその後やれていないことは残念だが、ともかくはっきりしていることは、あそこで国鉄労働者に集中的に襲いかかった攻撃が、いま全労働者、全社会、全世界を覆っていることである。一体これは何なのか。このことを忘れたことは一瞬もない。私は「新自由主義」という言葉を使ってよいと思っているが（これはもう完全な国際用語になっている）、要するに民営化、規制緩和、地方分権等々の政策に体現される、まさに世界史の歯車を何百年か逆転させるような裸形の資本主義の暴走、この攻撃の帝国主義的全体像を、かつてのように一国的レベルにおいてではなく、全世界的スケールで対象化し、職場生産点からの闘いと国際連帯で反撃していくことが、まさに今日の国際階級闘争の死活的課題になっていることは明白である。

だから私は新指導路線に一〇〇％賛成である。四大産別の闘いを基軸的に押し出していくことにも賛成である（もちろんこれは、非正規等の闘いをいささかでも軽視するものであってはならないが）。一一月集会も素晴らしかった。だがしかし、その上で私は声を大にして言わなければならない。経済闘争を強調するのは正しい。しかしそれがいささかでも政治闘争を否定したり、後景化させたりするものであってはならない。職場闘争を強調するのは正しい。しかしそれが少しでも、街頭や地域における権力との闘いを没却するものであるとすれば、それは間違っている。新指導路線が、もし政治闘争や街頭闘争を否定する路線であるとすれば、私は新指導路線に一〇〇％反対する。

こんな言い方をすれば、「そんなことはない」という反論が矢のように返って来るだろう。それに対して私は、最近革共同内の至る所で次のような奇異な主張を耳にすることを指摘したい。「職場闘争とマルクス主義を結びつければ革命が見えてくる」。これは果たして正しいのか。職場闘争という言葉を「ランク＆ファイル」などという洒落た言葉に言い換えても同じことだが、私の考えによれば、全く間違っている。なぜならここには政治闘争がないからだ。革命とは、ブルジョア国家権力を政治的に転覆し、奪取するという歴史的事業である。もちろん革命の主体は労働者階級である。労働者の職場生産点における資本との営々たる闘いが一切の土台である。このことを忘れ、革命を一握りの革命家の政治的陰謀によって成し遂げようとするような考え方をブランキズムという。

それでは逆に、職場における経済闘争を正しい理論と路線、つまりマルクス主義で指導すれば、その単純延長線上に革命が展望できるかといえば、そうではない。経済闘争と並んで、もう一つの柱としての政治闘争、その時々の国家権力の攻撃に対する街頭と地域からの政治的闘いが絶対に必要なのだ。周知のようにレーニンは、労働者が政治闘争に立ち上がるのは、身近な経済的利害を通してしか、つまり経済闘争の延長においてしか立ち上がらないというような考え方を「経済主義」として厳しく批判した。そして全面的政治暴露と定期的な政治新聞の刊行を革命党の最重要課題として強調した。このレーニンの主張も含めて、経済闘争と並んで、それとは区別される政治闘争が必要なのだ。そして理論闘争が必要なのだ。くどいようだが、経済闘争、政治闘争、理論闘争の三つがそれぞれ必要であり、重要なのだ。その先にのみ、我々は革命を展望出来る。これは、今も昔も変わらぬ、マルクス主義のイロハのイである。

『なにをなすべきか?』の読み直し? もちろん必要だろう。「外部注入」論的な一面的読み方はスターリン主義に大きな根っこをもっており、決定的に改めなくてはならない。レーニン自身がそのような一面化を軌道修正させようと、その後様々に努力しているのではないか。また『なになす』が書かれた当時のロシア階級闘争においては、経済闘争はまさに自然発生的に高揚しており、それは当然このような情勢を前提に書かれている。その点でもいま読み直しが必要なことは明白だ。しかし必要なのは「読み直し」であって、その否定・清算ではないだろう。

少なくとも私の理解では、『なになす』は決して革命党づくりに関する単なるノウハウ本ではない。革命的組織・運動づくりのガイスト・哲学を記したものだ。そんな簡単に投げ捨てられてたまるものか。しかし最近の革共同においては、「労働者自己解放」の名のもとに、『なになす』的精神が不当に忘れられ、あるいは歪められ、あるいは否定されている。それによって、憲法闘争をここまでネグレクトして平然としていられるという恐るべき組織状況もまたまかり通っている——これが私の認識だ。

政治闘争の重要性について一言付け加えておこう。肝心なことは、その時々の政治的攻撃に全力で立ち向かっていくためには、そのための政治討論が必要だということだ。そしてこの活発な政治討論の不断の組織化の成否こそ、私はその革命組織を死んだ組織にするか、生きた組織にするかのひとつの分岐点だと思っている。政治討論、それはもちろん床屋談義ではなく、必ず様々な政治闘争にむけての実践的政治討論でなければならないのだが、これこそ、細胞の隅々にまで酸素を送り込む心臓の鼓動のようなものだ。革命党とそれを先頭とする労働者階級を、真に革命の主体として生き生きと、力強く形成していくための機関車のような役割を果たすのだ。

労働者階級の団結を闘いとるための職場闘争や経済闘争の重要性はいうまでもない。だが階級とその党が真に革命の主体に飛躍するためには、経済闘争だけでは十分ではない。不断の政治闘争とそのための政治討議の組織化がそれに結合しなければならない。レーニンも言っている通り、労働者階級は、もちろん己の直接的な階級的利害のために闘うのだが、同時に学生が弾圧されている、農民がこんなに虐げられている、学者や坊主まであんな抑圧を受けていること等々に関心を持ち、怒り、真実を知ろうとし、出来れば自分たちも何かしたいと思っている、あるいは思うことが出来る、そういう階級なのだ。

逆の場合を考えればいい。政治討論もまともに行わない組織がどうなるか。それは細胞の隅々まで酸素が行き渡らない組織になる。このような状態を長い間放置すればどうなるか。必ずその組織は、末端細胞から、徐々にしかし確実に、壊死していく。まして今日の日本階級闘争をとりまく政治情勢は、朝鮮危機を背景とした改憲攻撃という、文字通り歴史を画する局面に突入している。この非常事態に日本の労働者階級が一戦も交えず敗退するようでは、日本階級闘争の骨が折られる。階級への絶望感を煽るようで申し訳ないが、私はオプミティストであると同時にリアリストである。さらに言えば、この改憲攻撃に一戦も交えないで手を拱いている「革命党」があるとすれば、それは多分「徐々に」ではなく、もっと急速に、激しく、ドラスティックに空中分解するだろう。私はいまそういう危機感をもっている。

まさしくレーニンが強調しているように「政治的なものを、組織的なものから、機械的に切り離すわけにはゆかない」のである。

3 動労千葉の歴史と教訓をいかに学ぶか

同じ問題を、別の角度からさらに考える。新教育基本法が成立した。教基法改悪反対闘争が負けたか、勝ったかなどという話があるが、改悪を許したのである。負けたに決まっている。

問題はそんなところにあるのではない。負けた、しかも殆ど闘いらしい闘いもやれぬまま負けたということだ。全力を挙げて闘ったが負けたというのではない。日本の労働者人民の中にまだまだ眠っている力を十分引き出せぬまま、有効に発揮させることができぬまま敗北したということである。四人組＝あんころの限界も含めて。[(3)]教基法闘争で革共同が何をやれたのかについて、ここで語ることは止めよう。分かり切ったことである。処分された教育労働者のリレーハンストなどを中心とする国会闘争はもちろん一定高揚したし、新しい可能性を育んだ。だが国会闘争とは、もともと職場、地域、街頭等での闘いと結合してこそ意味がある。私はこの国会闘争で、教基法闘争をやった、やったなどという気にはなれない。むしろ正確にいえば、国会闘争でお茶を濁したという方がいいのではないのか。教基法改悪はいうまでもなく改憲の外堀、内堀を埋める攻撃である。改憲本番でも同じような状況を繰り返すというわけにはいかないのだ。

もちろん教育攻撃はまだぜんぜん終わってなどいないから言うのだが、教基法改悪攻撃を日教組解体攻撃だという、この間革共同において盛んに言われている主張は正しいか。もちろん一面では正しい。教基法や日の丸・君が代攻撃を「内心の自由」などという次元で論じようとする傾向に対し、敵の攻撃意図（労組の「悪性腫瘍」視化）という点からも、闘いの中心に誰よりも教育労働者こそ立たなければならないという主体的側面からも、攻撃をこのようにとらえることは重要である。だがその上で敢えて言いたいが、これだけではやはり不十分である。教育労働者の団結を解体して、彼らを再度皇民化教育の担い手に作り直し、それを通して子どもたちを皇国少年・少女に育て上げ、再び国を挙げての戦争に突っ込んでいく、あまりにも当たり前で強調するのも恐縮だが、やはりこの攻撃の全体像を、つまり改憲と戦争の一里塚としての大きさを、トータルに、豊かに、説得的に暴ききっていくことが必要である。そしてこの闘いを、かつての勤評闘争が日教組と総評と解放同盟と全学連等々のまさに「国民的」闘いであったように、全人民的闘いに発展させていく、遠回りのように見えても、この中にこそ、それを通してこそ、教育労働者のさらなる決起と教育労働運動の階級的再生の道もまたあると考えている。

二〇年前の国鉄分割・民営化攻撃は、もちろん（いまの教育攻撃が教育労働運動潰しの攻撃であるのと同様に、あるいはその一〇倍ぐらいの明白さをもって）国鉄労働運動潰しの攻撃だった。松崎などが「国鉄赤字解消のため」などという反革命的たわごとを繰り返すのに対し、われわれは真っ向から問題の一切は、国鉄労働運動の解体を許すのか否かのあることを明らかにした。しかし誤解してはならないが、われわれは決してそれだけを言ったのではない。この攻撃が、「戦後政治の総決算」を掲げた第二臨調・行革攻撃、「増税なき財政再建」などを旗印とする反革命的国家改造攻撃の、まさに突破口としてあることを暴いた。国鉄労働運動潰しというだけなら、十何年も前のマル生攻撃も激しいものだった。だが分割・民営化攻撃は、それとも戦略的次元の違う、国鉄そのものを解体することと一体で国鉄労働運動を潰すという、つまり支配者の側のあり方、国家の姿・形をも一変させることと一体の階級絶滅攻撃という鋭い反革命性をもっていた。

動労千葉が八五年のあのストを闘いぬいた、闘い抜くことのできた要因はもちろん幾つもある。幾つもあるのだが、その重要な一つに、国鉄分割・民営化という攻撃の戦略的・歴史的大きさを、その大きさの全体において、ひるむことなく、たじろぐことなく、真っ向から受け止め、受けて立ったということがある。もちろんそこでは、権力と松崎カクマルによる動労千葉そのものの根絶が企図されていたのだが、動労千葉の組合員は、ただ自分たちの組合が潰されるから大変だというだけではなく、それが（動労千葉指導部の革命的指導の貫徹を通して）結局は総評労働運動と戦後体制そのものの反革命的転覆に連なる攻撃であることを理解したとき、あれだけの英雄的エネルギーを爆発的に発揮していったのではないだろうか。

だが動労千葉の歴史と教訓というとき、どうも私は最近引っかかることがある。私は、動労千葉の運動に直接関わったこともない人間だが、ただ中野洋という人の話す動労千葉の歴史と教訓を文章化し、活字化したという点では、最も古い段階から、最も数多く手がけてきた人間ではある。別にこんなことを全然自慢するつもりはないが、ともかく私の頭には、今でもそれが刷り込まれている。しかし、引っかかるというのは、最近強調されるそれでは、要するに何か職場闘争の重要性しか語られないように感じるのだ。釈迦に説法をするつもりは毛頭ないが若干述べさせてもらう。

六〇年代前半の三河島、鶴見事故以降の安全問題をめぐる職場からの闘いこそ、動労という右翼的組合を青年部を先頭に急速に左旋回させていった原動力であった。六〇年代後半の五万人反合闘争をはさんで、七〇年代に入るとマル生勝利の上に動労は全体として戦闘的順法闘争を繰り返す。だが動労本部カクマルが「上尾暴動」を決定的な節目として反革命的正体をむき出しに転落してゆくのに対し、動労千葉は船橋事故闘争の勝利をバネに上尾を突き抜けて、運転保安闘争を路線的に確立していく。運転職場で働く労働者の組合である動労千葉の団結を今日まで貫く赤々とした一本の糸がここにある。これについては多くが語られているので、これ以上繰り返さない。

私がここで強調したいのは、この不屈の職場闘争は同時に、その時々の政治的課題をめぐる街頭闘争への果敢な取り組みと一体だったということだ。三点述べる。ひとつは、まだ中野が青年部で、当局と右翼民同ダラ幹の二重の抑圧の中で苦闘している頃の話だ。六〇年代中頃か、大スコ闘争とか、カーテン闘争とかを通して職場闘争をこじ開けようとしていた頃のことで、彼はどこかでこんなことを言っている。当時、俺らはデモにもよく行った（多分、原潜、日韓、ベトナムあたりだろう）。そこで俺らは機動隊とバンバン喧嘩してきた。そうすると職場の職制なんか小さく見えて来るんだ。街頭でエネルギーをもらって、それで職場に戻ってまた元気に職制とやりあったもんだ。職場と街頭の生きた弁証法的関係が語られていると私は思った。

ふたつ目は、七〇年闘争をへて動労千葉において中野体制が確立する過程である。ここでは前記船橋闘争など運転保安闘争がもちろん重要だが、同時にこの過程の国鉄職場はマル生攻撃との死闘戦のただ中にあった。この闘いに、国労、動労は勝利するのだが、その理由はもちろん第一に国鉄労働者の全体としての階級的戦闘性があるが、第二にはこれが沖縄・安保闘争と一体に闘われたということがある（脱線するが、私は七〇年闘争は必ず沖縄、国鉄、大学の三つでとらえなければならないと思っている）。だが動労青年部などは、国労青年部も殆ど変わらないが、沖縄闘争をカッコつけ的動員で政治利用したにすぎない。動労千葉は違った。当時中野は、動労千葉では確か千葉気動車区支部の支部長だったが、同時に彼は千葉県反戦青年委員会の議長でもあった。七〇年の、あの反戦・全共闘を先頭とする激烈な闘いの中で、動労千葉はその労働組合的団結をしっかり守り、強化しながら、同時に街頭における反戦青年委員会的運動の先頭に立った。どちらか一つでも大変なことだが、動労千葉は両者を一体的に体現した。総評労働運動が、国鉄労働運動も含めて、七五年スト権ストの敗北以降急坂を転げ落ちるように衰退していく中で、動労千葉は全く逆のカーブを描いて八〇年代中葉に上り詰めていく、その起点がこの七〇年闘争における動労千葉のあり方にあったと私は認識している。

みっつ目は、言うまでもない、三里塚闘争への決起、三里塚ジェット闘争、労農連帯に関わる問題である。運転保安闘争はもちろん職場闘争である。ただ付け加えなければならないのは、そこでは「安全」という運転職場の最も死活的問題をとらえて、乗客を獲得の対象として考えたということである。上尾の乗客に「国家権力のどす黒い謀略」を見た松崎の、まさに対極にあった。この闘いがあって、動労千葉はそれを三里塚ジェット闘争に発展させていく。そしてこの闘いの圧倒的な人民的大義性を背景にして、あの本部カクマルからの血みどろの分離・独立を動労千葉は勝利的に闘いとった。

故・高島喜久男は旧高野派で、国鉄労働運動大嫌い人間だった。その彼が動労千葉に注目したのは何よりも労農連帯だった。動労などという職能主義的組合から、その狭い、自分たちだけの利害を超えて決起する組合が出てきたことに、彼は本当に驚き、感動していた。「俺たちはゼニ・カネのためだけに闘うんじゃないいんだ」。これは三里塚ジェット闘争の頃の動労千葉組合員の合言葉だった。いま私がこんなことを一面的に強調するのはよくないかもしれない。労働組合にとってやはり一番重要なのは、ゼニ・カネの問題だから。今日のすさまじい資本攻勢、格差社会の中でそれはますます重要なのだから。だがこのような動労千葉組合員の昂然たる気概があってこそ、動労千葉はゼニ・カネの問題でも、職場の様々な労働条件をめぐっても、前進し、組織を守り、団結を強化し、そして分離・独立に勝利し、八五年に攻め上っていったことは確かだろう。

では動労千葉組合員はそのような意気天を突く戦闘精神をどこで獲得したのか。もちろん組合指導部の長年の階級的指導と路線の結果である。だがあの七〇年代から八〇年代の時期においてはやはり三里塚闘争への決起が決定的だったと思う。三里塚闘争は、動労千葉の決起と合流があってはじめて、一期開港と三・八分裂を乗り越えて闘いを継続できた。同時に動労千葉は、三里塚の農民と三里塚に結集する全国の労働者人民の戦闘的パワー（八〇年代における対権力・政治闘争の頂点をなす闘い）と結合し、それを自らのパワーにすることによって、組合員全員が首切りを覚悟するというすさまじい戦闘性で、あの八五年ストを打ち抜けたのだと思う。

六二年九月に革共同は三全総を開いた。われわれにとってこれは単に遠い昔の一つの会議などではない。この三全総の是非をめぐって、その直後に革共同は第三次分裂に突入した。私自身もそのただ中にいた。私もまたこの三全総路線を自分の体でくぐりぬけて、その後の活動を続けてきた。

だから言うのだが、もちろん「戦闘的労働運動の防衛」はそこでの最重要方針のひとつである。六〇年安保・三池の敗北の後の高度成長下、危機と右傾化を深める総評労働運動の中で、革共同は労働運動において、学習会などによるケルンづくりに止まらず、労働組合運動そのものに積極的に進出し、責任をとり、その防衛のために全力を挙げなければならないという方針である。三全総では、これと並んで「地区党建設」も打ち出しているが、黒田選挙の総括を通しての革命的議会主義路線の出発点もここにある。

街頭政治闘争については、特にここでこと新しく何か打ち出したということはない。しかしこれはもちろん政治闘争を否定したものではない。六〇年安保ブンドを引き継ぎ、乗り越えて革命的左翼の主座に躍り出た当時の革共同にとって、街頭政治闘争が重要であることなど前提中の前提であった。革共同において、職場か街頭か、などという問題の立て方をしたことは一度もない。結党以来一貫して、職場も街頭も、である。そしてこの三全総路線の中から、その後の動労千葉の闘いも生まれてくるのだ。

4　憲法闘争の現段階と百万人署名運動

私はここまで、要するに経済闘争と政治闘争のふたつがあって、その結合が必要であるというあたりまえのことを、レーニン主義と動労千葉という視覚から見てきた。階級闘争の今日的問題に戻ろう。

直接、憲法問題に関連しては、通常国会に国民投票法案を初めとする改憲手続き法案が出てくる。これを過小評価してはならない。憲法闘争は国民投票で勝てばよいなどと主張する、九条の会周辺にたむろするクソ民主主義者はもちろん論外だ。手続き法が重要なのは、公務員や教育者の運動規制など内容的問題もあるが、それ以上にこれが自・公・民の賛成で成立させられようとしていることだ。つまりそうして改憲案そのものを圧倒的多数で国会で発議する政治的レール・枠組みが形成されようとしているのだ。もちろん単純ではない。四月統一地方選、七月参院選にむけては、まさにいつ何が起きても不思議ではない政治的大波乱含みだ。安部政権は早くも末期政権化がささやかれている。他方民主党も参院選で負ければ小沢体制など吹き飛び、分解の危機に入る。だが重要なことは、この自・公と民の激突などというのは、支配階級の分裂は労働者人民の有利に転化しうることはもちろんあるが、所詮改憲推進勢力間の激突で、それに目を奪われているようでは、その間に改憲攻撃は手続き法に見るように着々と進み、社・共などはますます無関係の存在になって、のみこまれていくということだ。

朝鮮情勢についても詳論は出来ないが、イラクの泥沼にはまった米帝が明日朝鮮で戦争を始めるとも思えないが、結局六者協議でも、米朝協議でも朝鮮危機は解決出来ず、危機はズルズル続き、北は決して核を放棄せず、核を抱えた北の体制がいつまで保つかのカウントダウンに入っている。その中で、ブッシュの理性も期待できないが、金正日の理性も期待できない、つまりいつ戦争が起きても不思議でない情勢にある。そして重要なことは、支持率急落にあえぐ安部は必ずこれに飛びつくことだ。「拉致の安部」(〇七年度予算案では、全体の削減の中で拉致関連予算だけ一〇倍化)は、様々なきっかけによる、しかし根本的には小泉改革のツケによる政権危機が深まれば深まるほど、必ず北に対する排外主義的憎悪の政治にのめり込んでゆく。そしてこれが九条改憲に直結している。そもそも集団的自衛権問題とは、戦後一貫して自衛隊の朝鮮戦争参戦の是非の問題としてあったのだ。そしていま九条改憲に反対して闘う中で突きつけられているのは、この朝鮮戦争の危機に日本の労働者人民はいかに立ち向かうか、日帝・安部による対北排外主義の洪水をわれわれはいかに打ち破るのかという問題なのである。

私は今ふたつの点を指摘したが、ここからも明らかな通り、改憲攻撃との闘いは何か数年先のテーマなどではなくて、ただいま現在の、まさに火急的テーマとしてわれわれの眼前にあるということである。そして憲法闘争とは決して一戦線的テーマでもなく、市民運動に押しつけて済ませられるような課題でもない。労働運動の、学生運動の、選挙運動の、全体を貫くまさに第一義的テーマなのだ。いや、そうしなければならないのだ。放っておけばそうはならない。そうはならないというのは、改憲攻撃が進まないということではない。労働者人民が気づかないところで、どんどん改憲と戦争の攻撃が進んでしまうということだ。この現状に危機感を待たなければならない。

○七年には、同時に労働ビックバンとか、ホワイトカラー・イグゼンプション等の労働法制改悪から増税、福祉切り捨て等々の生活と権利を破壊する攻撃が津波のように押し寄せてくる。もちろんこれは、改憲・戦争の攻撃と並ぶ決定的に重要な課題だ。特に労働運動において。だがここでの闘いを構築するにあたって注意しなければならないのは、民主党・連合を初めとする労働運動のかなりの部分において、今日の日帝・安部との闘いをここに切り縮めようとする動きが極めて強いことだ。この背後には、この秋の臨時国会での教基法との闘いで、院内的レベルでもいわゆる全野党共闘が完全に腰砕けに終わったという現実がある。こうして、「天下分け目」の七月参院選に向かっては、テーマを「格差社会反対」一本に絞るという動きが連合あたりから強まり、社・共などもやすやすとそれに乗せられようとしているのである。だがこんなのは、言うまでもないことだが、格差社会とも、労働ビックバンとも全然闘わないということだ。今真に敵と闘うためには、止まるところを知らぬ新自由主義的生活破壊攻撃との闘いと改憲・戦争に反対する闘いをしっかり結びつけて闘う以外にないのである。

一一月集会の総括で真に一万人を集めるために何をなすべきかが盛んに議論されている。しかし私が不思議でならないのは、このとき、改憲・戦争というような政治的問題が完全に無視されていることだ。私の考えでは、一万人を本当に集めようとすれば、改憲・戦争的な柱を、民営化とか小泉改革とかに反対することと並ぶ大きな柱としてうち立てることが前提だと思う。うち立てれば集まると言っているのではない。この政治的課題に全力で取り組むことなしに、経済的課題と「闘う労組のネットワークづくり」の呼びかけだけで一万人集めるのは無理だということだ。

誤解しないよう断っておくが、私は政治的課題なら人を集めやすいなどと言っているのではない。改憲・戦争的質の攻撃と真っ向から対決して、この日本階級闘争の危機的現状を何としてもこじ開けていく、われわれがヘゲモニーをとって階級闘争全体を塗り替えていく展望の中でこそ、それと結びついて一一月に一万人集まることも可能になる。全体は今のままで、一一月集会だけ一万人集まるなどというのは無理な注文ではないのか。全体を変えるためにもまず一一月集会に一万をという論法だけでは駄目だ。少し具体的な話をする。

新ガイドラインと有事法制のときは二〇労組陣形があった。しかし教基法とときは「あんころ」しかなかった。ここに両者の大きな違いがあったのではないか。だがこれは何かわれわれの手の届かないところで不可避的に進行した階級闘争の後退などと私は考えていない。革共同はどうも十分そこを自覚してないようだが、九九年春に出発する二〇労組陣形は、百万人署名運動の登場（九七年秋）に決定的な刺激を受けて生まれたのだ。われわれはあの九九年春から夏にかけてまさに情勢を牽引したのだ。だからこそ権力とカクマルのあれだけの反動が襲いかかったのだが。教基法闘争でもわれわれは様々な挑戦をしたが、教育問題という特殊性もあり、新ガイドラインの時のようにはいかなかった。改憲闘争でこれを繰り返すことはできない。私は、カギは百万人署名運動の成否にかかっていると思っている。改憲反対の百万人署名の達成と一一月集会一万人結集は一体の課題だということである。そんなことは無理だと言うことは、全てを諦めることである。

憲法闘争では、九条の会とか、行脚の会とか、平和フォーラムとかがあるが、ともかくトコトン駄目である。連中のチラシなどを一目見れば分かるが、彼らの「九条を守れ」論の中には、戦争のセの字もない。朝鮮戦争危機の現実から逃げまくっている。そして彼らには何の運動方針もない。日帝の対北排外主義の嵐の中での改憲攻撃に、こんなものは吹き飛ばされるだけだ。さらにこれらの運動の特徴は、日本共産党、社会民主党、さらには一部の政治ゴロもかんだ徹底的にセクト主義的囲い込み運動、つまり二〇労組的可能性をつみ取ることに熱中した運動になっていることだ。憲法闘争をめぐる状況は極めて厳しい。このような状況を打ち破る可能性はどこにあるか。繰り返し強調するが、私は百万人署名運動にある、それ以外にないと思っている。

かつて五〇年朝鮮戦争の時、壊滅的危機にある階級闘争の中から、日本の労働者人民は二つの水路を通って再起していった。ひとつは言うまでもなく総評労働運動のニワトリからアヒルへの転換、いまひとつは反核と反基地を火点とする戦後的反戦・平和運動の出発である。そして両者は、周知のように平和四原則をめぐる国労新潟大会の攻防が決定的分岐点になったように一体的に絡み合って進んだ。もちろんこれらは、平和四原則なるものに象徴されるように、朝鮮戦争と真っ向から闘わない、平和主義的、中立主義的、民同左派的、あるいはスターリン主義的限界にまとわれたものだったが。

だが私がここで指摘したいのは、この中で特に反核運動に関わって、五〇年に朝鮮戦争で米軍が原爆を実際投下しようとする中でのストックホルム・アピールに応えた署名運動、さらに五四年ビキニ環礁被爆に対して杉並から始まる爆発的な署名運動（原水禁運動の出発）のことである。あのときも著名から始めたのだ。署名運動でどん底からはい上がるようにして新しい闘いを構築していったのだ。署名運動は、運動方針として、最もハードルの低い、誰でも参加できる、寝たきりの老人でも加わることの出来る運動である。もちろんチョンチョロの数では何の役にも立たない。しかしそれが一定の数を超えたとき、必ず情勢を動かす。量が質に転化する。それは戦後日本の階級闘争の歴史が教えていることだ。そして今また、それ以外にどんな運動方針があるというのか。五四年原水禁署名運動の爆発的展開が、いかに当時のワシントンを驚かせ、うろたえさせたかは十分想起する値打ちのある事柄なのである。百万の署名を集めると言うことは、百万人の人と改憲と朝鮮戦争の問題をめぐって政治的会話・討論をするということだ。そこから始め、そこから運動を立て直す以外にどんなやり方があるというのか。

私の言いたいことを繰り返す。改憲反対の百万人署名達成と一一月一万人結集の実現はひとつの課題であり、ひとつの課題として闘いとられなくてはならない。

5　杉並区議問題についての私の考え①

この問題については今さら発言しても、もう遅すぎるような気もする。事態は、最低・最悪のコースをとって、すでに取り返しのつかないところまで行ってしまったようだ。しかし、いやことはまだ始まったばかり、とも思う。いずれにせよこれは、革共同という党派の存亡のかかった問題である。一党員の義務として以下発言したい。

私の手許に、一二月段階に発出された「全国の同志のみなさんへ」と題する西部地区委員会署名の文書がある。この文書は、西部地区委員会全員の一致した意見に基づく文書なのだろうか。もしそうなら非常に残念である。杉並区議問題をめぐる、この間の革共同中央指導部の誤った方針に西部の組織がねじ伏せられたことを意味するからだ。しかしそれは、仮に党員をねじ伏せることに成功しても、杉並区民・

支持者を説得することは出来ないだろう。私にとってこの文書は、革共同西部地区委員会が、杉並区民と完全に無縁な、遊離した、浮き上がった組織になり果てたことを示す記念碑のように思えてならない。その文書が、自らを「新指導路線を実践」「ＡＤ革命をとことん推進」等々の美辞麗句で飾り立てている。悪い夢を見ているようだ。

はじめに、この問題についての私の結論を述べておく。結柴誠一、新城節子の二人の議員がこの間の杉並区議会での幾つかの採決に際してとった誤った、反人民的な対応については弁解の余地はない。私はこの点について、二人をいささかも弁護するものではない。〔尤も、この二人の誤った対応のうち、上記文書などでは、〇五年「犯罪被害者等支援条例」賛成問題、〇三年「保育園民営化」賛成問題について詳述しているが、〇三年の「イラク反戦決議」賛成問題、つまり国連決議承認を含む決議に自民党などと共に賛成した問題を完全に無視しているのは解せないが〕

ふたりには自己批判してもらうことが是非とも必要だし、一定の責任をとってもらうことも必要かもしれない。私はいま現在は全く遠いところにいるので、正しく判断できる立場にないが、この「責任をとる」中には、来年四月の選挙での再立候補を断念するという選択肢も十分あり得ると、今年の九月中旬までは思っていた。今もこの結論にかわりはない。だから、会議Ｘでこれが議題になっても私はそれまで殆ど発言しなかった。

ところが、確か九月下旬の会議Ｘの基調報告で、突然二人の即時議員辞職、活動停止、自己批判要求という方針が出されるのである。来年四月に立候補しないことと、即時議員辞職とは全く違う。私はこの新たな方針に直ちに「全面的に反対する」ことを表明した。私はそこでも、二人を弁護するつもりは毛頭ないし、最大の責任が本人たちにあることも明白なこと、しかし杉並選挙は決して革共同にとって幾つかある選挙のひとつではなく、繰り返し中央指導部が全力を集中してきた看板選挙だ、そこでこのような議員を生み出した責任・原因はどこにあるのか、そこを不問にして、二人を切れば全て解決というようなことではトカゲの尻尾切りではないか。こんな乱暴なことをすると組織が壊れるぞ、というようなことを言ったと思う。私の意見に賛成したのは一人だけ、あとは殆ど全員から集中的に反論が出た。

しかし私はこの会議の直後から、ひとつ言い忘れたことがあるな、ということに気づいた。私に反対する意見の多くが、彼らの行為がいかに犯罪的かを強調し、杉並選挙に動員されてきた労働者党員なども怒っているというところから、ストレートに即時辞職を導き出していた。私が、これに対して指導責任の問題もあると言ったのは正しいが、それだけではやはり弱い。ここから次期選挙への不出馬の結論ならまだ問題は革共同内に止まるが、即時辞職などと言い出せば、それは必ず膨大な杉並区民を巻き込む問題になる。その後の事態は、私が心配していた通り、いやそれ以上に収拾のつかない展開をとげているように見える。私は九月段階からこのことをはっきり強調しておくべきであった。

なお一言つけ加えておけば、前記文書では、議員辞職は、そもそもは二人が恫喝的・居直り的に言い出したのがきっかけのようなことが語られているが、細かい経過などどうでもいい。それを革共同の方針にしたことが問題なのだ。これに限らず、同文書の筆者が、この重大で、困難な問題をいかに解決するかという立場からではなく、売り言葉に買い言葉的なやりとりを通して、二人を追いつめ、二人がいかに許し難い「団結破壊・分裂行動」に走ったかを、トクトクと、鬼の首でも取ったように述べ立てているのは、ひたすら浅ましいという他にない。

二人の責任は言わずもがなだが、一応おさえておくと、ともかくもっと勉強して、もっと運動の中に身を置いて、議会の場で常に正しい判断が出来るように、不断に知識を蓄え、感性を磨いていくことが必要である（あった？）。別にサボっていたわけではないだろうが、学習と運動よりも議会的議会活動にのめり込めばのめり込むほど、必ず議員病に侵される。ただし、これまで私は二人、二人と言ってきたが、やはり結柴と新城を同じ水準で論じるのは、これから述べる指導責任という点からも正しくないと思う。結柴の場合も当然彼に対する指導責任はある。結柴は何を言っても言うことを聞かなかった、などというのは言い訳にならない。彼はあらゆるレベルの革共同指導部会議に出ていたはずだ。党の助言・指導を一切拒否するような人間なら、候補者にしたこと自体の責任が問われなくてはならない。まして新城に対する指導責任はその何倍も重い。新城に議員という重責を課したのは革共同ではないか。その新城が自分たちの言うことを聞かなくなると転向集団呼ばわりする。私には到底その神経が理解できない。

杉並区議問題をめぐる革共同指導部の責任といっても、私は個々の案件についてどういう経緯でこういう過ちが犯されたのか、それに指導部がどう関わっていたのかについて、よく知らないし、知りたいとも思わない。むしろ問題は、明らかになっただけでも、これだけ重大な過ちが繰り返し犯されているにもかかわらず、それをチェックし、正す機能が、西部地区委員会的にも、中央指導部的にも全く存在しなかったことである。というよりも、そんなことには関心がなかったのだ。なぜなのか。

まず、杉並選挙と当該西部地区委員会に生じたある種の歪み、長い歴史をぬきに論ずることの出来ない歪みについて触れないわけにはいかない。杉並選挙は、先制的内戦戦略下における、二重対峙・対カクマル戦のもうひとつの最前線だった。あの戦争は、政治闘争的には、三里塚、動労千葉、さらに狭山もつけ加えた方がいいだろうが（動労千葉がここでは労働運動としてではなく、政治闘争的テーマでしかなかったことが大きな問題だが）、これらに支えられて存在しえた。同時に重要だったのが杉並選挙で、私はこの選挙を、あの戦争の人民的大義性を、限られた時間と空間で立証してみせる闘いであったと思っている。だから権力とカクマルの破壊攻撃は凄まじいものがあった。これに対して革共同は、勝利の絶対的死活性にせき立てられて、その総力を二年の一度、しかも春闘、新歓という決定的な時期に杉並の一点に集中した。

先制的内戦戦略下の杉並選挙、それはまさに血みどろの選挙だった。私は杉並選挙に、八九年の都議選、九一年の区議選、九三年の都議選の三回、ＡＰ（宣伝部門）の仕事で関わっている。九一年には結柴が投票日の数日前の頭を割られ、瀕死の重傷を負った。九三年は、その結果立候補者が一度も街頭に立てないという異常な選挙を強いられた（私は強く抗議したが）。そして選挙運動期間以外も、議員や議員候補は数名の護衛を付けなければ外出出来ず、その日常的地域活動は大きく制限された。その中で議員の活動が、選挙期間以外は議会での活動に特化される傾向が生まれていったと思う。ここにはやむなく強いられたという側面がある。だがそれも一定の段階までだ。それがいつの段階かをはっきり言うことは出来ないが、要するに議員にも、選挙を抱えた西部地区委にも、いわゆる五月テーゼ的転換が求められたのだ。しかしこの転換を結局かちとれぬまま今日までズルズルきたというのが問題の核心ではないか。

もちろん結柴、新城を含む議員の責任は大きい。自分に引き寄せて百万人署名運動の窓口などから見ているると、本当の杉並は何をやっているんだということをいつも思い、また口にしてきた。複数の議員がいて、万単位の選挙名簿をもっていて、なぜこんな運動に飛びつかないのか。なぜ議員が先頭に立たないのか。なんのための革命的議員か。全く不思議でならない。議員の責任は大きいのだ。だがここは言うまでもなく革共同の政治的看板を掲げた、革命的議会主義の成否のかかった戦略的地区組織である。そこにおける五月テーゼ的転換がいつまでたっても勝ち取られない責任は、ただ議員の責任というだけではすまされない。当然革共同中央指導部の責任がある。

要するに革共同指導部は、投票日の何ヶ月か前になると、目の色を変えて杉並に押し掛け、ビラの内容や演説の中身にまであれこれ口を出す。もちろん全国からの動員もかける。そして勝っても負けても、投票日が過ぎるとさっと潮が引くように引き上げる。これが選挙を抱える当該地区組織にとってどれだけ組織破壊的であるかを顧みることもなく。中央指導部にとって杉並で関心があるのは選挙の結果だけ。いやそれに関心があるのは当然だが、問題は投票日の半年前になると騒ぎ出すが、それ以外の三年半については全く無関心・無方針。つまり杉並選挙には関心があるが、それを抱えている当該地区委建設についてはどんな積極的方針も定見ももたないまま二〇年余を費やしてきた。

こうして、革命的議会主義などを唱えてはいるものの、西部地区委指導部の頭の中は、常に運動のために議員や選挙があるのではなく、議員や選挙のために運動があるという逆立ちした発想を引きずってきた。その中で、議員そのものの活動も従来からの歪みを正すことが出来ず、今回明らかになったような形で問題が表面化したということではないか。ともかく必要なのは、結柴、新城の自己批判とともに、革共同指導部を先頭に杉並選挙問題という戦略的大問題を全面的に、自己批判的に総括することである。だが事態は逆方向に進んでいるようだ。

冒頭に触れた文書は、次回区議選で候補者を一人にする方針を合理化するためか、前回〇三年区議選で三人の候補者を立てたことに関して、『「三人会派」論は議会主義的屈服の道』などということを言い出している。今さら何を言うか。御都合主義の極みである。三人区議への挑戦は何よりも都議選勝利のためではなかったのか。「三人会派」という言葉の評価はどうでもいいが、問題は都議選である。三人区議への挑戦を「完全に間違った方針」というなら、八五年にはじめた都議選の誤りを語らなくてはならない。しかし都議選を始めたのは結柴、新城の責任か。革共同最高指導部の決断で踏み切ったのではないのか。これに応じて区議選でも八七年から二人の候補を立てた。いま区議候補を一人にするということは都議選を断念することだ。私は決して都議選を継続すべきだと言っているのではない。しかし文書のようなことを言うのなら、結柴、新城の弾劾などというレベルではなく、都議選挑戦を決定し、さらに一度は国政選挙にまで手を出した革共同最高指導部の責任、その「議会主義的屈服」を正面から論じなければならない。いや最高指導部こそがこの二〇年余の、大変な人とカネを注ぎ込んだ杉並選挙の全面的な総括をぜひともしなければならない。それなしに、これだけ重大な革共同としての戦略的方針転換を、西部地区委員会の一片の文書などに滑り込ませて押し通そうというようなインチキなやり方は止めてほしいのである。

付言すれば、いま私は「インチキ」という言葉を使ったが、杉並区議問題について会議Xでまともに議論したのは、前述した九月下旬の会議が唯一である。一一月集会までは、集会組織化の妨げになるから控えているのかな、と思っていたが、それ以降も今日までこれだけ重要な組織問題を、会議Xという指導部会議で正面から論議する議事運営が行われていない。しかし杉並的には「トカゲの尻尾切り」に向けての既成事実がどしどし積み上げられてきた。私がこのような意見書という形で発言せざるを得なかったもう一つの理由がここにある。いずれにせよこういうやり方は、少々「プロレタリア的公明性」(第三次分裂時に本多論文が「山本派」に投げつけた言葉) に欠けるのではないか。

6　杉並区議問題についての私の考え②

Jという、長年、都革新の後援会長を勤めてきたクリーニング屋の親父さんが、一二月に入って辞任届を出している。西部地区委文書によれば、これも二人が「一〇月に入り直接区民に働きかけて分裂を組織し」た結果ということなのだろう。他方では、いやJなどという人物は、もともと労働運動なんか何にも知らない、どうしようもない人間だなどと言って、このJ動向を居直る言動もある。沙汰の限り、というべきである。

〇三年区議選においては、結柴、新城の二人に投ぜられた票だけで、七千数百という数であることをまず最初に再確認しておこう。この決して少なくない杉並区民、もし必要なら杉並に住む労働者人民と言い換えてもいいのだが、ここに今回の杉並区議問題は大きな衝撃を呼び起こしている。これは前記文書においても、「支持者に波紋を呼んでいる」「選挙過程を通して支持を失う、支持者が離れる、または敵対的に登場することも十分想定できます」などと実に正直に自白している。しかし同文書は、これはやはり二人の分裂策動の結果だという。こういう発想を私は「警察史観」と呼んでおこう。権力を握っているものが絶えず陥りがちなものの見方というぐらいに理解してもらえばいい。民衆が権力に異を唱えたり、あるいは立ち上がったりしたとき、権力者はそれを自分の責任と受け止めない。しかし民衆を全部敵にすることも出来ない。そこで一握りの悪質な煽動者が民衆をたぶらかし、悪の道に導いたという、われわれにとっておなじみの発想である。この警視庁公安部顔負けのものの見方が、革共同の公式文書にまで堂々とまかり通っていることが私は恥ずかしい。

Ｊという人を、私は私が選挙に関わっていた頃からの熱心な支持者と認識しているが、直接話したこともない、目を合わせればお辞儀をするぐらいだ。しかし、ともかくひたすら誠実で、実直な人という印象が残る。ああいう人間が辞任届を出した、私はそこに至る彼の中での無念、葛藤、苦しみに思いをはせざるを得ない。Ｊは労働運動を知らない？　当たり前ではないか。あるいは私はよく知らないが、住民運動でも積極的な活動家ではないのかもしれない。活動家ではなく、単なる支持者に止まっていたのかもしれない。だが、だから何だというのか。

重要なことは、このＪを中心にすでに何十人という区民が、即時辞職反対、結柴・新城支持で動き始めていることだ。私はこの背後には何百人という区民がいると思う。さらにそのまた背後には何千人という区民が固唾をのんで事態を見守っていると思う。杉並区民をあまりなめないほうがいい。彼らの大半が住民運動や労働運動の活動家ではないかもしれない。しかしそれは、革命的議会主義を繰り返し口にしながら、実践においては絶えずそれを裏切って、これらの区民をただの一票としてしか見てこなかった革共同（当然結柴、新城を含む）の責任ではないか（もちろん私は杉並に「親の会」とか「住民の会」などの優れた運動があることを十分認識しており、それを担う少なくない区民活動家がいることを承知しているが）。Jなどろくでもない人間だ、逃げて当然などというのは、まさに天（杉並五〇万区民）に向かって唾をするもの。少しは恥というものも知っておいた方がいいと思う。

私は、杉並選挙について事情に疎い人が、民営化に賛成した議員などすぐクビにしろ、杉並選挙などすぐ止めてしまえ、と言うのは、よく分かる気がする。選挙の度に自分の持ち場での活動を投げ捨てて杉並に駆けつけた労働者メンバーが、今回明らかになった二議員の過ちに本当に怒っているというのもよく分かる。だが私は強調したいが、革共同指導部、特に杉並選挙に直接関わりをもち、杉並の事情に通じている指導部が、これに乗って、これを煽って、結柴・新城攻撃に熱中するなどというのは問題外だということだ。それらの当然の怒りをしっかり受け止めて、引き取って、その上で、さらに杉並にある政治的緊張に踏まえて、正しい打開の道を模索することこそ求められているのだ。

私も杉並について何も知らなければ、多分杉並選挙なんか直ぐ全部止めろ、と言っただろう。それぐらい杉並選挙はこの二〇年余り、革共同に大きな犠牲を強い、打撃を与えてきた。しかし私は不幸にして、もう随分昔だが、ここの選挙に関わりをもった。私はいま、「杉並の政治的緊張」という言葉を使った。言うまでもなく、杉並支持者区民との緊張関係ということである。裏返せば信頼関係といってもいい。今の問題に則して、より具体的にいえば、結柴・新城に投票した七千数百人の杉並区民との関係のことだ。

私は、杉並において区民が都革新（そのどの候補者であれ）に投票するということが、どういう行為であるかを多少知っている。一昔、二昔前であれば、そんなことが分かれば、真夜中に脅迫の電話が連続し、重油を家中にばらまかれた支持者までいた。熱心に都革新（都政を革新する会）を支持し続けていた芸能人が、もうこれ以上支持していると自分の商売が成り立たないと言って、泣く泣く離れていったこともあった。今ではそれほどのことはない。しかし都革新のバックに革共同があることは公知の事実であり、都革新の候補者に投票することは、一文の得にもならないだけではない、必ず権力と地域の激しい反動を呼び起こす。大変なリアクションを覚悟しなければ一票など投じられない。そういう区民が結柴・新城に投票した人間に限っても七千数百人いるのだ。だからこそ今回明らかになったような結柴・新城の誤りは許せない。必ず自己批判しなければならない。

しかし即時辞職となれば別だ。前記文書と同じころ、ホームページ上で流れた都革新の声明は、やはり二議員の誤りをあれこれ語り、二人の即時辞職を区民に説得するためのものと思われる。だが誤りを区民に謝罪するのはいいが、即時辞職などという結論に導くためなら、支持者区民が何を言い出すかは明白だ。「ふざけるな！　そんな議員を担いで、われわれに支持を呼びかけたのは誰だ！　そもそもわれわれが選んだ議員を、われわれと関係ないところで勝手に辞めさせるなどということをされてたまるか！」――結柴・新城が一切区民と接していなくても、区民は必ずこう言う。なぜ、こんなことが分からないのだろうか。それは杉並区民を主体として考えていないからである。もちろんそれは、ブルジョア議会主義に基づく有権者という主体でしかない。しかしやはり主体なのである。この肝心なことが分からず、区民など党の一存でどうにでもなる、蚊帳の外においておけばいいという極めて傲慢な思想がここに顔を出している。それにしてもこのような恥知らずで、傲慢で、無謀な思想が、こともあろうに新指導路線、ＡＤ革命を錦の御旗にして登場している。何と不愉快で、おぞましいことか。

求められていることははっきりしている。結柴・新城は自己批判しなければならない。その上で来年四月までの任期を全うし、四月選挙には出馬を断念すべきだろう。しかしここで一番重要なことは、結柴・新城の犯した過ちは、同時に革共同の犯した過ちだということである。二人の自己批判は、革共同の自己批判でなければならない。革共同指導部は、必ず結柴・新城を支え、助け、共同の仕事として、この自己批判をやり切らなくてはならない。結柴・新城が直面している痛みを革共同は革共同の痛みとして共有しなければならない。そうすることを通してのみ、二人の真の自己批判も勝ち取られるだろう。二人が全くどうしようもない、箸にも棒にもかからない「マルクス主義に敵対した転向分子」であるとしよう。私は決してそうは思わないが、もしそうだと仮定しても、これをやりきる以外に道はないのだ。最後通牒主義的に、即時辞職を迫るなどというやり方は、革共同指導部の困難だが、しかし避けて通ることのできない仕事を放棄することである。それは杉並支持者区民に対する裏切り行為であり、階級的犯罪行為である。

さてこの杉並区議論議の中で、奇怪な主張をしばしば聞く。ここでは二つの点を指摘してこの意見書の締めくくりとしたい。それはいずれも杉並区議論議がＡＤ革命と一体のものとして（私に言わせればゴチャゴチャに混同して）論じられていることと関係している。ここで一言ことわっておくと、私はＡＤ革命に対して、最初にその断片的情報を聞いた瞬間（三・一九芝公園だった）から、まるで暗雲が晴れていくような思いとともに、無条件支持の立場に立った。しかしそれから半年後の、この杉並区議論議の中で語られる「ＡＤ革命」に対しては、虫ずが走るような生理的嫌悪感を覚えている。私にとって両者は全く無縁なもの、似ても似つかぬ関係にある。

ひとつは、杉並選挙あるいは議員は、杉並区民に責任があるのではなく、党に責任を負っているという主張だ。耳を疑う。いつから革共同はそんなに偉くなったのか。これは多分最近盛んに強調されている「党は階級そのもの」という主張と連動しているだろう。そこでこの「党＝階級」論について私の感じてきたことを述べる。

正直のところ、私はこれを聞いたとき、まずその通りだと思った。前提として私自身のことについて若干触れたい。私はこれでも学生の頃は結構大衆アジ演説もしたが、その後は書くのが主になった。本も書き、新聞や雑誌に論文も書いたが、一番沢山書いたのはビラだ。そのいずれにおいても私は「われわれ」という主語を使うが、その場合、必ず何か党が高みに立って階級ないし大衆にもの申すようになるのを避けようとしてきた。もちろんわれわれは党なのだが、同時に必ずそれを読む側の立場というか、目線に沿ってモノを言わなければ、読者を獲得できない。例えば私が昔国鉄関連の本を書いたとき、当時の私はいま以上に労働運動について無知だった。だから私がまずしたのは、中野洋から動労千葉の歴史を聞くことだった。館山で三日間かかった。こうして彼の闘いを多少とも追体験して、何か自分も動労千葉の組合員の気持ちが少しは分かったような気になって初めて、資料や文献を読み始めることが出来たし、筆をとることも出来た。もっと大変なのは実は論文などよりビラで、例えば国労共闘のビラを書くのは国労共闘の諸君とつき合わなければ書けない。同じ国鉄労働者でも動労と国労は微妙に違うのだ。

これは全く私的な理解にすぎないが、こんなことから「党＝階級」論をまずはよく言ってくれたと受け止めた。しかしすでにはっきりさせられていることではあるが、これはあくまで実践的努力目標なのだ。矛盾するような言い方かもしれないが、他方では、どこまで行ってもやはり「党≠階級」なのである。このことをしっかり自覚せず、「党＝階級」などということが既定の前提的現実のように語られるとすれば、それが意図したものとは全く逆に、党の究極の傲慢、党の限りない自己絶対化を生み出す危険がある。党のやることが全て、階級の名において無謬化される。

私は、こういう「党＝階級」論の非常に悪い使われ方の典型が杉並区議論議に思えてならない。なるほど革共同が六千万労働者階級の党ならば、たかが数千の杉並区民などとるに足らない存在かもしれない。杉並区民などにではなく、党にこそ責任をとるべきだという主張も当然となる。しかし杉並の支持者区民の九割は、労働者か、元労働者か、その家族なのだ。この人たちとの長年かけて形成されてきた信頼関係を、まるで使い古したぼろ雑巾のように投げ捨てる。結柴・新城とともにＪとその背後にいる何百、何千の区民をも向こう側に追いやる。こんなやり方で本当にいいのか。「党＝階級」だから正当化されるのか。絶対に違う。私は百万回でも繰り返すが、絶対に違う。信頼を築くのには何十年もかかるが、それを崩壊させるのには一瞬で十分だ。

しかもことは杉並に止まらない。ネットを見ているだけで話はすでに、全国・全人民に広がっている。人の口に戸は立てられない。この無謀な道をこのまま突き進めば、革共同は必ず全人民の中で、その最も奥深いところから信用を失う。取り返しのつかない禍根を残す。人民を侮ってはならないのだ。

もうひとつは、沖縄差別問題を労働運動に対置して労働運動を否定してはならない、という主張だ。

多分、新城批判の文脈で言われていることだろうが、これ自体はその通りだ。だが私は、「その通り」という直ぐ後に付け加えて強調しなければならないが、沖縄問題、本土―沖縄問題、この日本革命と日本帝国主義と日米帝の新世界戦争戦略の基底に黒々と横たわる大問題を、労働運動の名においていささかでも軽視することがあってはならない。労働運動であれば何でもいいのではないのだ。そんなことは分かり切ったことではないか。もし新城が沖縄性を楯に自己主張ばかりしているとすれば、それは彼女の弱さかもしれない。あるいは追いつめられて苦しいからそこに逃げているのかもしれない。それなら冷静に、時間をかけて説得すればいいではないか。新城をなじって、自分たちだけはいつも全て分かったような顔をするのではなく、この説得を成功させるのが指導部の役割・責任ではないのか。

ともかく、労働運動と沖縄問題が対立するなどということは悲しいことである。限りなく悲しいことである。それは結局、血債主義と組合主義の不毛な対立を生むだけだ。労働組合は重要である。しかし労働組合主義は絶対に駄目なのだ。議会の節穴から世の中を眺める議会主義も全く間違っているが、組合主義も同じくらい間違っているのだ。組合主義で血債主義を克服することはできない。

いまわれわれに求められているのは、共産主義的政治を取り戻すことだ――これが、私がこの意見書全体を通して言いたいことの結論である。

【注】

（1）会議X／当時の革共同内の公然面での指導部会議のコード名。

（2）AD革命／二〇〇六年三月に起きた、革共同関西地方委員会における指導部を実力打倒した事件のコード名。

（3）四人組＝あんころ／教育基本法改悪時に、これに反対する運動を呼びかけた人士と市民ネットワークの通称。「教育基本法の改悪をとめよう！全国連絡会」、呼びかけ人：大内裕和、小森陽一、高橋哲哉、三宅晶子

第2章　革共同全国委の歴史と教訓
――松本意見書 No.2

二〇〇七年一二月

この意見書は、二〇〇八年一月冒頭に党に提出したものだが、すでに私は離党を決意していた。提出から数日後の基本会議で予想通りの罵声の集中砲火を浴び、予定通り離党した。一部の党内用語、コード名は修正した。

はじめに

私は、先に開かれた第二四回全国委員総会なるものの直後に、ここにおける革共同関西地方委員会指導部の二名の同志の除名に反対する「私の立場」と題する短い文書を提出した。この立場に変わりはない。ここでも簡単に触れておいたが、私は今回の組織分裂が、関西の「中央打倒闘争」によって引き起こされたという考えに与さない。直近の諸問題、例えば二四全総と同日に開かれた関西革共同党員総会の、どちらが先にスケジュールを決めたかなどという問題はもちろん重要なことだが、ここで触れたいとは思わない。

私が言いたいのは、この分裂は、本質的に革共同中央によって引き起こされたということである。この数年、とりわけ〇六年三月のＡＤ革命以降の革共同中央における極めて急激な、一八〇度的な路線転換が、この基底に横たわっている。そして今日のいわゆる「階級的労働運動路線」に異論を唱える者、ついていけない者、はみだした者をことごとく問答無用的に切り捨てる組織指導――これこそこの分裂を引き起こした真の原因である。

ことわっておくが私は他方で、二四全総と同じ日に開かれた関西革共同党員総会に出された諸文書にも大いに意見がある。関西入管闘争委論文のような極めて優れた文書がある一方で、今日革共同中央が格好の餌食として活用している椿署名文書などはただひたすら最低である。必要なのは、いま生起している革共同存亡の危機の全体像をその根底からとらえ、路線的・理論的批判を磨き、党内闘争・分派闘争を正しく推進することであって、「党の変質」に対してただ感情をむき出しにして罵詈雑言を書きなぐるなどというのは百害あって一利もない。分裂はいまや危機の段階から、現実の段階となった。しかし関西に限ってはいざ知らず、全国的には革共同内の多くの同志たちが、いまでも「分裂は避けてほしい」と、口に出して言うかどうかはともかく、心から願っていることも厳然たる事実なのだ。ただ分裂の火に油をぶちまければいいのではないのである。

だからといって私はもちろん蝙蝠的な「どっちもどっち」派に逃げ道を求めようとは思わない。椿署名文書などくだらないというしかないが、椿署名文書批判に血道をあげることもそれと同じぐらいくだらない。問題はそんなところにあるのではない。問題の核心を見失ってはならないのだ。問われているのは、繰り返し強調するが、この間の革共同中央における一八〇度的路線転換とその強権的貫徹という組織指導の是非である。

当然にも路線転換一般が悪いわけでない。九一年五月テーゼも、旧くは六二年三全総も重大な路線転換だった。その果断な推進は時代が求めていた。だが言うまでもないことだが、それは「路線」の転換であっても、革共同の反帝・反スターリン主義の綱領的立場の清算ではなかった。今日進行している路線転換について、私は「一八〇度的」という形容詞を繰り返したが、実はそれでも不十分だと思っている。一言でいえば、それは革共同として越えてはならない一線を越えつつあるということだ。言い換えれば、私にはそこにおいて、革共同の立党の精神、革共同の革共同としての原点・党是があまりにも乱暴に無視され、破壊されているように思えてならない。

この意見書を書く私の問題意識は以上のようなものだが、だからこそ、少々迂遠のように感じられるかもしれないが、私は私のささやかな革共同活動の節穴を通して見た、革共同の決して短くない歴史をまず跡づけてみたい。もちろんそれが、今日われわれが直面している諸問題の全てに回答を与えるとは言わないが、不可欠の前提とヒントを与えると信じるからだ。「温古知新」の言葉もある。文字通り古い記憶をたどり、古い文献などもあさりながら、そもそも革共同とは何なのか、何を共通の確認としてきたのかについてまず振り返ってみたい。その上でこの間の路線問題、組織問題についての私の若干の意見を述べることにする。そして私はこの意見書全体を、革共同において断続的ではあれ指導的構成員の一角を占めてきた私の自己批判の書として書きたいと思っている。

1　三全総以前のこと

革共同全国委員会が結成されたのは、一九五九年八月で、これは革共同第二次分裂のときだった。トロツキー教条主義者である西分派あるいは関西派（西京司を指導者とし、関西に主力があったため、こう呼んでいた。後の四トロ系）とたもとを分かつことで全国委員会は出発した。

革共同そのもの（第四インター日本支部設立をめざす）の発足は五七年暮にさかのぼるが、五八年夏の第一次分裂（太田龍の脱落）や黒田寛一の小ブル自由主義的指導放棄の結果、その活動は停滞していた。当時、全学連は五〇年代中頃の「歌と踊りの民青」路線への反発から急速に戦闘化・急進化をとげ、これにトロツキズムの影響が加わることによって、五八年夏には幹部党員が集団的に日共から除名された。だが彼らの多くは結局革共同に結集することなく、いわゆる「学連新党」としての共産同（ブント）を結成した（五八年暮）。翌年の革共同発足時点での全学連主流派（反日共系）内の力関係は、ブンドが圧倒的多数で、次は西分派、革共同は極少派だった。

革共同出発（本多延嘉書記長主導）時の綱領的対立点は、革共同の「反帝・反スターリン主義」に対し、西分派の「反帝・労働者国家無条件擁護、スターリン主義官僚打倒」があった。ブントは「世界革命」は語ってもスターリン主義に対する態度は雑炊的だった。

これとともに重要なのが、革共同が掲げた「職場・生産点に社共に代わる闘う労働者の党をつくろう」

である。今日から見れば何の変哲もないと見えるかもしれないが、ここには革共同の根本にかかわる様々な概念がつめこまれている。まず「社共に代わる党」は、何よりも西分派の主に社会党への加入戦術の自己目的化からの決別としてあった。彼らは当時選挙があると「社共に投票せよ、だが信頼するな」などという愚かな主張を掲げていた。ここからの決別として革共同は「独自の党建設」「党のための闘い」をその党派的主張・実践の軸にすえるのである。

同時に重要なのは、「職場・生産点」に「労働者の党」をつくろうという点だった。これは当時の革共同が動労青年部に一定の足がかりをつかんでいたことを基礎としているが、何よりもブントの戦術左翼的街頭主義、街頭で物情騒然たる事態をつくり出すことによって革命への道を開こうという路線に対する批判としてあった。またこれとは全く次元を異にするが、日共の街頭主義(純然たるカンパニア主義で、ズブズブの議会主義と表裏一体)に対する批判でもあった。換言すれば、これは、職場という最も厳しい、根源的な闘いの場からの様々な逃亡の路線への批判としてあった。

このスローガンは、さらに戦後十数年の日本階級闘争・労働運動の総括から出てきたものであった。六一年の「革命的共産主義運動の現段階と革命的プロレタリア党創造の課題」(本多著作選第五巻)では、革命的共産主義運動の源泉として次の三点をあげている。

したがって、日本革命的共産主義運動は、その実体的＝潮流的な系譜としては、主としては日本共産党内の国際派的反対派の闘争から出発しているとはいえ、まさに、その国際派的限界(左翼スターリン主義)を自覚し、突破した地点から開始されたのである。そして、われわれをこうした左翼スターリン主義から解放して革命的共産主義運動にまで高めたもっとも決定的な力は、①五一年以後、大敗北の廃墟のなかから不死鳥のようによみがえり、五七年にはあの歴史的な国鉄新潟闘争を展開するところまで進んだ日本プロレタリアートの現実の階級闘争であり、②マルクス主義哲学のスターリン主義的歪曲＝客観主義との実践的唯物論のための闘争、プロレタリア解放の世界観としてのマルクス主義哲学の現代的再生のための闘争であり、③ハンガリア労働者階級の革命的蜂起を最前衛とする国際的な反帝・反スターリン主義、スターリン主義とたたかうトロツキー的左翼反対派の闘争だったのである。

【この引用に関連して一言注意を喚起したいのは、〇七年『前進』新年号が、「革共同創立の源泉は、一九五六年のハンガリア革命と五七年国鉄新潟闘争、さらに日本共産党の五五年六全協である」としていることである。つまりスターリン主義的な客観主義哲学・革命論との闘いが、宮本ら国際派が日共の主導権を握った六全協にすり替わっている。故意か、単なる間違いか。いずれにせよこれは反スタ革命的左翼の源流と左翼スターリン主義の源流の混同である】

本題にもどるが、五〇年代の幾多の労働争議の中で特に国鉄新潟闘争を強調しているのは、とりわけその総括にかかわってであった。五七年国鉄新潟闘争を指導したのは「革同」(1)を名乗る活動家たちで、日共にも民同にも批判的な戦闘的労働組合主義者の集団だった。だがその壮絶な闘いと無残な敗北の後、この革同の精鋭たちは、こともあろうに国鉄新潟闘争に敵対した張本人である日共に入党するのである。この一見奇妙で、痛苦な現実の中から、革共同は「労働者党のための闘い」の旗を掲げるのである。岸本健一『日本型社会民主主義』は簡潔に次のように書いている。

日本労働運動の戦闘性の実体的担い手であった戦闘的組合主義者、その代表的存在であった「革同」的要素の日共への屈服は、われわれにプロレタリア党のための闘争の決定的重要性を告げている。日共が階級闘争を否定した立場から「革命」を語り、社民が革命を否定して「階級闘争」を語り、両者が抗争している中で、階級闘争を革命のために闘う立場を示し、組織的にもこれを結集していくことは、日本労働運動の歴史的ジグザグを革命的に止揚する唯一の道だからである。

労働運動と革命が日共と民同によって分断されてきた状況を社共に代わる革命的労働者党建設によって突き破ろうという立場である。

さてこうして革共同が結成される五九年夏には、すでに六〇年安保改定をめぐる攻防は始まっており、同年一一月の全学連の国会突入闘争はその導火線に火をつけた。このときまで革共同は、革共同も西分派も全学連の下にブントと行動を共にしてきた。だがこれに対する激しい反動の中で、西分派は翌年一月羽田闘争を境に全学連から離れ、日共スターリン主義者の分裂組織・全自連と行動を共にする。これに対し革共同は、六〇年六・一五国会突入闘争にいたる全過程を、論戦ではブントの街頭主義を「ブランキズム」と激しく批判しながらも、行動では一貫して、最後まで、ブントと行動を共にするのである。当時の黒田が、大量逮捕者を出した全学連の実力闘争に「ブントの自滅行為」と手を叩いて喜んでいたという話からも分かるように、六〇年安保闘争のただ中における革共同のこの選択は極めて意識的な選択だった。

西分派はこのころ、その日和見主義を居直るために、「炭鉱国有化」などのスローガンを掲げて、安保より三池の方が重要だというトーンを強める。革共同は、職場闘争の基軸的・土台的重要性にあくまで踏まえつつ、しかし「職場か街頭か」などという問題の立て方を拒否した。六〇年安保闘争が敗北し、ブントが一挙的に瓦解する中で、ブント中枢の多くの活動家が西分派ではなく、革共同に結集したという事実は、この六〇年安保闘争過程での、極少数派でしかなかったとはいえ革共同の正しい選択、舵取りなしには考えられないことである。

なおつけ加えれば、六〇年安保闘争の指導路線で、日共は反米平和主義・愛国主義であったのに対し、革命的左翼は全体として反日帝的階級性を前面に出したが、これは岸というA級戦犯への怒りとともに大きく大衆をとらえていった。

崩壊したブントの幹部（カードル）のかなりの部分を結集して、六〇年安保後の革共同は一躍して日本の革命的左翼の主座に躍り出た。時代は大きく回っていた。日本帝国主義は安保改定と高度経済成長の本格化の中で、文字通り帝国主義的復活の道を驀進し始めていた。安保・三池の敗北を受けて日本階級闘争は、炭労の政転闘争に象徴される急速な右旋回をとげ、太田―岩井ラインの総評労働運動では労働者大衆が主役の職場闘争や地域共闘が後景化し、「整然たる産業別統一闘争」（高度成長にのった賃上げと合理化への屈服）が巾をきかせた。民間産業の職場は、全金や全造船など一部を除いてほぼ資本に制圧され、日経連は、「戦後一五年、労働者の時代は終わった」と豪語した。だが他方、官公労は国鉄を先頭に四九年定員法攻撃の痛手をようやくこえて戦闘力を回復しつつあった。全体として後退戦を強いられ、しかしまだ頑強な抵抗は続き、新たな反撃も生まれるという起伏に富んだ攻防局面を背景に、六二年九月の革共同三全総は開かれた（その宣言と報告全文は本多著作選第一巻）。

２　三全総路線とは何か

第三回全国委員総会とは、一言で言えば、革共同と階級との関係、革共同と大衆との関係における、それまでのカラを打ち破った、両者の間の「生きた交通」「全面的交通」（三全総宣言に繰り返し出てくる言葉）をつくり、革共同が真に社共に代わる革命党に飛躍する道を指し示したものといえる。三全総では通常、「戦闘的労働運動の『防衛』」と「地区党建設」の二点があげられるが、後者について三全総報告は「各産業別の工場・経営細胞を包括した地区党」という「レーニン主義的原則」を語っている。将来のソビエト、プロレタリア独裁をも展望した党のあり方を、「党のための闘い」の「当面する中心環」として示したものである。だがここで一番肝心なのは「地区党も産別委もその基礎は細胞にある」という確認だった。

そしてまさにこの細胞を媒介にして、「革共同と大衆の生きた交通を拡大」するための労働戦線における当面する「戦術の精密化」として、「戦闘的労働運動の『防衛』」が掲げられたのである。「革命的労働運動の創造」という言い方でないことに注意したい。ここでいう「戦闘的労働運動」とは、明らかに革共同の影響の外にある、他党派の主導する運動でも、もしそこに階級的闘いがあるならば、革共同の党員・細胞はその「防衛」のために先頭に立たなければならないということである。

革共同は出発点から、職場における党建設を主張してきた。しかし三全総以前の段階で展開されてきたのは、主要に学習会とダラ幹批判だった。もちろん両方とも重要なのだが、特に後者では三全総報告の言葉を使えば、「極左空論主義・セクト的最大限綱領主義」「はじめから職場労働者の感情や意識を無視してダラ幹批判をはじめるような稚拙な方法」に陥りがちであった。このような限界を打ち破り、「われわれは、たとえ、民同的指導部のもとであろうと、日本共産党的指導部のもとであろうと、労働者が自分の生活と権利を守るためにたたかいに立ち上がるかぎり、その先頭にたってたたかい、民同や日共の反労働者的本質を具体的に弾劾し、戦闘的労働者を不断に伝統的指導部から分裂させ、革命的プロレタリア党のためのたたかいに組織していく」ことを三全総は方針化したのだ。

周知のように革共同は、三全総路線の是非をめぐってその直後から第三次分裂に突入する。このとき三全総に反対した黒田を中心とするカクマルが主張したのが、「これは労働運動主義だ、大衆運動主義だ、党のための闘いがない」などというものだった。彼らの無知と召還主義は明白だった。三全総は断じて「党のための闘い」を放棄したものではなかった。そうではなくて、党は起伏に富んだ階級闘争・労働運動の先頭に立つ、それが一単産レベルであれ、一分会レベルであれ、その闘いの先頭に立ち、その責任を引き受ける、その闘いのるつぼのただ中においてこそ、真に闘う革命的な労働者の党も建設できるという路線だったのである。この党と階級の生きた「交通」関係の形成の中でこそ、党の建設と階級の形成を革命にむけて一体的に推し進めることができる、ここにこそ革命の大道があるという考え方だった。

サークル主義にしがみつくカクマルにとってそれでは党と階級闘争の関係はどのようなものだったか。労働運動も大衆運動も重要だが、それはあくまで党をつくるための手段で、真の目的は党建設、この党の同心円的拡大の先に革命を展望するというものであった。党は階級の上に立つエリート集団のようなものとしてイメージされていた。後のカルト的ファシスト集団に転落する彼らの原点がここにあった。

さて三全総においては、以上のように職場に闘う労働者の党をまさに「いかに」建設するかの議論が大きな部分を占めたが、今日その報告全文を読み返しても明白なように、総括でも任務方針部分でも反戦政治闘争の領域にかかわる言及が、これとともに極めて大きな位置を占めている。労働運動の強調が政治闘争の否定につながるというようなことは微塵もなかった（革命的議会主義についても触れているが略。ただ、三全総直前の黒田を立候補者として惨敗した参院選について、六四年の五全総第三報告では「まことに、三全総は参院選参加によってかちとられたのである」（本多著作選第六巻）と総括していることは付記に値する）。

革共同は六一年から六二年にかけて、学生戦線を先頭に米ソ核実験反対闘争を闘った。これは日本の革命的左翼の歴史の中でも重大な新地平を切り開くものとしてあった。また若干歴史をさかのぼるが、五〇年代の平和運動は、反基地闘争や原水禁運動など重要な役割を担った。だが、路線的には、左派社会党＝民同左派の平和四原則、あるいは日共スターリン主義者の平和擁護闘争路線の下にあった。これを革命的左翼と後にここに合流する学生共産主義者たち（左翼スターリン主義者）はふたつの方向で突破しようとした。戦闘性と階級性である。前者は何よりも五六年「流血の砂川」にはじまり六〇年安保にいたる闘いに貫かれる。問題は後者だった。小ブル平和主義を階級的に批判するのはもちろん正しいが、それが当初は、「戦争とか平和などというテーマを取り上げることじたいが階級的ではない」という誤った傾向を生むのである。

スターリン主義者の平和擁護闘争は、その平和共存政策の一環で、アメリカは戦争勢力、ソ連は平和勢力、だから平和を守るためにはソ連を守ることが必要というものだった。それは小ブル平和主義ではあるが、それに加えてスタ的に疎外され、歪曲されたエセ「階級性」をもっていた。だがこれは米ソの悪無限的核軍拡競争の中で、ついには「ソ連の核実験から出る死の灰はキレイ」などという愚論とともに破産、原水禁運動は六〇年代初頭に無様な分裂・混迷に投げ込まれる。この危機を突破して米ソ核実験反対の革命的反戦闘争を果敢に闘いぬき、反核闘争を階級的に再生させたのは、まさに反帝・反スターリン主義の綱領をもつ革共同であった。三全総はここをしっかり総括し、その発展を打ち出した。清水丈夫選集第一巻序文は、三全総を振り返り、この部分について、「反戦闘争という巨大な分野をスターリニストから奪い返す」「一般的に言えば、政治闘争へのプロレタリアートの決起の組織化を革共同は断固として推進するという立場を宣明」と総括している。

革共同はその後、六〇年代中葉を通じて、原潜、日韓、ベトナムなどの諸政治闘争を闘い、その中で、戦争といっても直面しているのは侵略戦争であり、われわれは侵略帝国主義足下の労働者人民であることを自覚するとともに、「日帝三六年の朝鮮支配」の学習などもしながら、「反戦・反植民地主義」のスローガンを形成する。「他民族を抑圧する民族は自由ではありえない」などという言葉もこのとき学んで。さらに六六年第三回大会での戦後世界体制論の確立とその危機の分析などを経て、それは「連帯し侵略を内乱へ」という総路線に高められていくのである。そして七〇年の七・七自己批判という形で、帝国主義の排外主義と差別・分断支配との闘いの飛躍を勝ち取ったのである。七・七思想については多くが語られているが、いわゆる「七月テーゼ」批判は次の引用で十分だろう。

周知のように、民族抑圧や社会差別は、帝国主義によってつくりだされ、あるいは、帝国主義によって温存され、維持されてきたのもである。……それゆえ民族抑圧、社会差別を根底的になくすためには、まずもって帝国主義の世界支配を完全に打倒し、プロレタリアートの世界史的な勝利をかちとらなくてはならない。しかし、同時に確認されなくてはならないのは、旧社会において民族抑圧や社会差別が政治経済制度と結びついて存在していただけではなく、それを基礎として民衆じしんの生活の内部まで民族排外主義や差別意識が浸透し、それが日常的に再生産されていた事実である。帝国主義権力の打倒にもかかわらず、このような旧社会の意識は、プロレタリア独裁下の過渡期社会にももちこまれるのであり、この点の自覚が弱い場合には、プロレタリア権力の指導そのものが種々の形態をとってその母斑に影響される危険がはらまれるのである。したがって、プロレタリア独裁下の権力は、民族抑圧、社会差別とたたかう旧被抑圧民族、旧被差別人民の自己解放の歴史と現状に深く学び、そのたたかいをプロレタリア権力の中心的な課題に強くおしあげていかなくてはならないのである。（「レーニン主義の継承か、レーニン主義の解体か」本多著作選第1巻）

これは、革命後のプロ独権力下の課題に言及した箇所だが、いまだ帝国主義を打倒し得ていないわれわれにとっては、その何倍も死活的な課題であることは明白だ。七・七は決して特殊、諸戦線的課題に切り縮められる問題なのではなく、まさに階級的団結の質を決し、プロレタリア革命の階級的倫理性の琴線に触れ、その成否を決定的に左右する思想として革共同が闘いとったものなのである。

三全総について、党組織論的角度からつけ加えるとすれば、それは「党のための闘い」と「党としての闘い」の統一ということもできる。「党としての闘い」という用語は三全総報告そのものにはまだないが、考え方としては完全にあった。「党のための闘い」をまずやって、それから「党としての闘い」に入るなどということではないということだ。さらに換言すれば、われわれはいつでも、どこでも、階級と階級闘争全体に責任をとるということだ。「まだ力がないからちょっと待ってくれ」は通用しない。事実第三次分裂直後の学生戦線は惨めなほどの少数派に追い込まれていた。私じしん当時学生としてこの分裂の渦中にいたが、当時の革共同に横溢していた戦闘的気概と確信と明るさを昨日のように思い出す。前掲清水選集第一巻は、三全総を「党建設論の理論上の問題」としてこう総括している。

党建設のためのたたかいを①党建設そのもののためのたたかいと②形成途上の党としての階級全体や階級闘争全体との生きた交通関係の形成確立のためのたたかいとの一個二重的な統一のなかでたたかいとっていくことを意味していたのである。別の言い方をすれば、党建設というのは、党と階級との対応関係において、対応する階級・大衆の革命的変革のためのたたかいとの相応関係のなかで両者一体となって成熟していくことによって、党建設としても勝利していくのだということの明確化としてあったのである。

3　七三年本多論文について

三全総についてはとりあえず以上だが、続いて七三年八月の『前進』に掲載された本多論文「革命闘争と革命党の事業の堅実で全面的な発展のために」(本多著作選第二巻)について、簡単にふれておきたい。これは七〇年を前後する激動の後、二重対峙・対カクマル戦の対峙段階突入前夜に書かれている。直接には二重対峙戦への本格的突入にむけて作成された論文だが、それがこのような大見出しで登場したこと、特に「堅実で」「全面的な」という言葉が、決して堅実でも、全面的でもなかった当時の活動の日々の中で私の強い記憶に残っている。

総括、情勢は省略して、任務として、見出し的には「革命の本格的な準備、二重対峙・戦略的前進・党建設のたたかいの一体的推進」がゴリゴリ確認されている。そして革命情勢の過渡期の成熟の下で、まず反帝・反スターリン主義基本戦略のために、第一にマルクス主義にふまえたプロレタリア解放、第二に帝とスタの現代世界を打倒し、ロシア革命で開始された世界革命を貫徹、第三に個々の帝国主義国家権力、スターリン主義国家権力の永続的打倒を打ち出している。次に七〇年代革命の総路線のために、第一に戦後世界体制の危機を反帝・反スタ世界革命に転化する、第二にアジアを反帝・反スタ世界革命の根拠地に転化する、第三に沖縄奪還、安保粉砕・日帝打倒をめざす、第四に闘うアジア人民と連帯し、侵略を内乱に転化することを確認している。

以上の基本路線とか戦略的総路線は、すでに七〇年闘争過程で形成され、確認済みのことともいえる。

しかしこの論文はこれらをかなりのスペースをさいて再確認し、さらに「基本戦略─戦略的総路線についての指導上の問題」として、「基本戦略─戦略的総路線を一個の全体としてとらえる」とか、「党の指導の問題としてとくに留意しなければならない点は、個別↓全体ではなく、全体↓個別の観点がすべての基本とならなければならない」と強調している。私はここに、全国委員会が戦争・軍事という未踏の領域に本格的に突入するにあたっての、筆者のある種の危機感にも似た、すべてを革命の準備、共産主義的政治の一点に強力に、全一的に絞り上げていかなければならないという強い意思を感ずる。

続いて論文は「二重対峙・戦略的前進・党建設のたたかいの一体的な推進」「その調和ある発展」をうたっている。ここで戦略的前進とは「基本戦略─戦略的総路線の物質化をめざす戦略的前進」のことで、この項では「政治闘争とは、権力をめぐる闘争であり、ブルジョアジーの独裁をプロレタリアートの独裁にかえることをめざす闘争」、「経済闘争とは、労働者階級の直接の経済的利益をまもり、改善するための集団的たたかいであり、労働者階級と人民大衆の完全な解放をめざすたたかいの一翼をなす」としていることを指摘しておく。あたりまえのことだが、政治闘争があり、経済闘争があるのだ。

この論文は、既述のように七三年という時点で書かれたものであり、そこでは「革命的情勢への過渡期の成熟とそれに応じた党の三つに義務」という一節を設け、周知のようなレーニンの規定についての詳細な解説もしている。もちろんそれは「革命的情勢」の上滑りな絶叫ではなく、「党そのものがいまだ建設の途上にあることを徹底的に重視し」とか、「情勢そのものが過渡的、端緒的な段階であることをはっきり見すえ」とか、非常に慎重な言い回しをしながら、その結論としてすでに引用したような「堅実で全面的な発展」、「一体的推進」、「調和ある発展」をくどいほど強調していることに注意をうながしたい。

党建設にかかわっては、三全総で触れられた点がさらに明快に語られている。「党としてのたたかいを今日的におし進め、そのたたかいをとおして党建設を独自にかちとっていく」として、次のように述べている。

われわれは、真空のなかに存在しているのではないので、まず党の建設をかちとり、しかるのちに党としての闘争にとりくむというようにすすむことはできない。たとえ建設途上であろうとも、その一定の政治的、組織的力量にふまえて、われわれは、今日的に党としての闘争にとりくまなくてはならない。……二重対峙・対カクマル戦と戦略的前進を二つの大きな柱とする『党としてのたたかい』は、このように積極的に位置づけていくならば、その勝利的前進そのものが、党建設の決定的な精錬過程に転化するのである。

革共同の先制的内戦戦略の第一段階、第二段階を通しての闘いは、革マル派による本多書記長虐殺の試練をのりこえて基本的にはこの論文で打ち出された方向に進んだといえるだろう。もちろん、二重対峙戦の絶対的死活性からさまざまな歪みは生まれた。組織指導における軍令主義、動員主義、官僚主義、上意下達主義などである。また戦略的前進、つまり大衆運動領域では、二重対峙戦との関係に逆規定される形で、その戦場を革共同は選別的に限定した。ありていに言えば、三里塚、動労千葉、法政、杉並（ある時点までは狭山）などの拠点を守ることに力を集中し、他は切り捨てたということだ。しかしこのような形ででも政治闘争的、労働運動的、選挙闘争的土台を全面的に守り、発展させることなしに、戦争としての戦争の勝利もあり得なかったのだ。この時期の闘いを私はこのように積極的に総括していた。いや正確にいえば、昨日まで私はこのように思っていた。しかし今日ではもはやこのように思えなくなった。結論的にいえば、先制的内戦戦略を通して生まれた組織的歪みは、ある意味では限度を超えて進行したのではないか。そしてそれは、今日までいまだ解決されていない問題として横たわっているのではないか。これこそ、今日の革共同の危機と分裂の最も奥深いところでの基底を形成しているのではないかというのが私の認識である。

4　五月テーゼ路線について

九一年五月テーゼは、清水選集第一〇巻に収録されているが、そこには狭い意味の五月テーゼ①「党建設とりわけ労働戦線における党建設の前進のために」とともに、②「五月テーゼを断固として貫徹しよう」、③「五月テーゼについての党内アピール」という、いずれもほぼ同時期に書かれた論文が掲載されている。ここではこれら全体を五月テーゼ路線として、以下見ていく。

七三年本多論文における二重対峙はその後、革命的武装闘争（A）と言い換えられ、戦略的前進は戦闘的大衆運動（B）と言い換えられる（党建設（C）はそのまま）が、九〇年天皇決戦の確か最終段階でAとBが入れ替えられ、Aが大衆運動、Bが武装闘争とされる。その意味で天皇決戦は五月テーゼへの橋渡しだったとも言えるが、いずれにせよ五月テーゼの結論は、A×B×Cという三大任務体系の中で、「A、Cに戦略的重心をすえる」、これによって「先制的内戦戦略第一段階、第二段階をこえた戦略的な攻勢に出る」ということだった。私の五月テーゼについての当時の印象を一言でいえば、長く、苦しい内戦を勝ち抜いて、革共同はその任務体系も本来あるべき正置形態にすえ直し、戦後世界体制の崩壊という歴史的な局面において、労働運動にしっかり軸足をおいて、革命にむかって、新たな本格的な前進を開始する、その合図の号砲のようなものとして受け止めた。

それはもちろん直接的には、「(先制的内戦戦略的闘いを) 清算主義的には絶対とらえない」とした上で、「しかし、労働戦線における党の現状、大衆運動における決定的不十分性の問題はもはや放置することはけっしてできない。このまま行くことは、党の死をしか意味しないという絶対的飢餓の現実に直面している」という全国委員会の厳しい自己認識から出されたものである。しかし私はこれを、何か組織が疲弊したから、一時的に迂回戦術をとり、力が回復すればまた先制的内戦戦略闘いにもどる (革共同指導部の一部にこんな意見があることを当時又聞きしていた) などとは全く考えなかった。それは多分五月テーゼの背後で進行する内外情勢の激しい展開と関係しているだろう。

八〇年代末から九〇年代にかけて、ベルリンの壁崩壊・ソ連崩壊と総評解散・社会党解体は、国際階級闘争と日本階級闘争の構図を一変させた。五月テーゼ直前の湾岸戦争と掃海艇ペルシャ湾派遣 (初の自衛隊海外派兵) は、冷戦崩壊が平和の到来ではなく新たな戦争の時代の始まりであることを告げていた。他方総評解散は、いうまでもなく八七年国鉄分割・民営化の結果で、攻撃は八九年日米構造協議、九〇年バブル崩壊、九三年規制緩和と小選挙区制、九五年雇用破壊 (日経連報告) と労働者人民の生活と権利を様々な「改革」イデオロギーの下で根こそぎ解体する攻撃として進んでいった。これは決して単なる資本攻勢の激化というレベルの問題ではなく、七〇年代以降危機を深める国際帝国主義の基本政策的転換、国家独占資本主義的あり方から新自由主義的あり方への大きな世界史的カウンター・レボリューションとして進行していった。ロシア革命以降の一定の社会保障や大恐慌以降のタテマエとしての「完全雇用」は、帝が帝として生き残るために曲がりなりにも必要だったはずだが、限度を超えて膨張する過剰資本・過剰生産力に突き動かされた、帝間争闘戦の激化を背景とする、この新自由主義的「改革」攻撃は、これらも放擲して、文字通りグローバルに全世界の労働者人民を飲み込み、ソ連崩壊をもたぐり寄せ、それを通してさらに拡大していった。そしてこうした帝国主義の一層の危機の現れとしての湾岸戦争以後的な新たな戦争と新自由主義的諸攻撃が、二一世紀を迎え、九・一一を招き、さらにエスカレートして今日に至っていることは周知の通りである。

そして日本階級闘争にとってやはり直接的に最も大きいのは総評解散↓連合結成であった。これは革命的左翼の「二つの一一月」を含む様々なそれまでの闘いの土台・前提が失われたことを意味した。これに加え、主体の側では先制的内戦戦略段階で政治大衆闘争は三里塚に限定してではあれ全力でやったが、労働運動的には、動労千葉の闘いがいわば「天領」的には存在しても、全革共同的にはその闘い(七〇年代末の分離・独立から八五年決戦ストまで)は、あくまで支援・防衛の対象として、「政治決戦」的には位置づけられても、動労千葉の闘いに呼応して、国鉄戦線を含む全産別で職場・生産点からの闘いを組織するという指導は皆無に近かったのである。おそらくここらに踏まえてだろうが、五月テーゼは、「先制的内戦戦略はどんな限界をもっていたであろうか」として、「党建設とりわけ労働戦線での党建設として結実させていくたたかいにおいては、きわめて不十分」とか「やはり工場・職場の労働者同志の苦闘に十分対応した指導をなしえなかった指導部と指導の限界として総括すべき」としている。そしてここから「とりわけ労働戦線における党建設の前進」が全国委員会の死活的課題として打ち出される。

そして五月テーゼはその結論として、「第一には、レーニンが『なにをなすべきか』で言っているように、労働者階級のなかに共産主義的政治の全体（党の戦略、総路線、先制的内戦戦略など）を断固として提起し物質化していくこと」、「第二には、第一のたたかいを貫くための一環として、労働組合運動（的レベル）のたたかいを断固重視していくということである」としている。そしてこの二点を総括して「三全総の『戦闘的労働運動の防衛と推進』という路線をラセン的に再確立していく」と結論づけているのである。

幾つか述べる。まず「第一の一環として」としながら特に「第二」として、労働組合運動の重視を強調している点だ。やはりこの背景には三全総路線のラセン的再確立といいながらも、三全総当時と五月テーゼ段階では、労働組合運動をめぐる状況が一変していたことがあったことは明白だろう。動労千葉二波のストと国労修善寺大会を経て、九〇年四月には国鉄一〇四七名闘争が出発し、それは連合にも全労連にも与しない一定の戦闘的労働者の潮流を形成した（中心は自治労と日教組）が、それは中軸を担う国労じしんが協会と革同の寄り合い所帯という大きな限界を抱えていた。連合という、民同的労資協調路線とも全く質を異にした帝国主義的労働運動支配をいかに打ち破るかが、これ以降今日までの日本階級闘争の最大テーマであり続けていることは確かである。八九年全国労組交流センターの結成はこの逆流に抗して勝ち取られた。

さて五月テーゼは、それでは労働戦線における党建設のために労働組合運動のグレードアップをはかったことが全てかといえばそうではなく、第一にまず「共産主義的政治の全体を物質化」(第二もその一環)を謳っていることが重要である。そして前記③論文においては、自衛隊の海外派兵情勢の中で、「六月反戦大行動の圧倒的貫徹こそ、革共同の五月テーゼの実践的着手そのもの」として、「五月テーゼというのは、反戦共同行動をやるのか、やらないのかという歴史的大問題にたいして、『やる』『断固やる』という立場を全面的にうちだしたものとしてある」と強調、実際革共同と労組交流センターは五月テーゼを受けてまず何よりもここに全力で突っ込んでいくのである。つまり、反戦政治闘争も労働組合運動も、一言でいえば戦闘的大衆運動の全領域に全面的に突っ込んでいく、先制的内戦戦略段階のように戦争に逆規定されて三里塚だけ、動労千葉だけというような限定を取っ払って全面展開する、それを通してとりわけ労働戦線における党建設を推し進めるというのが五月テーゼであった。そうしたものとして私はそれを全面的に支持した。

だが五月テーゼは、とくにこのような「労働組合運動において、一定の物質化が進むと、それはそれで巨大な勢いで自己運動する側面をもつ」がゆえに、「今日のかぎられた力量の党とその戦術の中で、勢力配置やいわゆる党的動員との関係できわめてシリアスになるときが生起してくる」として、「リアルなかたちで解決を与えていく」「リアルな改革」「ぎりぎりのリアルな解決」等々の言葉が、繰り返し繰り返し強調されるのである。この「リアルな解決」という言葉は、今日の革共同の路線問題を考える上でのキーワードになるので、しっかり記憶しておきたい。

しかし、このような五月テーゼが本来もっていたトータルな取り組み（それはまさに三全総のラセン的再確立そのものとしてあった）の前進はその後も遅々としていた。様々な努力が重ねられた。ＰＫＯ闘争は一定高揚したが、交流センター一万人会員方針は壁にあたった。九五年には日経連報告に対応して「大失業攻撃と闘う」方針の下に一一月集会が始まり、阪神大震災に際して、動労千葉と港合同による被災支援連結成は後の三組合共闘の先鞭をつけ、九月の沖縄女子暴行事件の後に第三次安保・沖縄闘争方針を出し、これは二年後の新ガイドラインに対応した百万人署名運動の発足として結実した。実は私は、それまで労働運動への関わりを全くもっていなかったが、五月テーゼをうけ労対の一員となり、ある産別の担当常任となった。健康上の理由で六年ほどの短い関わりであったが、いずれにせよ特にこの時期のことを私は反省的に語らなければならない。

では闘いの前進を阻んでいたのは何なのか。ひとつははっきりしている。五月テーゼ方針そのものの評価をめぐって、革共同指導部中枢を巻き込む不一致と抗争が存在したことである。〇六年三月のＡＤ革命はその一角を鋭く暴き、切開することによって、問題を解決するための決定的突破口を切り開くはずであった。

しかし私は五月テーゼ物質化の闘いの停滞の原因をここだけで説明するのは正しくないと思う。より深刻なのは、やはり先制的内戦戦略の二〇年間で、革共同の大衆運動能力が予想を超えるレベルで衰退し、枯渇していたという問題である。言い換えれば、党と大衆との生きた交通関係を形成するのを妨げるような壁を、長い年月をかけて革共同じしんが築いてきたといえるのかもしれない。それを典型的につきだしたのが最も重要で、最も困難な職場での闘いだろう。古くて新しい問題である。三全総直後の岸本論文「職場におけるわが同盟の組織的活動について」（『共産主義者』八号）は職場闘争の意義を次のように語っている。

われわれは、労働者階級の基本的闘いの場が工場外——「消費者」として家に帰ったところにあるのではなく、生産者として、労働を行う生産点にあること、そこにおける力の拡大が、本質的にプロレタリア権力に連なることを確認し、一切の闘いをそこから組み直さなければならない。人間の人間たるゆえんである生産＝労働を除外して、どこかに革命や解放があるかのごとき思想との闘争は、日常のわれわれの実践＝反逆の基盤を、日常の搾取と支配の場である生産点のおくことから始まるのである。

だが同論文によれば、このころでさえ、革共同の労働者党員の多くの現実は、「実践的な組合での活動においては、民同として行動しながら（やむを得ぬマヌーバーではなく）、学習会やオルグ、特に組織内の討論となると『党のための闘争』として他党派の否定を抽象的に強調するということを『党づくりの独自活動』とするならば、それは当然にも『××は言っていることとやっていることが違う』という疑問を起こさせずにはおかない。なぜならば、ここでは組合運動（大衆運動）における民同（又は日共）的自己と、『独自活動』の時における『革命的』自己との喜劇的分裂が行われている」という状況にあった。先制的内戦戦略を経て、革共同労働者党員の多くがかなりの年齢になり、しかも長く革共同の看板を背負って職場で孤立・苦闘してきた仲間たちが抱える困難は、ここでいう「喜劇的分裂」の何倍も深刻であったに違いない。

これとならんで、停滞の原因として、革共同における、私を含む常任・職革の側の責任に触れないわけにはいかない。ずばり言えば、最大の問題は、先制的内戦戦略を通して、常任を含む幹部党員（カードル）の一部における骨がらみの官僚化・手配師化・サラリーマン化が進んでいたことである。一部といっても、それは決して少なくない一部のことである。これこそ、五月テーゼが最も強調してやまなかった職場における細胞建設、言い換えれば前述のような現場労働者の「喜劇的分裂」からの脱却の闘いをおし進めていくうえでの最大の障害になっていたと考えている。私自身についていえば、確かに担当産別の大会や重要な攻防の節々において配布するビラやパンフの殆どを書いた。労対を辞めたあとも数年間書いた。そこでは正しい認識や方針を、当該単組労働者に通用する言葉で提起したつもりだし、それはそれで重要な仕事だったと思っている。だが言うまでもないことだが、正しい方針を提起すれば、運動は正しく発展するなどというのは、革共同とは縁もゆかりもない考え方である。正しい方針を担う主体をいかに職場に細胞としてつくり出すかこそ問題の核心なのである。そこでの真の格闘なしのビラづくりなど、所詮サラリーマン仕事の域を出なかったのである。

私はそれを自覚しなかったのではない。だがそこにおいて私は何の成果もあげることはできなかった。弁解はできる。私が担当した単組の特殊性、さらに労働者同志たちが所属する基本組織である地区党の壁の厚さなどである。しかし結果が全てなのであって、五月テーゼを受けて私は、三全総後のような職場細胞づくりをめざしながら成功しなかった。ただ私はこれをどうしても、私の能力や努力の不足というレベルの問題としてだけ考えることは出来ないのだ。そこで問われていたのは、すでに指摘したような先制的内戦戦略の過程で生じた革共同組織の歪みの対象化と切開と改革、今日的な言い方をすればまさに「党の革命」こそがこのとき求められていた。しかし五月テーゼは路線転換としては圧倒的に正しい道を指し示しながら、この最も深刻で、困難で、デリケートな組織問題の切開という点では殆ど何も手をつけることがなかったと言わざるをえないのである。私が真に自己批判しなければならないのは、この現実と正面から闘うことを避けてきたということである。

5　AD革命をどうとらえるか

この意見書で革共同の歴史を振り返るのはここまでである。以後は今日の問題を考える。

〇六年三月のAD革命の一報に接したとき、私は何のためらいもなくこれを支持できた。それは私が長年考えてきたこと、考え、ストレスはためてきたが、決してそれと正面から闘うことができず、ただ愚痴でウサを晴らしをしてきた問題、つまり何十年も革共同組織を蝕んできた組織的病、官僚主義と権威主義と印籠政治の弊害を、関西の同志たちが、下から、実力で打ち破る闘いに決起したと確信したからだ。

直接問題になったのは、政治局の一員として、関西の最高指導部の位置にいたYの腐敗であり、党組織の私物化であり、暴力的支配だった。これについては繰り返さない。最大の問題は、なぜYのような人物が革共同最高指導部の一員であったのかである。Yは生まれたときから腐敗していたのか。反階級分子だったのか。そうではないだろう。Ｙは革共同が生み出し、つくり出したのだ。これが肝心要のところである。

事柄は単に先制的内戦戦略段階にとどまらず、一九六九年四月二七日にさかのぼるのではないかと考えている。以下述べることは、決して革共同における非合法・非公然的指導部建設の意義を否定するものではないことを断っておく。これがあってこそ革共同は、あの二重対峙戦を闘い抜くことが出来たのだということに私は一点の疑いも持っていない。だが私は、革共同はこの中で生じた組織問題を正しく解決することに成功してこなかった、今も成功していないと思っているのである。

問題が問題だけに、抽象的に語る以外にないが、一言でいえば、すでに述べたような非・非体制の中から育っていった印籠政治が諸悪の根源だといえるだろう。つまり革共同の方針の多くが、重要な方針であればあるほど、通常革共同の大半の構成員が接することのできないところから随時出され、しかるべき幹部に配布され、様々な部署、地区の細胞会議が大筋それにそって開かれる。極端な場合は、ひとつの文書の読み合わせが、あらゆる会議で基調報告の代わりになる。これが二重対峙戦という厳しい試練の中で、革共同が大局的方向を見失わずに結束を維持し、正しい道を選択してくるうえで、極めて重要な役割を果たしてきたことを否定しようとは思わない。

だがそれが長期化する中でつくり出されてきたのは、要するに自分の頭でものを考えない、考える習慣を失った幹部党員の集団である。言い換えれば、自分の肩の上に自分の頭をのせた共産主義者はあるいははじかれ、あるいは摩滅せしめられ、純然たる官僚、手配師、イエスマンが取り立てられ、革共同の基幹部を形成するという事態が生み出されたのである。こうして革共同は、三全総時代にもっていたような活力と明るさを失い、風通しの悪い組織になっていった。しかし私もそうだが、私以外の多くの同志たちも、そこに問題は感じながらも、それを二重対峙戦に勝ち抜くという死活的課題のためには耐えなければならない現実として飲み込んできたのである。

Yは、まさにかかる官僚・手配師の中でもとりわけ優秀な官僚・手配師だったのではないか。いやY一人ではない。革共同最高指導部が、決して全てとはいわないが、多分にY的人格で政治局を固めることによってその指導を貫徹しようとしたのである。そしてこのような頂点からつくられた指導―被指導の関係は、それが革共同の本来のあり方であるかのような錯覚とともに全党を覆っていった。その責任は一にも、二にも革共同最高指導部にある。そしてこうした環境の中でYの増長は限度を超えて進み、印籠政治の暴力的展開で革共同組織を私物化し、金銭的腐敗や対権力関係での崩壊も生まれた（しかもここで一言特記しておきたいことは、革共同指導中枢におけるY的腐敗は、何もYだけのことではなく、Yが最初でもないということである）。これに対して関西の同志たちは、労働者同志を先頭に敢然と決起し、これを打倒した。このAD革命は決してただYをその権力の座から引きずり下ろしただけでなく、何よりもYを生み出したような革共同組織の長い間の歪んだあり方を根底的に告発するものとしてあったと私は理解している。

こうして政治局からは（決して全てからではなく一部からだが）深刻な自己批判がなされ、AD革命に反対した指導部の何人かがそこから追放され、処分された。私は、この過程じたい積極的に賛成するものではないし、もう少し何とかならなかったのかという気持ちは残るが、大きくは仕方なかったと思っている。しかし重要なことは、実は話のすり替えがこの過程から同時に始まっていたということである。

つまり、このＡＤ革命を支持するか否かは、五月テーゼを支持するか否かとイコールだといわれ、問題はＹの腐敗問題を超えた路線問題だということがゴリゴリ強調されていくのである。もちろんここには一理はある。Ｙはいうまでもなく部落解放運動における自己の勢力を足がかりとして革共同内の権力を手に入れ、陰に陽に、五月テーゼ下での労働運動の推進に抵抗してきたからである。しかしこれだけのことなら、別にＹは打倒対象ということにもならないし、少なくともあのような形で打倒すべき対象とはいえないはずである。

確かにこのような革共同中枢での路線対立は九〇年代を通して続くが、だが他方で重要なことは、Ｙにとって路線のあれこれなど本当はどうでもよかったということである。だから労働運動の推進を基軸とする路線が革共同内の大勢になったとみるや、すぐにそれに乗り移り、こんどはその印籠を振りかざすことで、関西におけるＹ反対派狩りに奔走したのである。まさに手配師の手配師たるゆえんである。印籠はそれが印籠であることが重要なのであってその中身など何でもよかったのだ。そして、政治局が、内部から生み出したこの腐敗を自らの手で切開・切除することができず、それどころか全体として、Ｙの関西における強権的支配を最後まで尻押しし続けたことは厳然たる事実なのである。

ＡＤ直後から始まる「ＡＤとは腐敗問題ではなく路線問題だ」という主張の一面的強調は、Ｙ問題を政治局（とその長年の指導による革共同組織の官僚主義的歪み）が生み出したという核心点を塗り隠し、Ｙ的腐敗を生み出した責任は関西にある、あるいは部落解放運動にある、あるいは血債とか七・七というものの考え方にあるという、とんでもない話のすり替えを進行させるのだ。言語道断というべきである。私はこれをＡＤ革命の簒奪・改竄と呼ぶことにしている。こうしてＡＤ以降、表ではＡＤ革命支持が叫ばれながら、実はその根本を踏みにじり、ADに伴う革共同内権力移動を利用しつつ、Yと違う、だがYを超えた印籠政治が、「労働者」の名において、労働者同志を頭に担ぎ上げながら開始されるのである。YがAD以前において関西でほしいままにしてきた官僚主義的・権威主義的組織支配は、AD革命によって清算されるのではなく、逆にエスカレートする形で全党化するのである。このような状況を許したのは、革共同幹部党員における官僚化・手配師化・サラリーマン化が、ただ五月テーゼ反対派の中だけでなく、五月テーゼ推進派の中にも深々と浸透していたという事実である。

今年の五月に開かれた革共同中央労働者組織委員会、革共同中央と関西との対立にケリをつけようと意気込んで開催されたものだが、そこに提出された「革共同中央労働者組織委員会」名の議案の冒頭は次のような言葉で始まっている。「以下の議案書は、大原が執筆し中央労働者組織委員会の議論を経て、革共同と中央労働者組織委員会が一致して提起する内容である。全指導的同志には、本議案に則して全国全同志に対しこの議案書を基に、この内容を徹底討議して意思一致する党員としての義務がある」。私も革共同に所属して長い年月を経ており、革共同以外の運動団体の会議などにも参加したことは多々あるが、会議に提出する議案とは、参加者の討議と検討に付し、様々な批判・意見によってそれを深めてもらうためのものであって、頭ごなしに全員に「意思一致の義務」などをがなり立てる議案などというものを見たことがない。

この議案の文言が何より雄弁に物語っているので他に個々的な事例をあげることはしないが、要するにAD以降の革共同を覆っているのは、単なる印籠政治にとどまらない、革共同中央に対する一切の異論・反論を許さない、排斥するという異様な空気であり、それはいまや魔女狩り政治の域に達しつつある。そしてここでは、「党の革命」「党の階級移行」という言葉が最大の踏み絵、殺し文句として使われている。二重対峙戦下に発する革共同組織の官僚主義的・権威主義的変質は、こうしてＡＤ革命を経て今日、その破局的頂点に登りつめつつあるのである。

６「階級的労働運動路線」について①

最大の問題は、このようなＡＤ革命の簒奪・改竄が、この意見書の冒頭で述べたような革共同における基本路線の一八〇度的転換、綱領的・原点的逸脱と並行して、一体のものとして進行していったことである。

〇三年六月に、いわゆる新指導路線が出された。この年は、三月にイラク開戦があり、六月に有事三法が国会で成立する一方、四月の杉並での候補者を三人立てた区議選があり、また三月末に動労千葉春闘集会があった。ところがこの春闘集会は確か一千名を割る結集しか実現しえなかったことから、新指導路線は、一言でいえば革共同の全体重を労働運動に集中するという内容だった。私はこの路線が発表された全国労働者組織委会議に参加しており、ここで労働運動が重要なのはその通りだが、反戦運動を切り捨ててはならないというような意見を述べている。戦争と戦争法案をめぐる激しい情勢展開と革共同の闘争放棄（せいぜい二〇労組集会への百万動員でお茶を濁す）の中で発言せざるをえなかった。

だが、このころ言われていたのは、確か「労働運動への傾斜生産的な力の投入」ということだったと記憶している。今からおもえば、五月テーゼの中で繰り返されていた「リアルな解決」のかなり極端ではあるが、ひとつの形態であると理解することも出来た。その後この路線は、いわゆる「労働組合運動の革命論的意義」づけなどを通して深められていった。しかしこの過程では、指導の舵取りは大きくは上記「リアルな解決」の枠内にあった。その何よりの証拠は、これは実践以前のことだが、〇五年夏に憲法本が出版されたことである。同年秋の自民党新憲法草案発表を前にして、この本は〇四年初めからの準備のうえに出されたものであり、革共同が本格的に憲法闘争に取り組むための武器となることをめざしたものであった（今日では徹底的に否定された存在になっているが）。革共同は労働運動を圧倒的に重視しながらも、独自に憲法闘争を準備するという立場を堅持していたのである。少なくともこの段階までは。

そして〇六年『前進』新年号では、改憲決戦と四大産別決戦が二本の柱として打ち出されるのだが、これは同年三月のＡＤ革命を挟んで完全に裏切られる。この過程のことは、一年前の私の意見書で詳述したので略す。そのうえに〇七年『前進』新年号が打ち出すのが「階級的労働運動路線」である。私は階級的労働運動の推進や、そこに革共同が体重をかけることに反対するつもりなど毛頭ない。だがここにいう「階級的労働運動路線」とは単にそれだけのことではなかった。それは〇七年『前進』新年号における次のような文言、すなわち「帝国主義打倒のプロレタリア革命は何を軸に達成されるのか」として、「その唯一かつ普遍的な推進軸はプロレタリア自己解放とその発露としての階級的労働運動、労働組合の団結強化の発展にある。これとは別個に政治決戦一般を対置したり、並列的に位置づけることはできない」という箇所に鮮明に表現されている。つまり当面する課題との関係でいえば、階級的労働運動に対して独自に憲法闘争としての憲法闘争など対置してはならないということだ。革共同の歴史の中でもかつて例を見ない無法な規定、政治闘争一般を全面否定する言葉が『前進』新年号紙面に登場したのである。

さらにいえばそれは、要するに階級的労働運動以外の一切を切り捨てるという方向性を急速に露わにしていった。事実〇六年から〇七年にかけて、まず杉並が切り捨てられ（結柴・新城問題の結論は杉並都議選の切り捨てだ）、部落解放運動をはじめとする戦線が切り捨てられ（地区移行などを口実として）、憲法闘争を含む反戦政治闘争が切り捨てられていった（百万人署名運動などの徹底的後景化）。今後さらに何が続くのか。だから私はこの「階級的労働運動路線」を〝労働運動原理主義路線〟と呼ぶのである。「新指導路線」と「階級的労働運動路線」の間には、明白な断絶があり、それは五月テーゼのいう「リアルな解決」からの完全な逸脱・脱線、革共同の長年の基本路線、綱領的立脚点（例えば七三年本多論文が強調した「革命運動と革命党の堅実で全面的発展」）の無残な解体としてあったのである。そこでは政治闘争も経済闘争も何もかも「プロレタリア自己解放」の名のもとにごちゃ混ぜにして、結局政治闘争も、選挙闘争も、諸戦線的闘いも投げ捨てられていった。

憲法闘争に話を絞れば、このころ私がその意義を強調したとき返ってくる反応は二つあった。第一は段階論である。「憲法闘争などといっても労働運動を立て直さない限りどうしようもない。百万だって署名が集まらないのは労働運動の後退が原因ではないか」というものだ。一面の真理ではある。しかし彼あるいは彼女は、私が「それではあなたはまず経済闘争をやって、政治闘争はその次という主張なのか」というと必ず口ごもる。そこで第二によりエスカレートした反応が返ってくる。それは「労働運動

＝憲法闘争だ、一一月集会＝憲法闘争だ、それがわからないのか」という主張だ。これを私は〝究極の憲法闘争放棄〟論と呼ぶことにしている。

ここで若干用語の整理をしておこう。レーニンの『なにをなすべきか？』は、エンゲルス『ドイツ農民戦争』序文にある、「労働運動が成立して以来、いまはじめて、闘争は、その三つの側面――理論的側面、政治的側面、実際的＝経済的側面（資本家にたいする反抗）――にわたって、調和と関連をたもちつつ、計画的に遂行されている」を引用した上で、次のように言っている。

誤解を避けるために言っておくが、以下の叙述においてわれわれが経済闘争と言うときには、いつでも（われわれのあいだで慣用となっている語法にしたがって）、エンゲルスがまえにあげた引用文のなかで「資本家にたいする反抗」とよび、また自由な国々では労働組合闘争とよんでいる、あの実際的な経済闘争をさしているのである。

レーニンの『なになす』はいうまでもなく激しい経済主義批判の書として知られるが、しかしレーニン自身が後年、その一面的読み方を戒めている。だがこれを待つまでもなく、レーニンが経済闘争や労働組合運動、労働者の階級的団結にどれだけ手放しの賛辞を送っていたかは、『なになす』の二～三年前に書かれた有名な論文「ストライキについて」を一読すれば分かることだ。

……労働者がひとりひとりで雇い主を相手にしているかぎり、彼らはいつまでもほんとうの奴隷のままであり、永久に一片のパンと引きかえに他人のために働き、永久に従順な、黙々とした雇い人にとどまらなければならない。しかし、労働者が共同して自分たちの要求を表明し、ふくれあがった財布の持ち主に服従することを拒否するとき、労働者は奴隷ではなくなって人間になる。……どのストライキも、ほんとうの主人は資本家ではなく、ますます声たかく自分の権利を主張している労働者であることを、そのつど資本家におもいださせる。どのストライキも、労働者の状態は絶望的ではなく、彼らはひとりぼっちではないことを、そのつど労働者におもいださせる。……あらゆるストライキは労働者に多くの艱難をもたらす。しかもそれは、戦争の惨苦とにだけ比較できるような恐ろしい艱難——家族は飢え、賃金は取れず、しばしば逮捕され、自分の職をもっている住み慣れた町から追放される——である。そしてこれらすべての惨苦にもかかわらず、労働者は、同僚全体にそむいて雇い主と取引するものを軽蔑する。ストライキの惨苦にもかかわらず、近隣の工場の労働者は、自分たちの同僚が闘争をはじめたのをみると、いつも志気の高まりを感じる。……ストライキの精神的影響はそれほど偉大であり、一時的にもせよ奴隷たることをやめて、金持ちと平等の権利をもった人間になっている自分の同僚たちの姿は、それほど労働者に伝染的に作用するのだ！　あらゆるストライキは、巨大な力で労働者を社会主義の思想に——資本の圧制から自分自身を解放するための全労働者階級の闘争という思想に導く。

……ドイツのある内務大臣が、かつて国民代表を前にして「あらゆるストライキのかげから革命のヒドラ（怪物）が顔を出す」と述べたのも無理からぬことである。

……ストライキは、工場主の全階級と専権的・警察的政府とにたいする全労働者階級の闘争について考えることを、労働者におしえる。それだからストライキを「戦争の学校」とよぶのである。それは労働者が、役人の圧制と資本の圧制とから全人民と全勤労者を解放するために自分たちの敵にたいする戦争をおこなう道を学ぶ学校である。

もう十分だろう。しかし重要なのは、レーニンはこの論文でも、決してストライキへの賛辞だけで話を終わらせていないことだ。レーニンは論文の最後で、「しかし、『戦争の学校』はまだ戦争そのものではない」として、「政府の圧制から全人民を解放し、資本の圧制から全勤労者を解放するためにたたかう社会主義的労働者党をつくる」ことの必要性を結論としてしっかり強調しているのである。そしてこのようにストライキという経済闘争に絶大な賛辞を送ったレーニンが、『なにをなす』では例えば次のように経済主義者を激しく攻撃するのである。

経済的利益が決定的役割を演じるからといって、したがって経済闘争（=労働組合闘争）が第一義的な意義をもつという結論には、けっしてならない。なぜなら、諸階級の最も本質的で「決定的」な利益は、一般に根本的な政治的改革によってはじめて満足させることができるし、とくにプロレタリアートの基本的な経済的利益は、ブルジョアジーの独裁をプロレタリアートの独裁とおきかえる政治革命によって、はじめて満足させることができるからである。

これは「政治闘争における『段階論』」を批判している言葉である。もちろんレーニンはここで何か矛盾したことをいっているのではない。労働者の自然発生的な経済闘争が彼らを「社会主義の思想」に導く偉大な学校であることを言葉の限りをつくして称えながら、しかし労働者の経済的要求の貫徹は究極的には政治革命によってのみ可能であるということを言っているだけだ。当時においてはストライキこそ労働者の団結と労働組合の出発点だったが、レーニンはその意義を十分強調しつつ、しかし労働者が資本と国家との間で本当の「戦争」をはじめようとするのなら、それだけでは不十分だ、労働者の党をつくらなければならないと言っているのである。〇七年『前進』新年号での先に引用した文言「政治決戦一般を対置してはならない」云々は、ここでレーニンがいう「戦争」＝政治闘争、政治革命の否定以外の何ものでもないのである。

7　「階級的労働運動路線」について②

そしてこのような政治闘争からの全面的召還は、そのまま労働運動と革命運動の切断、労働運動と革命運動の間に万里の長城を築くことを意味している。それは、政治闘争についての、すでに引用したようなレーニンや本多著作選の定義からも明白である。このように言えば、必ず、いやわれわれは「労働運動の力で革命をやろう」と言っているという反論が返ってくるだろう。私は、若い青年労働者、学生諸君が元気よくこのようなスローガンを叫ぶことに目くじらを立てるつもりは全くない。しかし革共同がただこれに乗っかり、これを、あたかも革共同の綱領的スローガンであるかのごとく扱うのなら、「ちょっと待ってくれ」と言わなくてはならないのである。私がここで言いたいのは、「革命」を云々していることではなく、そこにいたる道を「労働運動の力で」と狭め、限定していることである。「ストライキの力で革命をやろう」を綱領とするのは、社会主義協会ではあってもレーニン主義の党ではないだろう。

強調しなければならないのは、革命とはもっと豊かで、壮大で、ダイナミックなものだということである。「ドレフュス事件からも革命は起こる」という言葉がある。もっと身近な三里塚の例をあげよう。六六年に三里塚で闘争が起こり、間もなく全学連が支援に行くと聞いたとき、まだ学生だった私は一瞬戸惑った。民間空港では反基地闘争にならないし、農民という小ブルが自分の私有財産を守るのをなぜ応援に行くの？　だがそれが私の浅はかさだけを示していることはその後の歴史が示している。三里塚がなければ、革共同の七〇年代も、八〇年代もないことは明白ではないか。狭山闘争についても言える。誤解を与えかねない言い方を敢えてするが、事件そのものは一部落青年をめぐる冤罪事件にすぎない。しかしあの狭山闘争から、どれだけ多くの活動家が育ち、巣立っていったか。狭山事件は日本のドレフュス事件である。

さらに極く最近の出来事でいえば、一体誰が、沖縄の集団自決に関する教科書の記述問題で、あのような沖縄県民の決起が起こると予想できたろうか。あれをどこどこの労働組合がヘゲモニーをとったか否かというような話に切り縮めることに私は反対である。あれは、誰が指導したのでもない、地面から湧くように出てきた沖縄住民の怒りの決起であり、ヤマトへの告発なのだ。ここにこそ注目しなければならないのである。一言でいえば、革命への水路は無数にある。どれが重要で、どれが重要でないなどということを決める権限は革命党にはない。だから全面的政治暴露が必要なのだ。労働運動の基軸的・

土台的重要性のうえに、このことをしっかり確認しなければならない。

レーニンは『なになす』の中で、「経済主義者たち」の「労働者の階級的・政治的意識を、いわば労働者の経済闘争の内部から、つまり、もっぱら（でないまでも主として）この闘争から出発して、またもっぱら（でないまでも主として）この闘争にもとづいて発達させることができるという確信」は「根本的にまちがっている」とした上で、「社会民主主義者は、住民のすべての階級のなかにはいっていかなければならない」と言っている。そして『なになす』の重要な結論のひとつである「全面的政治暴露」の意義を強調して次のようにいっている。

われわれがそういう暴露を組織するなら、どんなに遅れた労働者でも、学生や異宗派、百姓や著作家を罵倒し、これに暴行をくわえているのは、彼、労働者自身をその生活の一歩ごとにあのようにひどく抑圧し、押しつぶしている、まさにその同じ暗黒の勢力であることを、理解するか、でなければ感じるであろう。だがそれを感じた以上、労働者は自分でもこれに反応したいという願望、しかも抑えきれない願望をいだくであろう。そのときには彼は、きょうは検閲官にやじをとばし、あすは農民一揆を鎮圧した知事の家の前でデモをおこない、あさっては異端糾問の仕事をしている法衣をきた憲兵どもに思い知らせる、等々のことをやれるようになるだろう。われわれは、全面的な、生なましい暴露を労働者大衆のなかに投げ込むために、まだきわめてわずかなことしかやっていない、いなほとんどなにもやっていない。

労働者階級への圧倒的な信頼感こそ、レーニンにこのような主張をさせているのである。レーニンはこの段階ではもっぱら「住民」という言葉を使っており、帝国主義と民族・植民地問題に本格的に言及するのはずっと後である。しかしともかく、この帝国主義の住民支配の一環としての民族抑圧や社会差別の問題に労働者や共産主義者がどのような態度をとり、政策でかかわるべきかは、レーニン主義的革命論の根幹をなしている。労働者の階級的団結の真価を問う問題として横たわっている。広島部落差別事件について、部落解放運動に直接かかわった経験のない私に多くのことは言えない。しかしそんな私にも言えることはあるし、言わなければならないことはある。

第一に、まず一人の被差別部落出身の若い女性が、ある会議での討論の中で差別発言を受けたと感じたのは事実ではないのか。そこまで否定するのか。そんな感じを受けたというのは、もしかすると本人の勘違いかもしれない。悪意をもった誰かによってそう誘導されたのかもしれない。そもそも、こういう問題では別に会話をあらかじめ録音しているわけではないだろうから、必ず、言ったとか、言わないとかいう話になる。だが、だからこそ「事実確認会」が必要ではないのか。それを差別したといわれている側がボイコットするとは何事か。

第二に、二四全総における部落解放闘争に関する特別報告の凄まじい内容である。問題の討議が党内路線論議であり、共産主義者間の論議であるということから、これを「『部落民対一般民』の議論にすりかえることは間違い」と断定し、「(党組織に属する部落民は)プロレタリア自己解放の党という普遍的立場に立ちきって、そこから部落民としての自己解放を措定し、あえていえば相対化する(決して否定ではない)立場に徹底的に立脚して問題を考える必要がある」としている。こうした議論の組み立て方からは、かつてスターリンが、ソ連は社会主義国家だからもう民族などない、そこにおける民族主義や民族的自己主張などは反革命だと言って、ソ連を、「諸民族の牢獄」と呼ばれた帝政ロシアを上回る諸民族の牢獄にしていった歴史を思い出さざるをえない。

第三に、同報告が「このような本来、党内議論の範疇に属する問題を、差別糾弾闘争にしていくことは、本質的にY的あり方そのもの」としていることである。AD革命がつきだしたY問題とはいつからこんな言葉で定義されるようになったのか。これはY問題をめぐる話のすり替えの完成であり、白を黒と言いくるめるデマゴギーに類する言辞である。それにしても何という愚かなことを言い出すのか。この広島部落差別事件を、私は〝労働運動原理主義路線〟の最も深刻な結論、そしてAD革命の簒奪・改竄の最も耐え難い結論と見なさざるをえない。

8　党的全体性をとりもどすこと

「階級的労働運動路線」の問題は、ただそれが政治闘争や諸戦線の闘いを放棄するところにとどまらない。それは労働運動のあり方そのものにも大きな変質をつくり出している。それを最もどぎつく表現しているのが、今年の秋口から言われ出しているいわゆる「動労千葉特化論」である。

「特化」という言葉を目の前にあるパソコンの辞書で調べれば、「他と異なる特別なものにすること」とある。それでは「動労千葉を他と異なる特別なものにする」とはどういうことか。これでも私はずっと以前から、「動労千葉の闘いに学ぼう」とか、「第二、第三の動労千葉を」などということを繰り返し言ってきた人間である。動労千葉はもちろんひとつの職能別組合だが、その闘いの歴史には他の組合運動においても参考にするべき普遍的教訓が多くつめこまれていると思ってきたからだ。だから動労千葉の教訓を普遍化することこそ必要である。だがそれを「特化する」＝「他と異なる特別なものにする」とは何事か。私は、動労千葉特化論などというものに一〇〇％反対である。問題の核心にあるのは何か。それは、動労千葉特化論が、結局のところ党＝革共同の否定・解体・蒸発の行き着くということである。

私は今年も盛大に開かれた一一月労働者集会の意義について全面否定するつもりなど全くない。一二年前に始まる一一月労働者集会は、「闘う労働組合の全国ネットワークをつくろう」を一貫した合言葉として開かれてきたが、それは闘うナショナルセンター不在の中で、連合・全労連に代わる労働運動の新たな潮流づくりに重要な役割を果たしてきた。また日米韓三国連帯も、戦争と新自由主義の嵐が吹き荒れる世界情勢、とりわけ東アジア情勢の中で極めて重要な役割を担っていると思う。そしてその中軸に、国鉄分割・民営化以来不屈の闘いを貫いてきた動労千葉の存在があることも全く疑う余地がない。

さらに特に今年のそれにおいては、青年労働者・学生の登場を含め、新たな活力を感じさせた。五月テーゼ以来の停滞・足踏み状態を打ち破るひとつの道、ひとつの勢い、ひとつの可能性をそれが照らし出していることは事実である。だが、その上で、にもかかわらず私は、この道、「階級的労働運動路線」の下で、一一月集会に全てを集約し、一一月集会を年間を通しての全ての総括軸するような道は、労働運動という次元においても決して正しい道ではないと考えていると言いたいのである。

小さな問題から指摘するが、まずこの一一月集会をやったから憲法闘争をやったことになるなどと主張するのは、ただマンガという以外にない。年一回開かれる労働組合運動の新潮流づくりをめざす集会に憲法闘争の全てを解消するなどというのは、きたる国民投票に憲法闘争の全てを委ねる日共＝「九条の会」と同じぐらい無責任な方針であり、憲法闘争からの完全な召還である。「攻めの改憲闘争」などという言葉で騙そうとしても無駄である。また、三国連帯は重要だが、「労働者に国境はない」ことを確認することが七・七思想だなどというのは、革共同の基本路線、革命観、世界観に対する純然たる無知をさらけ出すだけである。だがこれらはほんのささやかな問題に過ぎない。より深刻で、根本的な問題は、革共同と労働運動との関係の問題である。

私は革共同は、いまいちど三全総の原点に戻るべきだと思っている。つまり「社共に代わる闘う労働者の党をつくろう」ということである。職場生産点に革共同の細胞をつくるということを、いま改めて一切の総括軸にすえなければならない。だがもちろん革共同の歴史が繰り返し確認してきたように、それは決して真空の中で達成されるのではなく、革共同がその時々、その場所々々での経済闘争や政治闘争に全力で取り組むこと、つまり「党としての闘争」を全力で展開することと一体的にのみ実現できることである。

もちろん三全総のときと今とでは、決定的な違いがある。かつては総評労働運動という民同左派的限界があるとはいえ、巨大な階級的労働運動が存在したが、いまはそれがないということである。その中で労働運動を階級的に立て直すこと、闘う労働組合の全国ネットワークをつくり、連合・全労連に代わる新しい労働運動の潮流形成をめざすことが、今日的な「党としての闘争」の中で決定的に大きな位置を占めていることは間違いない。しかしそれがどれほど大きな位置を占めていようと、それは「党としての闘争」の重要なひとつではあっても全てではないはずだ。だが最近の「一一月集会全て」論では、

「党としての闘争」どころか、「党のための闘争」も全てここに流し込み、解消されているようにみえる。革共同建設などどこかに吹き飛び、一一月集会を牽引するマル青労同、マル学同建設が叫ばれているだけだ。このような議論は、革共同が長年築いてきた組織論、運動論、革命論の完全なる解体・清算である。

その組織的結論は、結局革共同を、労働者党あるいは労働者党をめざす組織から、労働組合ないしはそれに毛の生えたようなものに作り替えるということだ。最近の組織問題をめぐる議論の中で、中央労働者組織委員会が政治局に準ずる指導機関とされ、それは労働者党員で構成され、常任＝職革からなる労対はそれをサポートする役回りのようなことがいわれている。だがこれは労働組合における執行委員会と書記集団の関係のようなものであり、労働者党の組織論の中に労働組合の組織論を密輸入するものだ。「党の革命」「党の階級移行」の名において。

私はこのような「階級的労働運動路線」に基づく「党の革命」の基底に横たわっているのは「あるべき革共同への絶望」であると思っている。長い歴史の中で蓄積されてきた革共同組織の歪みを動かしがたい前提とする考えである。あるいはこれがもともと革共同のあり方だという錯覚にまで行き着いているかもしれない。五月テーゼ路線の停滞から生じたこのような絶望にはそれなりの根拠がある。だから深刻なのだが、しかし私はこのような絶望は間違っていると思っている。

幾つかを指摘したい。まず「一一月集会全て」論から必然化する画一的動員主義である。これは先制的内戦戦略段階における大衆運動（特に三里塚闘争）で特に顕著であった、「組織をつくるのではなく、組織をぶんまわす」という指導のあり方の究極形態である。もちろんかつてもそれが必要であったように、一一月集会結集運動とその成功が新たな活力を生み出すということは大いにありうるだろう。しかし繰り返すが、それは重要なひとつではあっても全てではないはずだ。これと並んで同時に、あくまで非公然的に、地底深く組織の網の目を張りめぐらしていくための工作もそれ以上に重要なはずだ。これはより困難な課題だろうが、必要不可欠の仕事であり、それはまさに職場細胞の建設とそれを媒介にした、三全総のいわゆる「戦術の精密化」を通してのみ達成されるだろう。一切の総括軸はやはり職場における細胞づくり、党づくりにこそおかれなくてはならない。「一一月集会全て」路線はこのような課題を完全に没却し、押し流しているとしか思えない。

画一的動員主義はしばしば利用主義と表裏の関係にある。この数年でいえば、例えば国鉄や教労に対するかかわりだ。一一月集会成功のために、焦点化している産別の闘いに光をあて、それを利用することは何ら非難されることではない。しかし利用主義になってはいけないだろう。労働者はそんなものはすぐ見抜く。やはり毎年の一一月集会に何人集めるかという尺度だけではなしに、もっと長いスパンで、しっかり腰をすえてこれらの産別の職場に細胞をつくり、公然・非公然、あらゆる戦術の精密な駆使を通して、それを拡大・強化していくことをめざすべきではないか。遠回りのように見えても、このような「党のための闘争＋党としての闘争」の着実な推進こそ、四大産別をめぐる戦略的攻防かちぬくためにぜひとも求められていると思っている。

いまひとつ指摘しなければならないのは、硬直的な「体制内労働運動」批判である。最近の論調では、何か体制内労働運動と階級的労働運動の間にはくっきりとした線が引かれているようなことが言われているが、一体何を言っているのか。あえて言わせてもらうが、今日の日本において労働組合運動というのは、憲法二八条と労働組合法によって保障されているという意味で、そもそも「体制内的」な存在なのだ。だがそこに労働者が存在し、その階級的闘いが生まれるなら、それはこのブルジョア社会を根底的に転覆する砦のひとつになりうるのだ。「体制内」どころではない、レーニンは「反動的な労働組合」の中で革命家は働くべきなのか?として、次のようにいっている。

共産主義者が反動的労働組合に参加しないという、このおろかな「理論」こそ、これら「左翼」共産主義者たちがどんなにかるがるしく「大衆」にたいする影響の問題をとりあつかっているか、彼らが「大衆」についての自分たちの叫び声をどんなに悪用しているかを、きわめてはっきりしめすものである。「大衆」をたすけ、「大衆」の同情、共鳴、支持をかちとるためには、困難をおそれてはならないし、「指導者たち」(日和見主義者や社会排外主義者であって、たいていのばあい、直接間接に、ブルジョアジーや警察と結びついている指導者たち)のがわからする言いがかり、あげ足とり、侮辱、迫害をおそれてはならない。そして、ぜひとも大衆のいるところでこそはたらかなくてはならない。

……共産主義者の任務のすべては——おくれた人たちを説得し、彼らのあいだで活動することができるということであって、頭のなかで考えだした、子供じみた=「左翼的な」スローガンで、彼らと自分たちのあいだに垣をつくることではないのだから。(『共産主義における「左翼」小児病(ママ)』)

もちろん、この「体制内労働運動」批判が、すでに見たような革共同労働者党員の「喜劇的分裂」状態を打ち破るという意識性をもって、特に自己変革的側面から強調されていることは理解できる。だがそのためにこそ必要なのは、職場における細胞の建設であり、そこにおける主体的力量に踏まえた、戦術、組織戦術の具体化・精密化なのであって、当該主体の年齢・性別・経歴や当該職場の労資関係や党派関係を一切無視して、ただ青年労働者の尻馬に乗って、画一的な「体制内」派つるし上げを繰り返すなどということは、階級的労働運動の前進に何の役にもたたないだろう。そこに欠けているのは、党である。

これと並んで、今日の革共同における「子供じみた」暴論としてまかり通っているのが統一戦線の否定である。動労千葉を中心とし、あるいはせいぜい三労組を含んだ統一戦線でなければ、それは「体制内」的と否定する愚かな論調である。

先にその冒頭の言葉を紹介した五月の全国労働者組織委議案には次のような言葉がある。『『体制内労働運動との決別』の反対者は、ドイツ革命において、正に体制内労働運動指導部―ドイツ社会民主党右派が、カール・リープクネヒトやローザ・ルクセンブルグの虐殺者となったことを忘れたとでもいうのか」。そしてローザは「体制内労働運動に対する武装が決定的に弱く」などと批判しながら、「トロツキーの『統一戦線戦術』はスターリン主義に対する甘い認識に貫かれている。味噌も糞もごちゃ混ぜにしたような見事な迷論であるのである」などと言っているのである。それ故彼にも死の破産が突きつけられているのである。ヒトラー・ナチスが台頭する三〇年代ドイツ階級情勢の中で、トロツキーは反ファシズム統一戦線の必要性・火急性を次のように激しく訴えている。

別個に進みともに撃て！　いかに撃ち、誰を撃ち、いつ撃つかだけについて、協定せよ！　このような協定は、悪魔自身とも、悪魔の祖母とも、それどころか、ノスケやグルツェジンスキーとさえ、結ぶことができる。自分自身の手を縛らないという、ただ一つの条件のもとで。（「ドイツ共産党の今日の政策の誤りはどこにあるか？」）

ここにあげられている、ノスケやグルツェジンスキーこそ、ドイツの最も優れた革命家であったローザやカールを虐殺した張本人である。極悪社民そのものである。そんなことは百も承知のうえで、トロツキーは上記のように火を吐くような言葉で、ドイツ労働者階級全体の生存と未来を守るための統一戦線の必要性を訴えたのだ。そしてこれは、スターリンの、ナチスなど政権を取ってもすぐ自己崩壊する、むしろより悪質な、最大の敵は社会民主主義者だという「社会ファシズム論＝社民主要打撃論」に対する批判として圧倒的に正しかったのである。トロツキーの誤り・限界はこのような正しい方針を、結局ドイツ共産党というスターリン主義の党に呼びかけることしかできなかったことである。このような、まさにドイツ労働者階級の命運のかかった正しい戦術を推進する自らの党をもっていなかったということである。

結局ここでも問題は党である。党的原則性、党的綱領性、党的全体性がしっかり中心にすわっているならば、どんな大胆で、柔軟な統一戦線も可能であり、「悪魔とも、悪魔の祖母とも、それどころか極悪社民」とも統一戦線を組むべきときがあり得るのだ。そしてこの党的全体性を欠いたところで、労働運動の単純延長線上に革命を追い求めようとするとき、その主張はただ独りよがりなドグマ主義に陥り、その運動はセクト主義的囲い込みに堕し、まさに三全総が強調してやまなかった「党と階級との生きた全面的交通」を破壊しつくすものとなるだろう。

このような問題が、水準の低い、混乱した党内論議にとどまっているうちはまだいい。しかし現実の階級闘争に持ち込まれた場合は極めて有害なものとなる。多くを語るつもりはないが、対北朝鮮侵略戦争態勢づくりの決定的一環をなす、パトリオットミサイル・ＰＡＣ３の自衛隊習志野基地配備をめぐる地元住民の反対運動に対する、この間の革共同の右往左往的妨害行為などは、ただ醜態というほかに表現のしようがない。

まとめにかえて

論じるべきことは他にも無限にある。特に情勢に関しては、サブプライム問題を引き金とする世界大恐慌の危機、そしてパレスチナからパキスタン危機までを導火線とする世界戦争の危機は恐るべき世界危機の爆発を予感させている。

国内情勢を見れば、安倍政権崩壊によって、永田町は完全に動乱的局面に入ったが、これは日本の全階級・全社会を巻き込む動乱的情勢の先駆けであるにちがいない。日本社会の矛盾はすでに臨界点をこえている。二〇〇〇万を超えるという非正規・ワーキングプアの出口のない怒りのマグマは、日本社会が抱える途方もない大きさの火薬庫である。それは日本の資本主義を爆砕する力を膨らませているし、また新たなファシスト運動の温床にもなりうる。安部内閣は日本会議にハイジャックされた政権と言われていたが、政権崩壊とともに、このファシスト運動の総本山が解体したわけではない。また改憲は日帝と米帝の絶対的な階級意思なのであって、福田政権下でも策動は続いている。そして改憲過程は、政党政治の危機とともに、このような極右勢力を間違いなく解き放つだろう。

憲法闘争とは何かと問われれば、つまるところ、私は、このファシスト的勢力との職場、地域、街頭、学園での衝突に勝ち抜くことにあるのではないかと思っている。ファシストに勝つためには何が必要か。それは一にも二にも、労働者の階級的団結と武装である。トロツキーは言っている。

社会民主主義者、スターリニスト、アナーキストをふくむブルジョア民主主義者は、実際に、いよいよ臆病にファシズムに屈服すればするほど、ますます声高にファシズム反対の闘争についてわめきたてる。幾千万の労働者大衆の支持を背後に感じる労働者の武装部隊だけが、ファシスト隊にうち勝つことができる。ファシズムに対する闘争は、自由主義的な編集事務所からではなく、工場においてはじまり、――そして街頭において終わる。工場内のスト破りと私的な殺し屋は、ファシスト軍隊の基本的中核である。ストライキのピケットはプロレタリア軍隊の基本的中核である。これがわれわれの出発点である。あらゆるストライキと街頭デモンストレーションを結びつけて、労働者自衛グループをつくる必要を宣伝することが絶対に必要である。(「資本主義の死の苦悶と第四インターナショナルの任務」)

憲法闘争は、今日の日本の労働者人民が、迫り来る戦争の危機と絶対的窮乏化・労働地獄の泥沼の中で、戦争と排外主義とファシズムに出口を求めるのか、それとも革命に出口を求めるのかを迫っている。改憲を是とするか非とするかの選択を通して、九条問題を最も鋭い分岐点として、全ての日本の労働者人民が、革命か反革命か、どちらの道を選ぶのかが有無を言わさず迫られるのである。そのとき真に求められるもの、それは繰り返し強調するが、革命的労働者党の存在である。
この意見書の最後に、革共同が結成以来一貫して立脚点としてきた「反帝・反スターリン主義」について触れた、『共産主義者』九号（本多著作選第六巻）に収録されている「四全総討議の深化のために」と題する論文から次の箇所を引用する。

〈反帝国主義・反スターリン主義〉という綱領的立場は、マルクス・レーニン主義的段階におけるプロレタリア世界革命を本質論として継承しつつ、一国社会主義と平和共存論にもとづく現代革命のスターリン主義的歪曲とそれを基礎としたところの帝国主義とスターリン主義の相互依存的な体制化を根底的に打破せんとする真に現代的かつ革命的な立場から打ちだされたものであり、それゆえに永続的に展開される個別革命において支配権力にたいするもっとも根本的な転覆者の立場である。〈反帝国主義・反スターリン主義〉が現代革命の普遍的綱領だということは、世界革命の一環としての日本革命の根底的遂行の過程のなかに、それゆえに、現在的に再生産されている日本労働者階級にたいする搾取と抑圧とそれへの反逆のなかに反帝・反スタの契機が内在していることの実践的・理論的把握をたえず媒介することによって〈われわれにとって真理〉にたかまりうる開かれた綱領的立場に立つということであって、綱領的立場を異にする一切のプロレタリア運動から自己をセクト主義的に区別し召還するためのものではだんじてないのである。

【注】

（1）革同／国鉄革新同志会の略。四八年四月、国労が共産党系と国鉄反共連盟の間で分裂の危機に直面する中で、無党派活動家によって結成された。レッド・パージ以降の国鉄労働運動再建過程では民同左派とともに重要な役割を果たすが、五〇年以降は労農党と結びつき、五七年新潟闘争以降は共産党との関係を深め、共産党の国労内フラクに変質する。

第3章　迷走する「綱領草案」
――あるいは革共同の墓標

二〇〇九年一一月

この文章は、私が離党してから二年足らず後に書いたもので、まだ党員意識が強い。本文中、Aとあるのは中野洋のこと、Bとあるのは清水丈夫のこと。「綱領草案」作成をめぐる清水と中野の苦しい関係と駆け引きを暴いたものである。

1　はじめに

革共同は九月に第二五回全国委員総会を開き、「綱領草案」を決定した。最新の『共産主義者』一六二号は、これを、同総会第二報告「綱領草案の意義と革共同建設の新段階」（綱領起草委員会署名）とともに掲載している。

ところで綱領草案の第一次草案は五月に発表されており、その後、第二次草案、第三次草案を経て、第四次草案が二五全総で決定されている。ここで注目すべきは、第二次草案以降が字句的修正にとどまっているのに対して、第一次草案と第二次草案との間には大きな変化、書き換えがあることだ。筆者の詮索はしない。だが第一次草案の筆者をA、第二次草案以降の筆者をBとすれば、明らかにA≠Bである。そして上記綱領起草委員会論文も基本的にBの筆によるものとみられる。もちろんこれにAその他が多少加筆した可能性はありうるが。

以下見ていくが、この「綱領草案」は結成五〇年を迎えた革共同の墓標である。A（個人ではないかもしれないし、単なるゴーストライターかもしれない）が書いた第一次草案は、この間の「動労千葉特化」路線の実におおらかな綱領化である。これではさすがに「党の綱領」たりえないとしてBが乗り出した。しかしBの第二次草案以降でも痛々しいほどAに気を使っている。にもかかわらずA≠Bを隠すことはできない。こうして「綱領草案」は、今日の革共同が陥った致命的な誤りと根底的亀裂を浮かび上がらせた。二重の意味でそれは革共同の深刻な現在進行的危機をさらけ出している。

2 「党の途上性」と戦略的総路線の蒸発

革共同が「綱領草案」と称する文書をつくったのは今回が初めてである。この点に関して上記起草委論文は、「この綱領草案の採択をもって、革共同は今や、みずからの『党としての途上性』にきっぱりと終止符をうつことを宣言する。一切の甘えを廃し、本物の革命的労働者党として、プロレタリア世界革命に全責任をとりきる党として、あいまいさなくぶっ立つ」とか、「もはや、『党の途上性』を持ち出して言い訳するようなことは一切しない。現実の階級闘争の鉄火の試練のなかに失敗を恐れず真っ向から飛び込んで、全責任を引き受けて闘う」などと言っている。ちょっと待ってほしい。革共同が「党の途上性」を語ってきたのは、「甘え」のためなのか、「言い訳」だったのか、「全責任」を回避するためだったのか。

「反帝・反スターリン主義」を綱領的立脚点とする革共同全国委員会は、一九五九年の結党以来、その決して短くない幾多の闘いを一貫して革命のために闘い抜いてきた。そこでは当然、打倒対象である国家権力の規定が問われた。われわれはそれを帝国主義国家と認識した（日本共産党的対米従属論や社会主義協会的反独占論をこえて）。さらに侵略帝国主義という規定もはっきりさせた（日韓闘争、ベトナム反戦闘争などを通して）。また日帝戦後体制における、日米安保同盟政策、そこにおける沖縄問題の戦略的大きさをとらえた（七〇年闘争を通して）。そして入管、部落問題等々の差別と抑圧をめぐる諸問題が、階級支配とこれを転覆する闘いにとってどれだけ死活的なテーマであるかを認識した（七〇年七・七自己批判）。この中で革共同は、「連帯し侵略を内乱へ」「沖縄奪還、安保粉砕・日帝打倒」などの戦略的総路線を形成してきた。

にもかかわらず革共同が綱領を持とうとしなかったのは、こうした「党としての闘い」とともに、たとえば「段階・過渡・変容・危機」という現代世界認識自体がソ連崩壊以降問い直されている中で、われわれの発足以来の「党のための闘い」もいまだ道半ばという厳しい自己認識からである。「甘え」などの対極にそれはあった。ところが、今回の「綱領草案」においては、革共同が闘いを通して獲得してきた戦略的総路線さえ跡形もなく蒸発している。代わりにあるのは、①労資対立は非和解、②資本主義は最末期、③だから団結すれば革命という、限りなく薄っぺらな、民同も失笑する経済主義的革命論だけだ。そして、ただ、義理のように農業・農民問題、安保・沖縄問題、改憲攻撃、天皇制などの言葉を、文字通り一言、アリバイ的に、しかも「民営化と道州制、労組破壊」などという全く次元の異なる概念と並列させている。特に驚くことは、「抑圧民族と被抑圧民族に分断されてきた労働者階級」「民族・国籍・国境を越えたプロレタリアートの階級的団結」を語りながら、肝心要の日本の労働者人民は抑圧民族の一員であることに完全に口をつぐんでいることだ（第一次草案以来一貫して）。

　第二次草案以降の筆者Bにとってはさすがにここが気になったのだろう、上記起草委論文で次のように弁解している。「たとえば民族解放闘争とプロレタリア革命との関係について、今回の綱領草案ではそれ自身をより突っ込んでテーゼ化することはしていない」「民族解放闘争にかんして、血債主義ではなく階級的立場から正しく全面的に提起できる内容を獲得するためには、実践におけるいま一段の突破を必要としていると考えたからである」「これらの点は、党と階級の闘いがさらに飛躍的な大前進をかちとったうえで、綱領の改訂が課題となる時期が来れば、その時に解決すべきこととしたい」。一体いまさら何をいうのか。かの広島部落差別事件と直結していた〇七年「七月テーゼ」は、「階級的労働運動路線」の名において七・七精神、血債の思想の解体を「テーゼ化」したものではなかったのか。なぜそれを堂々と綱領に盛り込まないのか。だがBはそれをせず、問題を将来の「綱領の改訂」に先送りした。最初から「改訂」を云々せざるをえない「綱領」。今日の革共同中央における深刻な綱領的動揺・亀裂がかいま見えてくる。だが、こうした動揺・亀裂の背後には、「プロレタリア性の強制と刻印」（七月テーゼ）と称して、あらゆる大衆運動、統一戦線、差別・抑圧との闘いを解体する先頭に、今日の革共同が立っているという痛苦な現実がある。

３　時代に吹き飛ばされた革共同

革共同がいまだ建設途上の党である（だから「党」ではなく「同盟」を名のってきた）という自己認識をもってきたのは、理論面とともにより大きく実践的側面からきている。革共同は、決して無為の五〇年を過ごしてきたのではなく、文字通り満身創痍の闘いにつぐ闘いの歴史を積み重ねてきた。しかし革共同は、いまだその出発時から目標にしてきた「社共に代わる闘う労働者の党」にはほど遠い少数派にとどまっている。労働運動をはじめあらゆる面でいえるが、一番わかりやすい言い方をすれば、いまだ国会議員一人もてない党派だということだ。

革共同は極めて早い段階から、選挙（もちろんブルジョア議会選挙）を重視してきた。その嚆矢となるのは、六二年三全総→第三次分裂前夜の黒田寛一を候補者とした参議院選挙である。結果は惨敗に終わるが、分裂後の六四年五全総第三報告で、本多延嘉（当時書記長）が「まことに、三全総は参院選参加によってかちとられたのである」と総括していることは特記に値する。三全総は周知のように、戦闘的労働運動の防衛と地区党建設を大きなふたつの柱として確認した。特に後者は、党を何か労働運動のフラクのようなものとする考えではなく、あくまで革命（プロレタリア独裁とソビエト建設）を今日的に準備する組織として建設しようという方針だった。そしてこの地区党建設は革命的議会主義の確認と一体だった。

実際革共同は、第三次分裂後の革マル派が選挙闘争から完全に召還するのに対し、主に杉並を戦場とする都議選、区議選を軸に選挙闘争にとことん執着してきた。選挙とはいうまでもなく一定の地域の全住民を対象とする政治闘争であり、最大の大衆運動であり、党派闘争であり、平時における権力闘争である。選挙といっても区議選、市議選レベルなら、候補者の特性に応じて、例えば反戦、例えば福祉、例えば教育等々に主張を絞っても当選は可能だ。だが国政選挙やそれに準ずる都議選レベルでは、当選ラインの桁がひとつ違っており、勝利のためには必ず主張・公約の全体性が求められる。

一人のリープクネヒトをもつということは、党が真に党的全体性（革命に向けての合法陣地の形成という意味も含めて）を獲得するということの欠くことの出来ない一部分なのである。革共同はこうして六五年以来、杉並都議選に挑戦し、対革マル戦下で一時区議選だけに撤退を強いられるが、八五年以降再び都議選を闘い続けて昨日までできたのである。革共同はそれを、自らの途上性を乗りこえるための、避けて通ることの出来ない試練として引き受け、挑戦し続けてきたのである。

一言つけ加えれば、選挙は革命党にとって避けられないだけではない。労働組合にとっても基本的に選挙ボイコットなどという方針はありえない。実際動労千葉も、市・町議選レベルでは自前の候補で一部闘っても、県議や国政選挙レベルでは、主に社会党・社民党候補を推薦してきたのである。動労千葉が極少数組合であるならともかく、一定の大衆的基盤をもった労働組合として闘っていこうとする限り、これは当然の選択である。

だが革共同は、今年の七月都議選を二十数年ぶりに見送った。いうまでもなくこの都議選は、八月総選挙の直接的前哨戦であった。まさに半世紀以上続いた自民党支配の崩壊という歴史を画する選挙戦であった。だが都議選をパスした革共同はこの政治の大激動と全く無縁だった。このパスは直接には、○七年に杉並の現職党員区議二人を除名するという愚行に走った結果である。これは革共同の「党のための闘い」「途上性止揚のための闘い」の取り返しのつかない後退を強いた。

しかるに悪い冗談とでもいうしかないが、この決定的瞬間に、革共同は、歴史的な総選挙をめぐる、生きた、ダイナミックな、全階級的攻防に背を向けながら「綱領草案」なるものをつくり、「もはやわれわれは途上性などと甘えたことは言わない」「全責任を引き受ける」などと声高に叫んでいるのだ。言葉を正確に使おう。革共同は「綱領草案」によって途上性を乗りこえたのではない。「綱領草案」によって「途上性を乗りこえる」闘いを放棄し、「全責任を引き受ける」ことから逃亡したのである。時代（八・三〇情勢）から完全にはじき飛ばされた存在に成り果てたのである。

4　労働者階級は「古い汚物」と無縁か

A執筆の第一次草案とB執筆の第二次草案以降（二五全総で決定された第四次草案＝最終草案まで）の違いについてまず見ていくことにする。

第一次草案を一言でいえば、「党と国家を蒸発させたのっぺらぼうな〈団結＝革命〉論」とでもいえるだろう。動労千葉特化論、階級的労働運動路線、ズブズブの経済主義・組合主義、体制内派批判という名の現代版「社会ファシズム論」に基づく「革命綱領」である。それを厚化粧するために繰り返し持ち出されるのが、極めて原理主義的に一面化・形骸化されたエセ・マルクス主義である。例えばそこでは「資本家と労働者の非和解性」が繰り返し強調される。しかし第一次草案には、「非和解性の産物としての国家」について忘れたプロレタリア革命の定義づけとして次のような記述箇所がある。

「一切のかぎは、労働者階級の団結にある。資本の支配のもとで徹底した分断と競争にさらされている労働者が、この分断を打ち破って階級としてひとつに団結して立ち上がるならば、その団結の発展の中に、奪われてきた人間本来の共同性が生き生きとよみがえってくる。……プロレタリア革命とは、労働者階級がこの団結の力で資本家階級の支配を打ち倒し、搾取階級の存在そのものを一掃し、資本家階級の私有財産とされてきた社会的生産手段のすべてを団結した労働者のもとに奪い返し、自らの手で全社会を再組織することにほかならない」。この短い引用文には、「団結」という単語が五回も出てくるが、「国家」という単語は一回も出てこない。だが「搾取階級を一掃」するためには、その前に「国家権力の転覆」が必要ではないのか。国家との闘いなき「団結→革命論」はほとんど宗教。ただ「団結」を拡大していけば「革命」に行き着くなどというのは、社会主義協会の「ゼネスト革命」論以下。協会派は少なくとも社会党支持の選挙運動は熱心にやっていたのだから。さすがに第二次草案からは、上記引用箇所のうち、「搾取階級の存在そのものを一掃し」という文言を、こっそりと「ブルジョア国家権力を粉砕してプロレタリア独裁を樹立し」という表現に置き換えている。

公正を期すためにことわっておくが、第一次草案でも、「プロレタリア革命をやりぬくためには、労働者階級はまず、ブルジョアジーの手から政治権力を奪取して、自らを支配階級に高める必要がある」として、プロレタリア独裁の意義を強調した箇所がある。だがここにも、筆者Aの単なる経済主義というよりも、反マルクス主義といった方がいい尻尾がのぞいている。次の記述に注目しよう。「プロレタリア独裁の樹立は、ブルジョアジーの抵抗を完全に打ち破るために必要であるだけではない。労働者階級がこの革命をとおして階級社会を最終的に廃止し、社会主義・共産主義の社会を建設する能力を実際に獲得していくためにこそ必要である」。どこかで聞いたことがあるセリフだ。マルクスの有名な言葉、「革命は、支配階級を打倒するには他にどんな方法によってもなしえないという理由から必要であるばかりではなく、さらに打倒する階級は革命においてのみいっさいの古い汚物をはらいのけ、新しい社会建設の能力を付与されるにいたりうるという理由からいっても必要なのである」（『ドイツ・イデオロギー』）である。第一次草案がマルクスをリフレインしようとしていることは明白だ。ただし、ほんのちょっとだけ修正して。つまり「いっさいの古い汚物をはらいのけ」という文言を削除して。

だがこれはちょっとだけではすまない。一言でいってマルクス革命論の核心の否定である。革共同が革共同であるゆえんの、〈対象変革と自己変革〉という革命観の原点的・立脚点的な解体である。このような削除は、意識的行為以外に考えられないが、いかなるメッセージを孕んでいるのか。労働者階級への絶対的・無条件的信頼、労働者はあるがまま、このブルジョア社会においても「古い汚物」などとはいっさい無縁、そのまま階級的で、革命的だといいたいのだろう。ここにあるのは、労働者階級への民同的へつらいであり、プロレタリア革命に関する驚くべき無知であり、革命的共産主義者の党とは完全に無縁な思想への転落である。こうした思想をスターリン主義と断罪し、自らのうちにある「古い汚物」の切開を通して革命的共産主義運動は前進してきたのではなかったのか。かくてここでも第二次草案以降では、こっそりと「旧社会の汚物を一掃し」という言葉を挿入している。だがここであげた二箇所の極めて重要な修正・加筆について、「綱領草案」作成の経緯を述べた起草委論文は無言を貫いている。

5　主語は「われわれ」か「わが党」か

さてより大きな問題は「党」である。今回の「綱領草案」は、言うも愚かなことだが、革共同という革命党をめざした組織の「綱領草案」である。当然主語は、革共同ないしは党でなければならない。だがどうも第一次草案ではそこからして怪しい。第一次草案の冒頭の項目の小見出しは「われわれの目的」、これに対して第二次草案以降では「わが党の目的」に変わっている。これは多少の違いなどではない、根本的違いである。「われわれ」とは一体何を指すのか。党なのか、階級なのか、労働組合なのか。この何が何だか訳のわからない主語に変えて、あくまで党が主語であることをはっきりさせたところに、第二次草案以降の最大の転換がある。言い換えれば、Bにとって第一次草案で一番受け入れがたかったのは、党を蒸発させていたことだということだろう。

この点にかんしては、さすがに上記起草委論文も触れざるをえなかった。すなわち、最終草案はまず「党について」述べ、続いて「労働組合についての規定」に述べているが、「第一次草案ではこの順序が逆になっていた。第二次草案以降、これをひっくり返して党の問題から書くとした。ここには重要な考え方の転換と発展的再整理があることを提起しておきたい」と記している。「発展的再整理」とかなり苦しい言葉に続いてあれこれ弁解しており、それはどうでもいいのだが、重要なことはそこで「プロレタリア革命の本質的な目的意識性が党を絶対に必要とする」と記述していることだ。当たり前のことではあるが、問題は、労働組合から書き出すか、党から書き出すかなどという「順序」のレベルの問題ではない。まさに起草委論文自身が告白しているように、ことは「プロレタリア革命の本質」の理解に関わっているのである。

第一次草案では、「革命の核心問題」の項目で労働組合の意義について述べ、党の意義については、次の項目「当面する任務」で触れている（「党」は「当面する任務」でしかない！）。要するに「プロレタリア革命の本質」の理解がまるで逆立ちしているのである。そして次のようにいう。「労働者は、労働組合に結集して資本に対する日常的なゲリラ戦を闘う中で、自らの力にめざめ、資本との非和解的関係に目ざめる。そして、賃金奴隷制の転覆なしに自らの解放はないことを自覚し、その目的を達成するための意識的行動を開始するのだ」。最後のパラグラフが要注目だ。一言でいえば、労働組合に結集して闘えば、労働者は賃金奴隷制転覆の目的意識的行動を開始する、ということだ。なるほどこれなら党など無用である。労働組合で闘えば、その延長で革命に行きつく。

第二次草案以降は、明確にこの記述の否定として、冒頭の「わが党の目的」の項目で次のようにいっている。「この目的を実現するために、プロレタリアートは、自らを独自の政党（革命的労働者党）に組織して闘うことを必要とする。プロレタリア革命は、階級対立の中から自然に成長して実現されるものではなく、自らの歴史的使命を自覚したプロレタリアートによるブルジョアジーの打倒・労働者階級の政治権力の樹立という、目的意識的な闘いをとおして初めて達成される」。「労働運動の力で革命をやろう」なる路線のあからさまな否定である。これを単なる記述の「順序」の問題として説明するなどというのはいかにも無理がある。

第一次草案の最後の方で党について触れた箇所はあるが、党の独自的意義の記述は皆無、ただ「闘う労働組合と一体」とか、「党と階級は一体」などの空語を並べている。労働組合の強調の裏には解党主義が張り付いている。さしあたり党を、労働組合が雇っている書記集団に毛のはえたようなものにしようとしている。今日革共同がDWD化までしている本多著作選第一巻では、「プロレタリア革命の共産主義的な目的意識性に無自覚な日和見主義的傾向は、往々にして、いわゆるソビエト形態を美化する表現をとってあらわれるものである」(「レーニン主義の継承か解体か」)と書いている。労働組合での闘いそれ自体が、労働者を革命への「目的意識的行動」に導くなどという議論は「日和見主義」以下といわねばならない。

こうして「綱領草案」は、第一次草案が基本的に没却してきた国家と党をめぐる幾つかの規定をよみがえらせ、さらに第二次草案、第三次草案まで抹殺してきた「レーニン」「レーニン主義」という言葉を、なぜか第四次草案で初めて持ち出している。だがこれで「綱領草案」は、まともな革共同の「綱領草案」になったのか。とんでもない。

6　マルクス「労働組合」論の一面的引用

重要なことは、第一次草案のように、特に「党」を完全に清算した「綱領草案」なるものが革共同の名においてなぜ作成されたかということである。筆者A個人の単なる過ちの産物として第一次草案は生まれたのか。そうではないだろう。こんな草案がいったんは作成され、少なくとも党内では公開されたのには、それだけの理由がある。それは結論的にいえば、このように党を忘れたところで労働運動・労働組合の意義を自己完結的に強調・反芻するような運動が、この間、何年もの間、革共同内外で一定組織されてきたという現実である。だがなぜこんなことが？　さらにこの背後にあるのは、党が、党をめざす革共同が、とりわけ労働運動、労働組合運動の桎梏になってきていたという厳然たる事実である。いいかえれば、それは革共同の長い歳月を通しての官僚主義的な変質の問題である。しかし第二次草案以降の筆者Bはここにメスを入れず、「労働組合」の重要性をしきりに強調することで第一次草案的な考え方に最大限すり寄りながら、党そのものについてはその変質は不問にし、それを打破するどころか、居直り、完成させようとしていると言わなくてはならない。問題の核心はまさにここにある。

「綱領草案」は、労働組合の革命的意義を強調するために、第一次草案以降一貫して、第一インターナショナルの決議「労働組合、その過去・現在・未来」のある箇所を引用している。第一次草案はそれを意訳して、不正確に紹介している（先に引用した「ゲリラ戦云々」がそれ）が、第二次草案以降では、正確に「労働組合は、資本と労働とのあいだのゲリラ戦のために必要なのであるが、賃労働制度そのものと資本の支配を廃止するための組織された力としてより一層重要である」（「その過去」から）をカッコつきで紹介している。さてこの決議は、一八六六年の第一インターナショナル第一回大会のマルクス執筆の決議で、一言でいえば、労働組合とは何か、それはいかにあるべきかを提起したものだ。なお「その現在」の部分では、「労働組合は、これまで、あまりにももっぱら資本にたいする直接の闘争だけを念頭においてきた。労働組合は、今日の生産制度に対抗しての自分自身の行動力をまだ完全には理解していない。そのため労働組合は、一般的な社会運動や政治運動から遠ざかっていた」と述べ、「その未来」

の部分では次のように言っている。「労働者が資本の直接の侵害に抵抗することとはべつに、今後労働組合は、労働者階級の完全な解放という偉大な利益のために、労働者階級の組織化の焦点として意識的に行動することをまなばなければならない。労働組合はこの目標にむかってすすむあらゆる社会的・政治的運動を支持し、自分を全階級の行動的闘士かつ代表者とみなさなければならない。もっとも劣悪な賃金をもらっている職業、たとえば、例外的に不利な事情のためにこれまでごくわずかな組織的抵抗さえおこないえなかった農業労働者の利益に、注意ぶかく心をくばらなくてはならない。労働組合が、その目標が狭量な、利己的なものではけっしてなく、ふみにじられた幾百万人の全般的解放にむかってすすむものであるという確信を、労働者階級の広大な大衆に、きざみつけるであろう」。

以上幾つかの引用からも明らかなように、この決議の言おうとするところは、労働組合は、決して組合員の狭い、職業的な、経済的な利益のためだけでなく、政治運動、社会運動を含む、全階級・全人民の解放のための闘いの先頭に立たなければならない、ということである。極めて重要な提起である。必要なことは、その全体を正しく理解することである。その一部をつまみ食いして、経済主義の粉飾のために床の間にすえることではない。しかもここでしっかりと注意しなければならないのは、ここでは党の問題は語られていない、党と労働組合の関係の問題には触れていないということである。ここを忘れ、この決議の不正確な、一面的な引用から、何か労働組合運動の直接的延長上に革命が勝ち取れるかのごとく主張するとすれば（第一次草案がまさにそれだが）、それは一〇〇%の誤りに転化するのである。このことを十分自覚しているのが筆者Bで、だからそこでは、先の引用に続いて、「労働組合は、党の闘いを媒介として、職場生産点における資本との日常的な闘いをとおして個々の労働者を階級として団結させるだけでなく、革命の主体として打ち鍛える……」(最終草案)と記している。ここでもこっそりと、さりげなく「党の闘いを媒介にして」という文言を挿入しているのだ。そして起草委論文では、さかんに「党と労働組合の結合が不可欠」であることが強調されている。

党と労働組合の関係は、国際階級闘争の歴史の中で長く論争されてきたが、極めて重要な位置をもっていたのが、一九〇七年のシュトゥットガルト国際社会主義者大会(第二インターナショナル第七回大会)での決議である。レーニンの言葉を借りれば、「シュトゥットガルトでは、問題は、本質的にいって、労働組合の中立性か、それとも組合と党とのますます緊密な接近か、というふうに出された」。そして「この決議のなかでは、中立性または無党派性は、一言も述べられていない。反対に、労働組合と社会主義政党とのかたい結びつき、およびこの結びつきを強める必要が、まったくはっきりと承認されているのである」。注目すべきことは、この歴史的な決議が、同じ大会における、ベルンシュタインなどの主張する「社会主義的植民地政策」を退ける決議と一体のものとして勝ち取られたことだ。わが「綱領草案」は、最終的にはこのシュトゥットガルト決議などを少なくとも形のうえでは踏まえて書かれているが、真にその中身を受け継いでいるだろうか。

7　「一一月集会」路線と三全総路線

まず問題は、「綱領草案」が第一次草案にみるような明白な誤り、その背後にある実践の問題について何も触れず、何も総括せず、極めて重要で根本的な転換を、なし崩し的に、こっそりと図ろうとしているところにある。それでは、背後にある実践的問題とは何か。もちろんこの数年間の、「労働運動の力で革命を」とか、「団結の究極的拡大が革命」などのスローガンを掲げた青年労働者の運動が担ってきた役割と誤謬という問題もある。しかしここでより大きく問わなければならないのは、いわゆる「一一月集会」、つまり一一月集会一万人結集を年間を通しての最大の総括軸とする、露骨に言えば「馬車馬動員主義的一一月集会総結集運動路線」の問題である。一一月労働者集会とは、「闘う労働組合の全国ネットワークづくり」の運動で、ここには直接は「革命党」はない。「党」はただ動員を実現するための手段として位置づけられているにすぎない。

上記起草委論文は、「綱領草案」の逐条的解説に続いて、革共同の歴史に一章をもうけ、特に革マル派との分裂の引き金となった六二年三全総路線について詳しく論じている。筆者の三全総の原点に革共同は戻らなければならないという意図は分かる。しかし他方では、「何を今さら三全総だ」という気持ちを抑えることは出来ない。そもそも、三全総路線と、「一一月集会オンリー」路線とは全く似ても似つかぬものである。三全総路線は、地区党建設から反戦・政治闘争、革命的議会主義など多面的に提起しているが、「戦闘的労働運動の防衛と創造」の一点に限っても、その違いは明白である。三全総はいうまでもなく「党と労働者大衆との生きた、全面的交通」を打ち出したが、それは決して労働運動の単なるノウハウを論じたものではなく、当時の階級情勢下における、革命と革命党建設に向けての戦術的環を開示したものであった。その目標は革命と革命党建設にあった。

三全総路線とは、一言でいって、そのころまでの革共同ないしマル青労同メンバーにあった、ダラ幹批判と学習会という独自活動で己の革命性は自己確認しながら、職場生産点では民同とあまり変わらない組合活動に終始するという分裂したあり方を、左翼空論主義的セクト主義の克服も含めて乗りこえ、民同でも日共でもない、革命的共産主義の立場からする戦闘的労働運動の防衛と創造を勝ち取ろうとするものであった。ここから学ぶことは今日も多い。だが三全総当時はあまりにも当たり前のことで全く前提とされていたが、全ては、革命と革命党建設のためにあったのである。だが今日の路線に何があるか。青年労働者や学生の、威勢はいい「革命」の叫びはある。しかし革命党建設などどこにもなく、代わりにあるのが一一月集会。「一一月に一万人集めれば革命が起きる」という妄想。一一月一万人結集という名の「動労千葉派囲い込み運動」である。党の代わりに動労千葉を天空まで祭り上げた、動労千葉天動説に基づく、内向きの、自己完結的な、馬車馬的根こそぎ動員運動の悪無限的連鎖。三全総路線とは縁もゆかりもない（もちろん総評があり、その集会・デモなどもあった三全総当時と今日とでは状況は一変しており、一一月集会のようなものがひとつの戦術としてなら十分ありうることを否定しないが。だが一一月集会オンリー主義となると話は別だ）。

今日の厳しい経済情勢・雇用情勢を背景に、一一月集会組織化の過程でも幾つもの職場闘争が組織され、争議が起こり、ユニオンがつくられている。そのひとつひとつは重要な闘いだろう（なかにはマンガ的な自慰行為もあるようだが）。だが問題は、それらを組織するそばから、つくるそばから、一一月集会に引っぱり出し、演壇でしゃべらせ、『前進』で得意げに報道するという愚かな行為である。権力や資本の監視を何だと思っているのか。合法主義、公然主義の極みである。ここでは争議もユニオンも所詮一一月集会という「動労千葉派囲い込み運動」の動員の対象でしかない。三全総の時代は高度経済成長のまだ早い段階だった。だがこの路線の下では、職場に拠点ないし拠点の手がかりが出来れば、職場闘争をまさに精密な戦術・組織戦術で押し進めながら、しかしそれを徹底的に秘匿し、非公然化し、あくまで当該職場、単産、産別の労資関係、党派関係、さらに主体の性別・年齢・能力等々に踏まえた上での、巨大な経営細胞構築のための闘いが進められた。間違っても右から左へ公然集会に引っぱり出して権力にさらし、あるいは『前進』の自慢のネタにするなどということはなかった。こうして営々と地下水脈を通して組織されていった青年労働者が、初めて公然と日本階級闘争場裡に登場したのは、七〇年安保・沖縄闘争における武装した反戦派労働者の隊列としてであった。

権力や資本の弾圧という問題をぬきにしても、一一月集会成功などを目標につくりあげたユニオンがどこまで長続きするのか。「動労千葉派囲い込み運動」に利用されることがわかっても、一年はもつだろう。しかし二年、三年はどうか。一一月集会の組織化運動は幾つかのところで新しい争議やユニオンを生み出している。しかし他方では同じ数ほど潰しているのではないか。つくっては壊し、積み上げては崩す。一一月に一万人を集めることは一〇〇年かかっても無理だろう。革命党建設を彼岸化した一一月馬車馬動員路線の向こう側に見えてくるのは「シジフォスの神話」である。三全総路線の意義を強調するBは、しかしこの点を何も切開・総括せず、頬かむりしている。

8　反戦闘争の団結一般への解消

「綱領草案」が第二次草案以降の書き直しにもかかわらず、何も解消されていない今一つの決定的問題点は、政治闘争とりわけ反戦・政治闘争の徹底的解体である。それが戦争について何も語っていないのではない。全く誤った形で語っているのである。「二一世紀革命の課題」という項目の次の文章（最終草案）に注目しよう。「今日、全世界の労働者に求められているのは、大恐慌と戦争への対決である。その最大の焦点は、労働組合と労働運動をめぐる革命と反革命との激突にある。大恐慌の爆発は、帝国主義戦争を不可避とする。この戦争は、労働者の階級的団結が徹底的に破壊され、労働組合が資本家階級の行う戦争に率先協力する機関に変質させられることによって可能となる。これが第一次大戦と第二次大戦の歴史的教訓である」。戦争を語り、戦争との対決を語りながら、反戦闘争としての反戦闘争を見事に経済主義的・組合主義的に空無化させたペテン的論法の典型がここにある。戦争は労働組合が屈服するから起きる、だから屈服しなければ戦争は防げる、労働組合の攻防に勝ち抜くことが結局全てだ――もうこの何年も耳にタコが出来るほど聞かされてきた、独自に反戦・政治闘争を闘うことを労働運動・労働組合の名において否定する愚かな論法の綱領化がここにある。

レーニンは一八九九年に「われわれの綱領」と題する短い論文を書いているが、そこから次の箇所を紹介する。「この綱領の核心は、プロレタリアートの階級闘争を組織し、そして、プロレタリアートによる政治権力の獲得と社会主義社会の組織とを終局目標とするこの闘争を指導することである。プロレタリアートの階級闘争は、経済闘争（労働者の状態を改善するために個々の資本家または個々の資本家グループにたいしておこなう闘争）と政治闘争（人民の権利の拡大のため、すなわち民主主義のために、またプロレタリアートの政治権力の拡大のために政府に対しておこなう闘争と）にわかれる。ロシアの一部の社会民主主義者は、経済闘争のほうがくらべものにならないほど重要であると考えて、政治闘争を多かれ少なかれ遠い将来に延期しているようにみえる。このような意見はまったく正しくない。……経済闘争のために政治闘争をわすれるということは、世界社会民主主義派の基本命題に背反することであり、労働運動の全歴史の教えをわすれることであろう」。然り、それは第一インターナショナル第一回大会決議も忘れることである。

同論文でレーニンは次のようにも言っている。「政治闘争では労働者はひとりぼっちではない。人民の完全な無権利とバシバズーク〔略奪をもってきこえたトルコの不正規兵〕的官史の野蛮な専横とは、あらゆる自由な言論と自由な思想とにくわえられている迫害にあまんじることのできない、すこしでも誠実な、教養のある人々のすべてをも憤激させ、迫害を受けているポーランド人、フィン人、ユダヤ人や、ロシアの異宗派を憤激させ、官吏や警察の圧迫にたいしてどこに保護をもとめるというあてもない小商人、工業家、農民を憤激させている。これらすべての住民群は、各自別々には、頑強な政治闘争をおこなう能力はないが、労働者階級がこのような闘争の旗をひるがえすときには、あらゆる方向からこの階級に援助の手がさしのべられるであろう。ロシアの社会民主主義派は、人民の権利のためのすべての闘士、民主主義のためのすべての闘士の先頭に立つであろう」。

注意したいのは、レーニンはここで、政治闘争の課題としてもっぱら人民の権利を語り、戦争問題に触れていないことだ。しかしこれが一九世紀末の現実だった（普仏戦争以降、第一次世界大戦まで、植民地強奪・再分割戦争を除いてヨーロッパを舞台とする戦争はなかった）。反戦闘争が大きく国際階級闘争のテーマ化するのは、一九〇四年日露戦争以降のことである。そして資本主義の矛盾の戦争的爆発（それは帝国主義段階への突入ということだが）の中で、反戦闘争をはじめとする政治闘争の死活性がさらに増したことはいうまでもない。

「綱領草案」に戻れば、起草委論文の三全総路線に触れた箇所でも一言触れているが、六〇年代中葉における、戦闘的労働運動の防衛の闘いと原潜、日韓、砂川など七〇年に登りつめる反戦・政治闘争は全く一体、車の両輪の関係にあった。いやそんな昔話でなくてもいい。一一月労働者集会の第一回目は九五年のことだが、ここでは一月の阪神大震災を受けての「被災支援連」運動があり、五月の日経連プロジェクト報告（「新時代の『日本型経営』」）と対決する大失業時代との闘いがあり、九月の沖縄女子生徒暴行事件を発端とする新たな安保・沖縄闘争があり、その全てを集約するものとして、初めての一一月集会が開かれたのである（その馬車馬動員主義の是非は別にして）。しかし二〇〇〇年あたりからだろうか、一一月集会からこうした全体性は失われ、組合主義が前面化する。

〇一年には九・一一があり、アフガン戦争が起こされた。〇二年には有事三法が国会に上程され、翌年には成立した。〇三年にはイラク戦争が起こされ、〇四年には有事七法が成立し、〇五年には米軍再編の動きが本格化した。そして上記ふたつの戦争に自衛隊は参戦した。またこうした戦争と戦争法案のラッシュを背景に、教育基本法改悪が強行され、憲法改悪の動きが加速していった。だがこうした状況に革共同はいかに対応したか。いわゆる〇三年新指導路線を挟んで、基本的に独自の反戦・政治闘争に取り組むことを完全にボイコットしたのである。そこで繰り返されたのは、「戦争は団結が解体されるから起きる、だから団結を守ることが全て」という寝言であった。

ここでは労働運動、反戦運動が並列的に、二元的にとらえられていた。だが戦争との闘いとは何よりも排外主義・愛国主義との闘いなのである。そしてそれは、まさに労働者の団結の成否を決する、その琴線に触れる闘いなのである。六〇年闘争は李承晩を倒した韓国四月学生革命と連帯して闘われ、七〇年闘争は超大国米帝を圧するベトナム人民と連帯して闘われたのだ。戦争が起きているときに、反戦闘争を闘えずに労働者の団結を守れるわけがない。だが誤った思想はより深刻である。それはずばり言って、血債の思想（血債主義ではない！）と労働者の団結は相容れない、血債の思想は労働者の団結を破壊するという究極のナンセンスである。排外主義と闘わない労働者の団結など糞の役にもたたない。現代における戦争は多くが帝国主義の侵略戦争である（アフガンもイラクもそうだ）。これはただ誤っているだけではすまない、帝国主義戦争への投降の思想である。

六〇年、七〇年だけではない、戦後労働運動の歴史をみても、決定的瞬間では必ず労働運動と反戦運動は交差してきた。その最初の典型として、朝鮮戦争下、五一年国労新潟大会での愛国労働運動路線に対する岩井章を先頭とする民同左派の勝利があった。もちろんここには「平和四原則」的限界があったが、これがその後の長い戦後日本労働運動の歴史を決めたことは明らかである。この節の冒頭に紹介した「綱領草案」の、戦争反対を団結一般に解消してこと足れりとするような記述は、こうした歴史への無知の産物というほかないのである。

9　知識人がスターリン主義の元凶？

「綱領草案」は労働組合運動を盛んに強調し、しかしそれがいかに歪んだものであるかをみてきたが、最後に第二次草案以降が復活させた「党」をめぐる問題、それがいかなるものであるかを「綱領草案」

の文言と革共同の今日的実態の両面からみていきたい。

第二次草案以降では、スターリン主義批判という形をとって、あるべき「党」を次のように展開している。「マルクス主義を歪曲したスターリン主義は、党を、現実の労働者階級の外部に、階級の上に立つ特別の集団として位置づけてきた。だが『共産党宣言』も言うように、プロレタリアートの党は、労働者階級全体の利益から切り離された利益をもたない。また特別の原則を立てて、その型に労働者階級の現実の運動をはめ込もうとするものではない。労働者階級はその闘いをとおして、自らの党をつくりだす。……（それは）現代においては、何よりも、闘う労働組合をよみがえらせることと一体で形成・確立されるものである」。実は第一次草案では、スターリン主義党の批判として、「革命の理論や正しい方針は、……この党がそれを指導する知識人などの手によってつくり、上から労働者に与えるものとしてきたのだ。これは根本的に間違っている」という記述があり、第二次草案以降では、この「知識人云々」の箇所は省かれている。しかし同じ筆者Bによる起草委論文では「党とその指導部（労働者から遊離した知識人を中心とする）が現場の労働者を上から啓蒙し、教育・指導する関係にすりかえてきたのがスターリン主義である。これはマルクス主義ではない」と記しており、「知識人」がスターリン主義の元凶であるかのような珍説（こうとでも呼ぶしかない！）は一貫している。

労働者と知識人を対立的に描くこの驚くべき「革命党観」は、およそ一貫して「党のための闘い」を重視してきた革共同の思想・精神とは縁もゆかりもない。今から五〇年前に書かれた革共同全国委員会結成宣言（本多著作選第一巻・『前進』創刊号）を一瞥すれば、そこには、「全国の同志諸君！　革命的労働者諸君！　革命的知識人、学生諸君！」という文言が四回出てくる。さらに宣言の結びの言葉は、「真に日本革命を勝利にみちびきうる指導部を、労働者階級と革命的インテリゲンチャの内部に確立するための巨歩をいまただちにおしすすめるであろう」である。革共同は、労働者と知識人の対立の中にではなく、革命的労働者と革命的知識人の結合の中に、革命党の未来を展望してきたのである。

「綱領草案」の意図は明白である。ソ連崩壊以降、評判の悪いレーニン、なかでも悪評高い『なにをなすべきか』、とりわけ蛇蝎のように嫌われる「階級意識の外部注入論」――この露骨な否定である。いわゆる「外部注入論」については十分注意して語る必要はある。それを、スターリン主義者が徹底的に悪用してきたことは事実である。最後には、各国共産党の路線はスターリンの支配するコミンテルンによって「外部注入」されるもので、異論を挟む余地はないというところまでいく。各国共産党・階級闘争の主体性は徹底的に踏みにじられ、労働者人民の「自然発生的」な決起の圧殺にまで行きつく。スターリン主義的官僚支配の最大の武器とされてきたのだ。

しかもそれは、同じく悪名高い「職業革命家の党」論と並んで、かなり早い段階から多くの批判を呼び、これに対してレーニンには一定の弁解・修正的な対応がみられる。〇七年執筆の「論集『一二年間』の序文」で、レーニンは「私の見解」はしばしば誤解されていると述べ、『なにをなすべきか』の多くのページが、経済闘争と労働組合との巨大な意義の説明にあてられていることを強調する必要がある」としている。またそこでは、「私はそのとき（『なになす』執筆時）、労働組合の中立性に賛成」だった、シュトゥットガルト大会だけが「私を、組合と党のより緊密な接近」という立場に立たせたという弁明もしている。そして同論文は、〇五年革命を挟んだロシア階級闘争の大きな変化を背景に、党のサークル主義的傾向を止揚し、真に労働者階級に根を張った党の建設の必要性を強調する形で『なになす』を総括している。

ずっと遅れて、一七年革命後の二〇年執筆の『共産主義における『左翼小児病』(ママ)』の有名な箇所で、レーニンは「革命党の規律」を保つためには、「きわめて広範な勤労者の大衆、まずプロレタリア的勤労大衆と、だがまた非プロレタリア的勤労大衆とも結びつき、彼らに接近し、必要とあればある程度まで彼らにとけあう能力」とか、「前衛がおこなう政治指導のただしさ、彼らの政治的戦略と戦術のただしさ――ただし、これはもっとも広い大衆が自分の経験にもとづいて指導の正しさを納得するという条件のもとでである」が必要と言っているが、これも『なになす』の一面的理解への牽制であろう。

革命の主体は労働者階級である。革命党は闘う労働者の党でなければならない。だが問題は労働者階級と革命党はいかなる関係にあるのか。「綱領草案」のように、党が階級の「外部」にあるのがスターリン主義だなどというのは問題外だ。あらかじめ党が階級の内部にあるのなら世話はない。「綱領草案」等が、党を「媒介」にした労働者階級の革命の主体化とか、党と労働組合の「結合」とか、三全総にいう党と階級の「交通」が語られるのはなぜなのか。「媒介」とか、「結合」とか、「交通」とかが論じられるのは、党が階級の外部に存在するからで、最初から「党は階級そのもの」であるとすれば、こんな概念自体が無意味である。問題はたえず、外部にある党が労働者階級の内部にいかに根を張るかである。

根を張るために、党は、「上から」などというのは厚かましいが、あえて言えば、上からも、下からも、右からも、左からも、前からも、後ろからも、革命に向かって、帝国主義支配の災厄、搾取と抑圧と戦争を告発する全面的な政治的暴露、宣伝・煽動を、うまずたゆまず全階級・全住民の中に持ち込まなければならない。こうして革命を目的意識的に準備するためには革命的理論が必要なのである。だが革命的理論は決して労働者階級の日常的闘いの延長上で自然発生的に生まれるものではない。革命的理論家・知識人（「労働者から遊離した知識人」ではない！）による、経済闘争、政治闘争とならぶ独自の理論活動、理論闘争が必要なのだ。そこでは理論家・知識人の階級的出自は問わない。もちろん労働者階級の闘いの前進のないところで社会主義的理論が生まれるはずもないが、後者を媒介とし、結合し、そこに生きた交通関係をつくり出さない限り、階級が革命に向かって前進することは出来ない。革命的理論なくして革命的実践はありえないのだ。

「綱領草案」のスターリン主義的党にかかわる言及で極めて特徴的なことは、そこにスターリン主義官僚が登場しないことである。官僚の代わりに知識人が悪の元凶とされる。一体これは何なのか。ポルポトのまねでもしたいのか。中国文化大革命での知識人・学生の「下放」でも見習いたいのか。そこまでは言わないとしても、ここで強調しておかなければならないのは、「綱領草案」がスターリン主義批判の形をとって描き出しているあるべき革共同像じたいが、まさに極めてスターリン主義的に変形した「革命党」像であり、その居直りであるということである。

10　官僚主義に死を！

革共同は長い歳月を通して、「綱領草案」の筆者が知らないのか、知ったうえであえて触れないのかはともかく、官僚主義的な組織的歪みを生み出してきた。背後には、六九年破防法発動以降の指導部の公然・非公然への分断があり、二〇年をこえる厳しい二重対峙・対革マル戦があった。組織内の意志一致はたえず上意下達、党内民主主義は解体され、六〇年代の革共同にあったような明るさ、風通しのよさ、組織的感受性は失われていった。もちろん戦争下でも革共同は、三里塚、動労千葉、杉並、法政などで大衆運動を維持することでその党的全体性を守ろうとしてきたが、他方党内では官僚主義的硬直が進行していった。それによる党勢の大きな後退・縮小の中で、九一年の五月テーゼは、党の課題の柱をそれまでの戦争（武装闘争）から大衆運動（特に労働運動）と党建設に移すという路線転換を打ち出した。だが今日的にいえば、それはそれまでの革共同の組織的変質、官僚主義的歪みの総括・打開なき路線転換であったといわざるをえない。そしてこの官僚主義は今日でもというよりも、今日ますます深刻な革共同の宿痾となっている。

これを打ち破ろうとする動きはこれまで二回あった。ひとつは二〇年前のいわゆる「党改革運動」である。これはレーニン著作的にいえば多分に『なになす』を棚上げして『左翼空論主義』に埋没する傾向をもっていたが、革命軍絶対の時代における閉塞感を破り、極めて一時的・局部的であれ、党員の活性化を生み出し、八九年杉並都議選の勝利に多少とも貢献したことは確かである。しかしこれも結局は官僚主義に何ら根本的なメスを入れられずたちまち消える（あるいは潰される）。

〇六年に関西で起きたいわゆるＡＤ革命は、一地方的レベルではあれ、こうした党の官僚主義的変質・腐敗を下から弾劾し、打開しようとする画期的な試みであった。これを支持するか否かをめぐって、直後に革共同中央指導部は分裂し、反対派は追放された。さらに支持派の中でも自己批判が続くなどするが、翌〇七年には昨日まで賞賛されていたＡＤ革命の担い手たちが、こんどは逆に中央によって粛清され、関西地方委の反中央派が組織分裂に走るという事態が起きる。この過程で革共同中央が声高に叫ぶのが「党の革命」で、これは言うまでもなく、わが「綱領草案」をめぐる議論に直結している。上記起草委論文は次のように言っている。「党と労働組合の関係をこのようにつかみ直したことは、われわれのなかにあいまいなまま残されていて、〇六年の『党の革命』をとおして改めて自覚させられた、党についてのスターリン主義的な概念、その残滓を最終的に吹き飛ばすものとなった」。この後に、先に触れた「知識人云々」の文章が続く。

さてこの「党の革命」もまた、青年労働者党員をはじめとする一部党員の中に、一定の活性化と前進をつくり出してきたことは確かである。それは一一月集会路線の下で実現され、同時に一一月集会路線の下で空転させられてきたといえるが。だがここで最大の問題は、このような一定の活性化と前進が、主体的といえば聞こえはいいが、要するに革共同とは相対的に離れたところで、自己運動的に実現されていったことである。そこでは革共同の長い歴史を背景とする思想や路線、それを担ってきた多くの党員は無視・軽視され、「党の革命」の名の下に好き勝手なことが主張され、しかも党の官僚は、これに意見を言うどころか、ひたすら阿諛追従することで己の保身に汲々としてきた。青年労働者の活性化の背後には、党の官僚主義が消えるどころか、ますます醜い姿をとって張り付き、次の出番に備えてきたのである。

「党の革命」の過程では、労働者党員を党の幹部に抜擢する政策も、中央指導部から地方までいたるところで採用された。だがこれは、所詮革共同が「労働者の党」に生まれ変わったという仮象をとるために政策であったといってよい。その背後で官僚主義はより深刻化していった。一九二〇年代後半において、ドイツ共産党の中央委員会議長にテールマンがすわり、フランス共産党の書記長にトレーズが抜擢され、彼らはいずれも労働者出身の党員だったが、これはすでにロシア共産党の中でトロツキーをはじめとする反対派を粛清しつつあったスターリンが、西ヨーロッパの共産党をスターリン主義に塗り固めるために最も都合のいいやり方だったのである。そして労働者出身の幹部が最もスターリンに忠実で、優秀な反労働者的官僚になりえたのは、スターリンという被抑圧民族出身の幹部が最も悪質な民族抑圧主義者になったのと通底する現象であった。

こうして革共同の官僚主義は、「党の革命」の名において、あるいは「階級移行」の名において、ほとんどスターリン主義のそれに近いところまで重篤化していった。それを最も無残に示したのが、党内における「路線的一致」を錦の御旗とした魔女狩り政治、踏み絵政治である。反対派、反対意見に極めて安易に「反革命」とか「転向スパイ集団」のレッテルを張り、まるでペストか、鳥インフルエンザでも見るようにこれを恐れ、罵り、吊し上げ、いっさいの同席を禁じ、感染したものは全て隔離し、殺処分にする――そうでもしなければ枕を高くして眠れないというのが、この間の革共同の官僚のありのままの心境であった。革共同はＡＤ革命以降、すでに数十人の党員を除名処分とか活動停止処分にしている。しかもその全容は公開もされず、革共同は完全に一握りのものによって私物化され、恐怖政治がまかり通り、そこには組織の規約や党内民主主義のひとかけらも存在しないという異常事態が生じている。

だから、政治局会議から細胞会議まで、誰も反対意見を出さず、出せず、こうして自分で考える力を奪われた党員の「一枚岩の団結」が形成される。だがこれはいまさら驚くにはあたらない。日共スターリン主義者が、かつて（今でもか）「アメリカ帝国主義の手先」トロッキストや様々な反党分子に対して繰り返してきた粛清・異端審問と何一つ変わらない。その発想方法において。その思考回路において。

その心象風景において。耐え難いのはそれが、反スターリン主義を掲げる組織の中で繰り広げられていることである。

しかも重要なことは、この魔女狩り政治は決して党内だけでなく、とどまるところを知らず党周辺を巻き込んでいることである。「普天間」の沖縄で今なにをやっているのか。五・二七国労弾圧裁判でなにをやってきたのか。三里塚反対同盟分裂のためにどうしようというのだ。そして部落でなにをやり、星野でなにをやり、百万人署名運動でなにをやってきたのか。多くを語るつもりはないし、語りたいとも思わない。だが日本における革命的共産主義運動は、一人革共同の党員だけでつくり上げてきたものではなく、革共同とともに進んできた多くの労働者・農民・部落民・宗教者・知識人・学生等々とともに築き上げてきたものだ。「党の革命」の名において、あるいは「動労千葉派囲い込み運動」のために全てを犠牲にし、あらゆる大衆運動、統一戦線を破壊する——ここでもスターリン主義となにも変わらない現象が進行している。

「綱領草案」とそれに付随する文書は、こうした事象についてもちろんなにも触れていない。なにも触れないことでそれは、この革共同の現実を居直っているのだ。反スターリン主義・革命的左翼の党をめざす革共同にもし未来があるとすれば、かかる「綱領草案」を破棄したうえでの解党的出直し以外にありえない。

第4章　二重の敗北としての国鉄一〇四七名「和解」

二〇一〇年五月

これは、国鉄一〇四七名問題をめぐるいわゆる「四・九和解」を批判したものである。動労千葉や国労共闘の一部当該は「和解」を拒否するが、国労闘争団の大半がこれを呑んだ。あまりにも低い和解金での屈服の責任は何よりも国労本部の裏切り的対応にある。その核心にあるのが、四者・四団体という、一〇四七名の一角を占める動労千葉争議団九名を排除した枠組みで「和解」を強行したところにある。だが事態の流れを追っていけば、動労千葉と動労千葉争議団が闘う国労反対派闘争団と手を組んで、このような裏切り的「和解」を跳ね返す可能性は大いにあったと思う。そこを最後まであきらめず追求すべきだったのではないか。それが出来なかったのは何よりも革共同の責任である。〇六年以降の組織分裂、国労共闘などという小さな組織にまで分裂が持ち込まれ、国労弁護団の除名騒ぎなどのゴタゴタで全てがぶち壊された。中野洋についていえば、「四・九和解」の時点ですでに死亡しており、その責任を直接問うのは酷かもしれないが、やはり革共同の最高指導部であったのであり、しかも繰り返し「賛成派も反対派も同じ」と国労闘争団への絶望を吐露してきた責任は大きいと思う。この文書を書いたとき私は革共同を離れて二年以上経っていた。ただ自分もかつては必死に取り組んだテーマであり、止むにやまれぬ気持ちで筆をとった。不正確な個所があればお許し願いたい。

（1）

結論として、まずこれは四者・四団体路線の本質と破産を示すものとして厳しく弾劾されなくてはならない。次に、それではこのような四者・四団体路線をなぜ許してきたのかについての主体的な切開が行わなければならない。何よりもまず、この厳しい「敗北」を「敗北」として直視し、ここに至った総括をしっかり行うことが必要である。総括なしに新たな「全国的大運動」を呼号しても、何の展望を開くこともできない。

（2）

四月九日の政府・四党合意案なるものはあらゆる意味で容認できない。

第一に、そもそもこの「解決案」においては、あらかじめ「解雇撤回」の旗を降ろし、「不当労働行為については今後争わない」ことを前提に、なにがしかの「和解金」を受けとるというもので、国鉄一〇四七名闘争の日本労働運動における歴史的位置を考えたとき、まず根本的な次元において容認できない。国鉄分割・民営化攻撃とは、労務政策的にいえば、国鉄解体＝ＪＲ移行時に、国鉄労働者の採用・不採用をその所属組合によって差別・選別するという国家的不当労働行為である。これを認めるということは、憲法二八条の労働三権とそれに基づく労働組合法・労働委員会制度の国家の名による否定・解体を受け入れることを意味する。事実この国鉄分割・民営化以降、全産業・全産別において、資本によるむきだしの労組破壊・労働基本権破壊攻撃が拡大していったことは周知の事実である。ＪＲに限ってみても、不当労働行為は何も発足時の採用差別一度限りのものではなく、配属差別、出向差別、昇給差別等、さらに今日の外注化攻撃まで無数の不当労働行為の積み重ねの上に成立している企業といってよいのである。にもかかわらず、今回の「解決案受け入れの条件」においては、これらの不当労働行為をめぐって係争中の一切の訴訟を降ろすだけではなく、「不当労働行為や雇用の存在を二度と争わない」ことまで確認させられているのである。奴隷的屈服という以外にない「解決案」である。

（３）

第二に、だがこれは前提的確認だが、今回の「解決案」は、国家権力の側が、国鉄分割・民営化に際しての不当労働行為を単純に否定した上での結論ではない。国もまたこの二三年の間の曲折をへて、国家的不当労働行為の存在を否定するにも否定しきれない状況に追い込まれた上での、苦しまぎれの「解決案」であったという側面も見落としてはならない。最近の動きに限ってみても、〇五年九月の鉄建公団訴訟をめぐる東京地裁難波判決などの経緯の中にそれははっきり現れている。そもそも今回の最低・最悪の四・九「解決案」においてさえ、原告一人あたり一千数百万円の「和解金」（訴訟費用等を含めてだが）

を国＝鉄道運輸機構が支払うとしている。なぜなのか。ＪＲ発足時に採用差別などなかった、何の非もなかった、不当労働行為など一切なかったというのであれば、総額二〇〇億円をこえる「解決金」を国が支払うなどという結論が出てくるはずがない。

この背後には国が、いやいやであれ、不十分であれ、国家的不当労働行為の存在を否定し切れなかったという現実がある。「不当労働行為を二度と争わない」などという条件じたいが、裏返していえば過去における不当労働行為との闘いに対する国側の打撃感を吐露している。この側面を無視し、今回の「和解」においてただ組合の側が一〇〇％敗北したかのように言うことは、これを主導した国労本部を初めとする四者・四団体路線批判としては理解できても、現実には極左的・宿命論的敗北主義というほかない。長期のギリギリのせめぎあいの中で強制された敗北、闘い方いかんでは全く違うレベルの「解決」をかちとりえたにもかかわらず、四者・四団体指導部の屈服的路線によってもたらされたのが四・九「解決案」だということである。

特に強調しなければならないのは、「和解」一般や「金銭和解」一般を否定し、これに「絶対反対」を対置し、あたかも自分たちだけ階級的で、原則的であるかのごとく錯覚することの誤りである。これもまた労働運動である。当然そこには、最後的には、和解もあり、妥協もありうる。念のため付け加えておけば、動労千葉という労働組合においてもこんなことは当然確認・経験済みのことである（後述）。全ては力関係による。

（4）

第三はしたがって「解決案」の中身である。この点についてはすでに多く論じられているので詳述はさける。ただ簡単におさえておけば、今回の「解決案」の推移は、二・二三各党担当者素案→三・三四党担当者合意案→三・一八四党正式案（国交相に提出）→四・九政府・四党合意案となっている。ここでは時間をおって解決水準のレベルが低下していくが、特に四・九最終案では、三・一八案の中身が一変し、四者・四団体が掲げてきた「雇用・年金・解決金」の要求（これ自体が「解雇撤回」の旗を降ろした屈服路線だったが）のうち、解決金そのものがガタ減りし（二・二三案時点での三千万円弱がほぼ半減）、これと連動しているが、雇用と年金はゼロ、ないし限りなくゼロに近い内容だ。二・二三案段階では「年金相当分」として一三〇〇万円あった項目がその後「生活補償金」「雇用救済金」などと名を変えるが、四・九案では丸ごと消えている。「年金」を云々する事じたい「解雇撤回」につながることを国あるいはJRが嫌った結果だろうが、いずれにせよこれによって和解金は当初の半分近くまで減った。団体加算金なる使途不明金が加わったが。

また雇用については、一貫して「五五歳以下のJRへの雇用要請」という項目があるが、三・一八案までは約二〇〇人という人数も明記されていたのが、四・九案では、それもなくなり、わざわざ「保証できない」と記載、しかも、この雇用確保のために、三・一八案まであったJR会社への「雇用助成金」も消された。四・九案への質的な変化を最後に強制したのは、国交省と財務省の官僚であり、JR会社（その政治的代弁者としての民主党Y議員）と言われている。ともかく雇用が基本的に落ちたことは決定的であり、原告団・闘争団の中に最も強い不安と不信を呼んでいる。

（5）

だが第四に、私は今回の「解決案」のより深刻な問題は、そのやり方・プロセスにあると思う。特にK弁護人らの手段を選ばぬ「和解反対派」つぶしは異様である。全てを一握りの幹部（K、N、Sら）で決め、この結論を問答無用で全闘争団・原告団に押しつける。全てを密室で、幹部請負で、政党に下駄をあずけ、当該を蚊帳の外において結論を出し、これを強制する。二三年におよぶ闘いをこのような形で終わらせることは許せない。

誤解を恐れず繰り返すが、これは労働運動である。最後は、勝つ場合も、負ける場合もある。和解でも、二〇の場合も、五〇も場合も、八〇の場合もあるだろう。もちろんその水準は重要だ。だがそれ以上に重要なのは、かつて岩井章が強調していた「当該が納得出来る解決」なのだ。最後まで力を出し切って闘い、その結果が五〇なら、それが納得出来る解決である場合もあり、それは必ず次につながる。

だが今回の「解決案」は、四者・四団体路線の本質でもあるが、闘争団・原告団を先頭とする大衆運動をまともに取り組もうともせず、ひたすら永田町の尻を追いかけた挙げ句の果てに生まれたものであった。闘争団は主役ではなく、その過半は重苦しい雰囲気につつまれ、何か意見を言いたくても言えない状況におかれている。

私は今回の「和解」は全く屈辱的なものだと思っているが、しかしこれを受け入れるものは全て裏切り者だなどとは思わない。闘争団員にも、いろいろ事情がある。すでに八〇歳近い人もいる。例えばそういった人が一千万円でも、二千万円でも「和解」したいからといって、誰に彼を罵る資格があるのか。だが他方で北海道や九州ではまだ四〇歳台の闘争団員もいる。彼らは、雇用のない「解決」に言いしれぬ不安を抱いている。しかし国は、「解決」の条件に、原告全員の署名を求めているのだろう。水俣訴訟でもそうだった。Ｋらの居丈高な恫喝オルグの背後にこうした事情があるにちがいない。だからかつて岩井は、「最後は当該の一票投票以外にない」と言ったのである。国労組合員ではない、あくまで被解雇者・闘争団員の一票投票である。もちろん時間がかかるだろう。長い議論が必要だろう。混乱も不可避だろう。分裂の危機に陥るかもしれない。しかしこれを通して以外に「当該が納得できる解決」などかちとれないのだ。

四・九「解決案」については、五月連休過程で初めて北海道・九州における原告団への説明会が開かれたといわれている。しかし国労本部は、その前、四月二六日に臨時全国大会を開き、ここで四・九「解決案」受け入れを国労として決定、それを当該闘争団・原告団に押しつけている。話があべこべである。国労という組合のよさは、あらゆる党派活動家を含みながら、一貫して組合民主主義を貫いてきたことである。遠くは五一年新潟大会、さらに八六年修善寺大会、二〇〇〇年の「四党合意」をめぐる大会、いずれも混乱と分裂の危機を恐れず全組合員的論議を通して進路を決めてきた。それが国労だった。今回の一〇四七名「和解」は全くその逆をいくものであり、これによって四者・四団体一部幹部は国労という労働組合そのものに死を強制したのである。

（6）

第五に、上記において、一〇四七名問題の決着が、たとえ和解であっても、今回のそれとは全く異なるレベルのそれになりえたと述べたことと関連して、九六年段階において、動労千葉と当時の国鉄清算事業団との間で成立した、二八名の公労法解雇問題（動労千葉の分割・民営化反対の八五～八六年二波のストに対する）での勝利和解について簡単に触れたい。

この和解は九五年二月の東京高裁での職権和解交渉の開始をへて、九六年三月に成立したものだが、その中身はまず解雇撤回、ただし被解雇者は即退職、そして解雇以来約一〇年間の未払い賃金の「和解金」としての支払い、また動労千葉ストに対する国鉄による損害賠償請求の取り下げであった。ここでは何よりも「解雇撤回」が確認されていることが決定的である。これはあくまで国鉄時代のストに対する解雇処分の撤回で、分割・民営化に伴う差別的解雇とは異なるが、ある意味では後者以上に深刻な解雇処分を、動労千葉は九六年という時点で国＝国鉄清算事業団に対して撤回させたということだ。この事実は重い。

このような展開の背後には、分割・民営化から一〇年目を目前にした、いわゆる「九七年問題」があった。つまり時限立法としての国鉄清算事業団法の期限である九七年までに、未解決の累積債務問題や一〇四七名問題（このころまで各地労委・中労委は程度の差はあれＪＲ移行時の採用差別を不当労働行為と認定）を解決するためにあせっていたという事情があった。そこから出た最大の動きは、九四年一二月末の村山自社さ政権・亀井運輸相による国労に対する二〇二億円損害賠償訴訟（七五年スト権ストに対する）

の取り下げであった。これはある意味で、この二三年間にわたる国鉄攻防の最大の節目で、国家権力が、国労解体路線から国労取り込み路線へと転換したということである。これに激しく反発したのがＪＲ総連カクマルで、この直後から列車妨害テロが頻発する。

ここで最大の問題は国労本部の対応で、この「取り込み」路線にやすやすと乗ぜられ、いわゆる八・三〇路線（九六年）という形で、国鉄改革法二三条の容認＝ＪＲの法的責任の不問化にかじを切ったことである。四年後の四党合意的全面屈服路線の先駆けである。問題は動労千葉の和解だが、これが勝利和解であることは確かだ。当時動労千葉委員長中野洋は、労働組合だから和解があるのは当たり前、ダメなのは和解路線であって和解一般ではない、と言っている。当然である。さらに付け加えればこの和解はまた結局金銭和解でもある。解雇は撤回した、しかしＪＲ復帰・原職奪還は果たしていない。この点については動労千葉じしんが、文書で正直に「当事者が（ＪＲではなく）清算事業団で、事実上復帰する職場がないこと、被解雇者の年齢的条件」などをあげ、和解を受け入れたとしている。

今回の四・九「解決案」はこれに比べていかに無残か。動労千葉和解のときは解雇から一〇年、今回の場合は国鉄＝ＪＲからの解雇から二三年、復帰職場がないとか、年齢的条件からいえば、さらに数段厳しい。かなりの部分が金銭的解決になるのもやむをえない。問題は水準。動労千葉の「和解金」の詳細は知らないが、仮に年間賃金数百万とすれば、一〇年で数千万円。今日一〇四七名問題を同水準で解決していれば、一人当たり1億円相当になる。しかし現実は既述のように一千数百万円程度にすぎない。

なぜこんな結果を招いたのか。一〇四七名闘争において、最も重要な「解雇撤回」の旗を降ろし、初めから和解を追い求めてきた四者・四団体路線がひとつ、そして職場・生産点からのＪＲ資本との闘いを一貫して放棄してきた国労本部の責任がいまひとつ、この点にかんする動労千葉の批判はそれじたいとしては完全に正しい。

(7)

さて以上五点にわたって、今回の一〇四七名「和解」の問題点をみてきたが、私はこれらは事柄の半分でしかないと思っている。四者・四団体が間違っているからこんなことになったとして、四者・四団体路線を言葉の限りをつくして罵倒しても、それだけではただ空ろなこだまが返ってくるだけである。重要なことは、四者・四団体とは、今回の「和解」の批判者、なんならそれを「絶対反対派」と読んでもいいが、その外部に、無縁なところに存在しているのではないということである。特に四者のひとつは、いうまでもなく鉄建公団訴訟原告団、つまり四党合意反対の闘争団、いわゆる闘う闘争団であり、批判者もまたその一員であるはずである。にもかかわらずこのような四者・四団体（路線）の登場を許したことについての、批判者の側における主体的総括なしにいかに大言壮語を並べても空しいのである。もちろん動労千葉争議団九名は四者・四団体に入っておらず、これを意識的に排除したところに四者・四団体路線のいわば原点・原罪があるといっていいのだが、しかし動労千葉争議団もわずか四年前までは集会や団結祭りなどで国労闘争団と肩を並べていたのであり、四者・四団体を他人事のように語ることは出来ないはずである。

いわゆる四者・四団体がいつ生まれたのかについて、私はいまその正確な日付を特定する資料を持っていないが、遅くも〇六年夏までであることは確かである。重要なことは、この四者・四団体の直前には「一〇四七連絡会」という、動労千葉争議団も含む文字通り一〇四七名全員を網羅した共闘組織が作られていたことである。これははっきりしていて、〇六年の二月一六日、日本教育会館で結成集会を開いている。そして同四月四日には日比谷野音で同連絡会主催の数千名の集会も開かれ、両集会で動労千葉争議団のＴ代表も発言している。そして日刊動労千葉は「ついに実現した一〇四七名の団結」「当該五団体が決意表明！」などの見出しでこれらの集会を極めて肯定的に報じている（〇六年二月二一日付№６２３７、四月一五日付№６２７５―現在もネットで閲覧可能）。ところがこの一〇四七連絡会は生まれた直後から、国労本部、全動労、革同などからの極めて反動的な集中砲火を浴び、半年足らずのうちに四者・四団体という、大同団結ならぬ排除の論理に貫かれた枠組みに作り変えられるのである。

理由ははっきりしており、全動労、革同などが動労千葉に「過激派」のレッテルを張り、この排除を主張したこと、さらに重要なのは、〇二年五月二七日に発生した国労臨大闘争弾圧事件とそれをめぐる裁判闘争で、警視庁公安部と一体になった国労本部と国労内で一貫して最左派の立場から一〇四七名闘争について発言してきた国労共闘が非和解的な対立関係にあったことである。そして彼らは動労千葉と国労共闘を一体のものとしてとらえ、これを一〇四七名問題解決の阻害要因として排除しようとしたのである。

（８）

問題は、このような反労働者的策動が、いともやすやすとまかり通ったということである。もちろんここでも、最大の責任が、四党合意問題以来鋭く国労本部と対立し、闘う闘争団を支援ないし弁護しながら、結局、この段階では本部と一体となって、以降今日まで四者・四団体を壟断している（鉄建公団訴訟弁護団や国鉄闘争共闘会議の）一部幹部であることは明白である。しかし同時に強調しなければならないのは、このような敗北の路線を許した責任が革共同、動労千葉、国労共闘とその指導にも問われなければならないことである。日刊動労千葉で見る限り、〇六年一〇月一〇日付№.６３６１で早くも四団体批判が行われている。一〇四七連絡会賞賛記事の半年後である。この間後の四者・四団体指導部と動労千葉との間には一定のやり取りがあったといわれるが詳細は私には分からない。

だが一〇四七連絡会がこれだけ簡単に潰されるのを許した主体的要因は明白である。動労千葉は一〇四七名連絡会を賞賛したが、しかしこの一〇四七連絡会は実は動労千葉がその闘いで勝ち取ったものではなかったのだ。前年九月一五日のいわゆる難波判決（〇二年一月に始まる鉄建公団訴訟の東京地裁判決）の結果、いわば〈瓢箪から駒〉的に生まれたものだった。この判決は、原告団（四党合意反対派闘争団約三〇〇人）に「期待権」と称して一人あたり五〇〇万円を支払うというもので、原告側は当然不服として控訴した。しかしこれは、ともかく裁判所がＪＲ不採用問題で初めて、ごく一部であるが不当労働行為の存在を認めたもので（当時弁護団は「五％の勝利」と表現した）、闘う闘争団にとってはかすかな光が射し込んできたものと受け止められた。

逆にあわてたのが、反対派闘争団の鉄建公団訴訟に徹底的に敵対してきた国労本部と四党合意賛成派闘争団である。こうして本部はこの直後に極めて破廉恥で、ご都合主義的な「リセット」論を打ち出し、反対派闘争団への生活援助金支給凍結を解除し、統制処分も解除、これで四党合意以来の対立を終わらせ、これからは一丸となって「闘おう」というポーズをとった。この延長で、動労千葉争議団を含む一〇四七連絡会は生まれたのである。もちろんさまざまな国鉄闘争支援人士の努力に乗っかるかたちでだが。しかしすでに見てきたように一〇四七連絡会は生まれたときから解体策動にさらされていたのである。

だが動労千葉はこれと闘おうとしたか。一〇四七連絡会を守ろうとしたか。否、口先だけでそれを称えながら、それを見殺しにしたのである。私はそう思わざるをえない。いやそもそもそんなことに重大な関心がなかった。ちょうどこの〇六年の春から夏にかけての過程が、実は革共同内では、三月一四日の関西において起きた地方委員会指導部打倒＝いわゆるＡＤ革命を逆手にとって、「動労千葉特化論」、動労千葉が全てでそれ以外は全てダメといったような単純・幼稚な議論が純化する過程であったのである。

（9）

一〇四七連絡会に対する無関心の背後には、前年の難波判決に対する動労千葉の全面否定的態度があるが、より大きいことはその基底に、鉄建公団訴訟とそれを闘う反対派闘争団そのものに対する極めて冷ややかな、清算的な姿勢が、この数年前から動労千葉において、さらにその強い影響を受けていた国労共闘に続いてきたことである。

具体的にみていく。第一次鉄建公団訴訟は〇二年一月二八日、原告は二九五名。これは言うまでもないが、ＪＲを相手にした採用差別の撤回を求める訴訟が九八年五月の東京地裁判決で全面敗訴し、〇〇年四党合意をめぐる国労内攻防でも結局反対派が敗北する中で（〇一年一月臨大）、反対派闘争団＝闘う闘争団がいわば苦肉の策として、今度は国＝鉄建公団を相手に、不当労働行為認定と解雇撤回を求めて起こした訴訟であった。これに対して周知のように国労本部は四党合意的和解に敵対するものとして激しく弾圧（統制処分）してくるが（その最大の山場が〇二年五・二七臨時大会だった）、〇三年一二月のＪＲ採用差別裁判での最高裁判決あたりから流れが変わってくる。この判決は、結論的には九八年五月東京地裁判決を支持するもので、ＪＲ各社の使用者責任を免罪した（尤も三対二の僅差でだが）。しかし同時にそこでは「不当労働行為があったとすれば、国鉄・清算事業団の責任は免れない」と付記したのである。こうして〇四年一一月三〇日には、反対派闘争団の第二次訴訟が起こされる（計三五名、鉄道運輸機構〔鉄建公団の継承組織〕を相手取って）。そして動労千葉争議団九名は、〇四年一二月二四日に提訴する。第一次鉄建公団訴訟から遅れること約三年である。ちなみに、国労本部と一体で進んできた四党合意賛成派闘争団も、すでに見た〇五年難波判決と「リセット論」をへて、〇六年一二月五日、第一次鉄建公団訴訟の約五年後に、鉄道運輸機構を相手取って訴訟を起こす。

さて問題は国労共闘だが、まず闘争団員二人が第一次訴訟（対鉄建公団）に加わるが、これは五・二七弾圧での逮捕（〇二年一〇月）による拘留中、獄中からのＳ弁護士の説得による途中参加であった。これに対し五・二七被告ではないもう一人の闘争団員は第二次訴訟（対鉄道運輸機構）の段階で初めて参加している。いずれも、後から遅ればせながらついていくという姿勢に終始している。この過程、国労共闘は、五・二七裁判闘争を闘い、それは文字通り鉄建公団訴訟をめぐる反対派闘争団の闘いと一体不可分的関係にあったのであり、このような鉄建公団訴訟に対する消極的姿勢は極めて奇異なことだが、動労千葉の最高指導者中野の次のような当時の言動をみれば、事態は説明つく。

（10）

〇三年九月発刊の『俺たちは鉄路に生きるⅡ』において、冒頭にある同年七月段階のインタビューの中で、中野は次のような発言を残している。

「結局『四党合意』賛成派も反対派も両方とも和解路線であり、政治決着路線だ」

「やはりＪＲの中で力関係を変えていく運動をやらない限り、ＪＲ復帰や解雇撤回が成り立つわけがない。しかしそういう路線の次元では、国労内の『四党合意』反対派も、闘う闘争団も、考え方は賛成派と基本的に同じなんです」

「だから闘う闘争団も、運動方針は鉄建公団訴訟一本やり。しかも鉄建公団訴訟は、本来清算事業団から九〇年四月一日に解雇されたことを無効とする地位保全存在確認訴訟なのに、しかし彼らの考えていることは、この裁判の過程でなんとか和解しようということでしかない」

もちろんここには、ＪＲ資本との闘いを一貫してネグレクトしてきた国労に対する正しい批判が含まれている。この点は、この二三年間という歳月を費やした国鉄一〇四七名闘争に対する国労本部の指導に対する批判として、何度強調してもしたりないぐらい重要な点である。力関係が一切という点は全く正しい。

だがここでさらに重要なことは、国労闘争団に対する絶望感、「四党合意反対派も賛成派も同じ」という言葉である。これは中野の歴史において決定的な変化、極めて深刻な転換であるといっていいだろう。なぜなら動労千葉においては、分割・民営化との闘い以来一貫して国労を、国労闘争団を獲得することが戦略的な課題であり続けてきたからだ。事実八五年の分割・民営化反対の動労千葉ストにおける中野の演説における組合員に対する殺し文句は、「小なりといえど動労千葉が立ち上がれば必ず国労は続いて立ち上がる」だった。そして闘う国労労働者は決して十分とはいえなくても、その後修善寺大会をかちとり、一〇四七名闘争の主軸を担っていった。動労千葉の闘いがこうした国労の闘いに強いインパクトを与えるとともに、このような国労の闘いの持続が動労千葉を支えてきたのである。

何もそんな昔にさかのぼらなくても、この本のわずか3年前に発刊された『戦後労働運動の軌跡と国鉄闘争』の中では、〇〇年七・一臨大直後ということもあって、やはり冒頭のインタビューの中で中野は、四党合意反対派闘争団への賛美を繰り返し語っている。だが、三年後のインタビューの中では、前記のような国鉄闘争に関する全く悲観的で、清算主義的な言及の代わりに何が強調されているかといえば、「動労千葉がアメリカに行った」ということであり、中野が韓国民主労総の誰それと会ったということなのだ。

革共同内的にいえば、ちょうどこの時期、いわゆる新指導路線が出され、労働運動、反戦闘争、選挙闘争の三本柱が否定され、労働運動一本やりが声高に強調されるが、この背後には国鉄一〇四七名闘争への絶望が潜んでいた。その後の極左空論的経済主義・組合主義、今日的社民主要打撃論、カルト的動労千葉特化論などの直接の原点はここにあり、繰り返すが一〇四七名闘争への絶望がその決定的な動機になっていたのである。

(11)

最も深刻な問題は、このような中野の根本的なところでの変質、国労ないし国労闘争団への絶望に、国労共闘もまた唯々諾々として順応していったことである。ここいらの問題について私は自分の責任を棚上げして語ることは出来ないのだが、鋭く五・二七裁判闘争への関わりの問題として問われている。

周知のことを繰り返すと、五・二七とは、〇二年初めに鉄建公団訴訟を起こした反対派闘争団を統制処分にかけるために国労本部が〇二年五月二七日に臨時大会を開き、これに対して国労共闘の組合員が抗議し、「奴隷の道を拒否せよ」と題するビラを御茶の水にある大会防衛隊宿舎のホテル前でまいた、これを奇貨として国労本部は、当時の委員長Sを先頭に警視庁公安部と連んで、単なるビラまきを行っていた組合員七名とビラまきさえ行っていない支援者一名を、「外部勢力による組合大会破壊行為」と言いがかりをつけて、暴処法違反などの容疑をでっち上げて逮捕・起訴したという事件である。

〇二年一一月、二波にわたる逮捕のあと、革共同と国労共闘は直ちに法廷闘争とともに、政治的・社会的反撃が必要であると考え、〇三年冒頭には「国労五・二七臨大闘争弾圧を許さない会」が発足することになった。その発起人には、四党合意問題以来一貫して反対派闘争団を支え、鉄建公団訴訟を担い、支援してきたS弁護士を初めとする大半の人士が加わった。そして国労共闘は熱心に傍聴闘争に取り組み、中野もまたさまざまな対策会議に指導的にかかわっていた。

ここで求められていたのは何だったのか。五・二七裁判闘争と鉄建公団訴訟を一体のものとしてかちとり、五・二七裁判闘争をテコに、これを闘う闘争団の中に持ち込み、国労共闘と反対派闘争団の太いパイプを確立する、より率直にいえば、いまや警視庁公安部と一体になって「過激派排除」の旗を振りかざして、国労共闘弾圧の尖兵になる一方、鉄建公団訴訟原告団の統制処分・解体に突き進む国労本部極悪幹部に対する怒りを全闘争団の中にぶち込み、反対派闘争団を国労本部から完全に切り離し、獲得すること、そうして闘う闘争団の中に、国労共闘の宣伝・煽動を大胆に展開し、指導性を確立し、鉄建公団訴訟の勝利の展望を明らかにすることであった。五・二七の真相を暴露することを最大の武器にして、国労共闘の総力をあげて、闘う闘争団、四党合意反対派闘争団をオルグし、新たな展望が見えてきた一〇四七名闘争勝利の道を照らし出すことであった。闘う闘争団といっても、〇〇年以来、決してしっかりした指導も路線も保障されずに放置されている中で、だからこそそれは国労共闘の責任として果たされなければならなかったのだ。

（12）

だがこのような闘いは実現しなかった。理由は明白、中野の「鉄建公団訴訟などロクでもない」「反対派闘争団も賛成派も同じ」論が立ちはだかっていたからだ。こうして五・二七被告を含む国労共闘、さらに闘争団員を含む国労共闘のメンバーによる、北海道や九州の闘争団に対する働きかけは、特にこの最も決定的な瞬間に最も弱かったといえるのではないか。少なくとも結果としてこの過程で闘争団員の新たな獲得がほとんど進んでこなかったことは、極めて屈辱的な一〇四七名「和解」なるものが出て、それに闘争団員の大半が屈服している現実を突きつけられている今日では全く明らかである。

もちろんこれはただ彼ら個人の問題なのではない。すぐれて革共同と国労共闘の〇〇年四党合意攻防以来のこの一〇年間の指導の問題である。五・二七弾圧は、もちろん国労共闘にとって大きな試練だったが、同時に決定的なチャンスでもあった。国労共闘はここで初めて、スタンドのヤジ集団からグランドに降りたプレーヤーとして登場した。しかしここで求められていた、五・二七裁判闘争に闘う闘争団、鉄建公団訴訟原告団を獲得することに失敗した。そうしてその後、四党合意が完全に破産し（〇二年一二月）、逆に鉄建公団訴訟の展望が徐々に見えてくる中で、狡猾な国労本部による「リセット」論を許し、一〇四七連絡会の四者・四団体への反革命的換骨奪胎を許したのである。一言でいえば、闘う闘争団を、国労共闘が獲得するのではなく、国労本部が獲得したのである。その帰結が、今回の「解決案」である。もし逆の状況をつくり出せていれば、「解決」は今回とは全く違うレベルとプロセスになっただろう。

だが問題は、国労共闘がただ闘争団を獲得できなかったというだけではない。何よりも深刻なのは、五・二七裁判闘争をめぐって、〇八年二月の五・二七弁護団の全員解任・分離公判の強行という革共同と国労共闘の犯罪的な行為が果たした役割である。これは、〇七年から〇八年にかけて進行する革共同そのものの分裂の結果であり、国労共闘に責を負わせるのは酷かもしれないが。しかしいずれにせよこの愚挙によって、五・二七裁判そのものにおいて、本来なら無罪判決をかちとれたはずなのに、罰金刑とはいえ一審有罪判決を許した（〇九年末）。だがそれ以上に大きいことは、闘う闘争団の中にも「やっぱりああいう連中には近づかない方がいい」という「教訓」を植え付け、国労本部には「やっぱり一〇四七連絡会を解散したのは正しかった」という恥知らずな自己正当化を許したのである。こうして革共同と国労共闘は敵に塩を送ったのである。今回の、国とＪＲと四党と鉄道運輸機構によるろくでもない「解決案」をもたらし、しかも闘う闘争団も殆どこれに抵抗出来ないという状況をつくりだした責任の一半は、革共同と国労共闘、特にそれが動労千葉特化論なるものにぶざまに屈服する中で、この上もなく愚劣な五・二七裁判闘争破壊・自滅行動に走ったことにあったといって過言ではない。これによって、五・二七闘争は、本来であれば国労共闘のまさに檜舞台＝一〇四七名闘争勝利の橋頭堡になるべきところを、最悪の墓穴と化してしまったのである。今回の一〇四七名「和解」を批判するとき、この五・二七裁判闘争において自らが起こした愚かな行為についての反省なしにすませることは認められない。

（13）

最後に簡単に触れておきたいのは、国労共闘当該の、今回の「和解」に対する対応についてである。五・二七裁判の分裂・分離公判の中で、一方の側にたった被告・闘争団員一名はこの「和解」の受け入れを表明している。全く理解できない。

もちろんすでに述べたように、最後は本人（とその家族）の「納得」である。しかし一般的にいって闘争団、一〇四七名の闘いは、長年にわたる、何百万という労働者・人民の支援のうえに成り立ってきた。「納得がいく」という場合、もちろん当該が第一だが、同時に長く一〇四七名闘争を支援してきた人々の「納得」もまた含まれるはずだ。いわゆる一〇四七名支援陣形とは、同時に連合下でも反戦政治運動を継続して来ようとした勢力と重なっている。こうした今日の日本階級闘争の現実に一〇四七名は責任を持っている。

しかもこの当該は、単なる一闘争団員ではない。国労共闘の指導的メンバーとして、昨日まで国労本部（今回の「解決案」の元凶）批判の先頭に立ち、特に五・二七裁判闘争では、党派の愚劣な引き回しによる弁護団全員解任・分離公判強行の中で、一方の側の被告として、多くの弁護士、労働組合などの支援をえて法廷闘争を続けてきたのである。「納得」は彼とその家族のそれだけではすまないのではないか。このような選択がこうした支援者の「納得」を得ることができると思っているのか、ということである。

これに対し、他の国労共闘系当該は「和解」を拒否、三名の記者会見も行われている。私はこれを今回の無残な「和解」に一石を投じたものと認識している。だが問題はなぜこのような数に終わったのかである。そこに疑問がある。この文書全体がそのために書かれている。総括が必要である。総括なしに展望をいくら声高に叫んでも無力である。しかも総括とは、国鉄一〇四七名闘争の総括であるとともに、革共同という組織そのものの、〇三年以降、あるいは〇六年以降の誤った、経済主義的左翼空論主義とでもいうべき路線の切開と総括でなければならない。沸騰する沖縄に出かけ、「国鉄闘争を軸に沖縄闘争を」などと寝言を言っているようでは、沖縄闘争の展望も国鉄闘争の展望も開けない。

第5章　党はどこへ行ったのか
「党の革命」「党の階級移行」という茶番劇について
二〇一八年二月

この文章は、あくまで二〇一八年二月時点、つまり革共同議長の清水丈夫が地下生活から五一年ぶりに浮上する以前に書いたものである。このとき私は、「スパイ」呼ばわりされたこともあり何らかの本を書くつもりでいたが、たちまち挫折、書き上げた冒頭部分だけをパソコンにしまっておいた。それをいささか時期遅れであるが引っ張り出したのがこの部分である。ご了解願いたい。

「史上最悪の反革命スパイ分子」なる有難い勲章を頂戴して

私は、革共同全国委員会に学生時代に加入し、その後長い歳月をそこで過ごしてきたが、約一〇年前に離れた。去るもの日々に疎しではっきり言って関心も薄くなっていた。ところが三年前に、やはり一〇年余り前に革共同を離れた二人の元政治局員(水谷保孝、岸宏一)が、在籍当時の指導部の内幕を暴露・批判する本を出した。これに対し革共同機関紙『前進』は直ちに反応するのだが、そこでは大見出しで、二人の名前と並べて私の名前もあげ、「史上最悪の反革命スパイ分子を打倒せよ」と喚いているではないか。

二人は、本を書くにあたって、何人かの元党員に取材しインタビューもしたらしい。しかし私はその対象でもなかった。多分、同じく離党したといっても、二人と私とではいろいろ意見の違いもあったからだろう。ともかく私をこの本の作成者に数えるなどというのは全くのデマに過ぎず、また上記二人もネット上でその旨をわざわざ公表している。それにしても私は、すでに見たような実に立派な「勲章」ともいえるレッテルを頂戴した。ただ黙っているだけでは失礼ではないかということで、私にいまさら何が書けるかという不安も含め、重い気を引きずりながらだが、ここに筆をとる決意をした。

ついでに、「スパイ」などという用語・レッテルが今日の革共同内外で氾濫していることについてまず一言。もちろんさまざまな運動や革命を目指す組織の中で、いわゆる「スパイ問題」は重要である。権力が絶えず運動・組織の実態をつかみ、それを潰すためにスパイ工作をするのは、昔も今の変わらないことである。まして共謀罪法などというとんでもない治安法が登場する中では。だがこのスパイ対策は、慎重に進めなければならない。

例えば私は、自分が権力のスパイであったことなど一度もないと断言できる。自分のことだからこれ以上確かなことはない。しかし、「それでは、お前がスパイでないことを証明してみろ」と言われれば、それはできない。「悪魔の証明」はできないからである。つまり、人にスパイなどというレッテルを張るのは、あくまで具体的な、動かない、疑いの余地のない、明々白々たる証拠に基づくものでなければならない。「あいつは怪しい」とか「臭い」とか何百回積み上げても、人にスパイなどというレッテルを張ることは出来ない。張ってはならないのである。

ところが今日の革共同において何が進行しているか。あいつは許せない、あいつは気に食わない、あいつは党中央に反抗的だ、あいつは不満分子だ、反党分子だ、だから、あいつは権力のスパイだ、までが一直線なのである。元政治局員二人へのスパイ規定の意図ははっきりしている。二人の本を党員に読ませない、権力のデマだから読むなということである。では、なぜ私もスパイの一員にされたのか。分からないが、多分私に何も書くなというメッセージのつもりなのかもしれない。しかし、そんなことを言われれば言われるほど書きたくなるのが人の常である。

ロシア革命から一〇〇周年となったが、これを率いたボルシェビキには、有名な帝政ロシアの秘密警察・オフラーナ所属のマリノフスキーなるスパイが潜り込んでいた。怪しいという噂もあったが、レーニンはあくまで彼を庇い、重用し続けた。しかし革命後、秘密警察の内部文書が見つかり、マリノフスキーの正体が暴かれ、銃殺になった。スパイ問題などというのはもともとこういう問題であった。スパイのレッテルが乱発されるのは、言うまでもなく内戦期を挟んで登場するスターリン以降である。周知のようにスターリンと対立する古参ボルシェビキは一人残らずスパイのレッテルを張られて粛清され、あるいは虐殺されていった。反スターリン主義を掲げた革共同をはじめとする日本の革命的左翼が誕生するとき、誰もが抱いていたのは、「トロツキーはアメリカ帝国主義のスパイ」などという日本共産党のたわ言に対する心の底からの軽蔑だった。それは「権力のスパイ」などというおどろおどろしい烙印によって、異論・反論を論争外的に封じ込め、組織防衛・自己保身を図ろうとするスターリン主義官僚への軽蔑だった。

しかしどうも問題はスターリン主義だけではないようだ。ともかく左翼は「権力」に弱い。権力と闘っていると聞けば、実際はただ権力とじゃれあっているだけであっても、判断停止的に称え、賛同し、「権力の手先」とか「権力のスパイ」などと言われると、判断停止的に怯え、震え上がる。このような傾向をある意味では極限まで凝縮したのが、革共同から分裂してできた革マル派という党派であり、ここでは、権力の手先でも、権力のスパイでもなく、「権力の謀略」という言葉が氾濫した。革マル派は革共同(=中核派)などとの長い戦争(いわゆる内ゲバ)を続けるが、初期的な優位性が崩れだすと、にわかに「いや、われわれは中核派にやられたのではない。中核の仮面を被った権力に攻撃されているんだ。われわれは権力の謀略攻撃と戦っているんだ」と言い出す。ついには内ゲバとは関係ない、革マルメンバーの自殺ないしは内部テロ事件などまでとりあげ、これも権力の謀略だと言い募り、大々的なキャンペーンを張って、大衆運動を巻き起こす(水本事件)。その真の目的は、危機の党内を判断停止・思考停止的にタガハメすることにあった。謀略中毒である。

このように見てくると、今日の革共同における「権力のスパイ」論の乱発も、結局のところますます深刻化する組織的・路線的危機から党員の目をそらせ、そのために組織全体を思考停止状態に投げ込むためのものではないかと思える。要するに、スパイを見つけ出し、作り出して「団結」を維持する、ものを考えない党員をつくるということである。

二〇〇六年ＡＤ革命とその歪曲

革共同は、二〇一三年末に「革共同５０年史」を出している。正式名称を『革命的共産主義運動の５０年　現代革命への挑戦』という上下二巻の本である。そしてこの冒頭の序章に、清水丈夫革共同議長署名の「党の革命で革共同は本物の党に飛躍し二一世紀革命への新たな挑戦を開始した」という文章を掲げている。

私個人について言えば、私は清水に学生時代からさまざまな指導を受け、多くを学んできた人間である。だがこの「序章」から私が受け取ったのは耐え難い無力感だけであった。革共同内の細かい組織問題に認識のない読者のために、まずここに出てくる「党の革命」とは何かから簡単に説明しておきたい。

発端は、二〇〇六年三月に革共同関西地方委員会において当時の同地方委議長Ｙを打倒したことである。Ｙにおける金銭問題と権力問題における不正・ルーズさとそれを隠ぺいするための強権的党内支配への不満の爆発としてあった。その手法はかなり手荒いものだった。Ｙの不正を革共同中央政治局に上申し、その指導のもとで更迭を図るというのではなく、あらかじめ関西地方委のメンバーを、労働者党員も含めて組織・動員し、Ｙその他を関西前進社の一室に監禁し、縛り上げ、自白を迫るものであった。そこでは一定の暴力も振るわれた。これを主導した関西地方委の一部幹部が、政治局への報告をせずにこのような挙に及んだのは、政治局そのものへの根深い不信（上申などすればどうせもみ消されるという）があったからである。

しかし実はこの現場には、東京から来ていた革共同書記長Aも立ち会っており、帰京後彼は直ちに千葉に向かい、事態を中野洋に報告する。中野は元動労千葉委員長で、同顧問、同時に当時はすでに革共同政治局の表の実権を握っていた。そして中野は直ちに関西におけるY打倒を支持する。用意されたYの行為を糺す関西の文書が指摘する具体的事実が全く疑問の余地を残さないほど明白だったことがあった。その後、Yを打倒した関西の指導的メンバーは東京の党員集会でも拍手喝采で迎えられた。Yはその後、反論も抵抗もせずに姿を消した。革共同内では、この一件を「AD革命」というコード名で呼んだ。だがこれは第一幕にすぎなかった。このAD革命の簒奪と改ざん、これを逆手に取った党内権力闘争が、中野を先頭にする中央政治局によって開始されるからである。「党の革命」本番である。

まず、政治局は、このAD革命で問われたのは路線問題だと強弁した。Yが部落解放運動出身であったことから、問題は、労働運動路線か、差別糾弾主義路線かだ、などと主張したのである。しかし私に言わせれば、ここには確かに路線問題は、ひとつあった。しかしそもそも部落差別や民族差別問題と労働運動を二者択一的に論ずるのは間違っている。しかもこのとき、それ以上に大きな路線問題としてあったのは、組合運動・経済闘争と政治闘争の関係、中野が強調する「階級的労働運動路線」と第一次安倍政権下で切迫する憲法闘争をいかに結合するかであった。労働運動か差別糾弾かなどというのは、路線問題の、中野によるためにする歪曲・わい小化であった。

粛清の横行と私の離党

そしてさらに深刻なのは、ここで問題になったのが路線問題とともに、それ以上に組織問題であったことである。なぜ中央政治局のど真ん中からＹが生まれたのかということである。さらになぜＡＤ革命を遂行した関西の幹部党員たちは、Ｙに関する詳細な調査を終えながらも、それを上申、あるいは暴露するだけでは政治局に弾圧され、もみ消されるだけだと思うほど政治局不信が強かったのかである。確かに党内問題で暴力が振るわれるというのは異常である。だが、それは関西組織一部指導部の誤った判断の結果だったのか。私はそうは思わない。そこには、革共同が革マル派との長い戦争を含め経験した厳しい歴史、それが生み出した組織の歪み、組織の硬直化・官僚化・軍令化という、革共同にとって最も深刻な問題があった。しかし少なくとも政治局の中で、ＡＤ革命の直後に、この問題に言及したのは清水だけであった。そしてその清水も結局間もなく中野の言うなりになり、Ｙに与した、あるいはＹに近かった政治局員などの指導的メンバーに「糾弾主義派」とか「血債主義派」などとレッテルを張って、自己批判を迫り、排除し、除名していくのである。除名などというのは、本来階級的犯罪行為や裏切り行為のみを対象とするものである。路線の違いを理由に右から左に党員を除名する、それを「党の階級移行」などと正当化するなどというのは論外である。

そして〇七年になると、こんどは、Ｙを打倒した関西の幹部党員に対してまで「血債主義派」などのレッテルを張って、排除しだすのである。〇七年一一月の関西地方委の幹部二名の除名がその頂点である。昨日まで党を救った英雄として讃えていた党員を今日は「反革命」というレッテルまで張って除名する。私のように頭が固く、器用に立ち回れない人間には対応不能であった。私はこの過程で二回意見書を出すが、革共同においては、共産党のように査問会議など開かれることもなく、ただ〇八年冒頭の基本会議で私は、私以外の参加者全員の声を限りの罵声と嬌声を浴びせられ、結論は、意見書の撤回、自己批判への専念、自己批判が完了するまでの活動禁止を通告された。以上が、私の見てきた「党の革命」の経過だが、私はただひたすらアホらしくなって革共同を離れた。

党とイデオロギーの空無化

「党の革命」などが云々されること自体、党が深刻な危機に陥っていたことを意味し、そこには路線問題と組織問題の二つがあったと言ったが、まず路線問題から見ていく。前記の清水「序章」では、これを（九一年）五月テーゼ以来の党内闘争として説明している。五月テーゼとは、革共同が七〇年代以来とってきた対革マル・対権力の武装闘争路線を転換し、党建設と労働運動をはじめとする大衆運動に軸足をおくという路線であった。しかし「序章」によれば、これに対し、その当初から「五月テーゼ反対派が形成され、執拗な分派闘争が展開された」「反対派は、小ブル革命主義・小ブル平和主義などさまざまな日和見主義者の集団であったが、総じていえば『血債主義派』『糾弾主義派』であった」「この血債主義派・糾弾主義派は、革共同の七〇年七・七自己批判の階級的本質を歪曲して、『七・七』にかこつけて、『日本の労働者階級・労働組合は差別主義に汚染されていてそれ自体としては革命主体たりえない』などと主張した」という。ここでいう七〇年七・七自己批判問題は、七〇年闘争総括の中でも極めて重要な問題であり、項を改めて論述する。「序章」の続きを追おう。「血債主義派・糾弾主義派の主張の裏側には、五月テーゼをかちとる原動力となった動労千葉の階級的労働組合の防衛・強化・創造の闘いについて、〝じょせんは民同的組合の左派的形態にすぎない〟などという、不信をこえた蔑視があった」「二〇年の内戦期のなかでマルクス主義での党内武装が後退し、何かにつけて『七・七自己批判』をふりかざし、血債主義や糾弾主義のイデオロギーをもって他党派と対峙するのみだったり、党のイデオロギー活動に代えてしまうという傾向が、五月テーゼを迎えた時点で根強く存在していた」「そしてこれはじつに深刻なことに、党の中央指導部を二分するものとなり、動労千葉型労働運動の全国化のための闘いを推進することに対する重大な妨害物となり、敵対物となって、党を危機的状況へと追い込むものとなったということである」「さらにこれは、関西で典型的に暴露されたように、党指導の行政権力化、直接的な暴力的・組織的組織運営、財政的・道義的な恐るべき腐敗をも生みだしていったのである」。

そして清水は「私の誤りと自己批判」という項目を立てて、「自分は、端的に言えば、彼らをイデオロギー闘争の対象としてしまい、組織内討議をとおして変革できるとしてしまい、彼らを、五月テーゼ路線を現実の階級闘争のなかで妨害し、敵対しているものとしてつかみとることができず、結局その存在を容認してしまった」「私は明らかに党絶対化の立場に立ち、党を労働組合より上に置くという立場に立っていた」。そして「この『党の革命』において、私自身は革命的に打倒された。私はこれを真っ向から受け止め、自己批判した」と、いかにも清水らしい自己批判をしている。以上、長々と、「党の革命」の背後にある路線問題についての清水の認識を引用してきた。

だが、ここに書かれていることは、私に言わせれば一〇〇%間違っている。唯一あたっていると言えるのは、七〇年七・七自己批判を受け継ぐ運動（部落差別との闘いや民族抑圧との闘い等々）のなかに、ある種の受け止め主義的・乗っかり主義的・糾弾主義的傾向が部分的に生まれたことである。その戦線を担当しているだけで、自分も在日や部落民になったように錯覚し、振る舞い、周囲を糾弾しまくるというような傾向である。しかしだとすれば、それは克服すればいい。いかにして。党的・イデオロギー的に克服すればいい。問題は党内問題なのである。そもそも労働運動・労働組合と部落解放運動・民族解放運動が対立するなどということがあっていいはずがない。革命を考えるうえで極めて戦略的に重大なテーマである後者に歪みが出たからと言って、これを労働運動の名において否定するなどというのは、産湯とともに赤子を流すに等しい行為である。

ここで問われているのは、党とイデオロギーである。もっと言えば、求められていたのは、党的全体性であり、五月テーゼの中にあった言葉を使えば、「レーニン的オーソドキシー」である。ところが清水は、自分は問題を「イデオロギー闘争の対象」としてしまったとか、「党を絶対化」してしまったと自己批判している。アベコベではないのか。問題は、党とイデオロギーの空無化ではないのか。党的全体性の蒸発ではないのか。そしてそこから導き出される結論が、「血債主義派」の没イデオロギー的・行政的排除であり、党の上に労働組合を祭り上げる組合主義である。何度でも言う。民同の足許にも及ばない労働組合主義である。

反戦闘争の山場での敵前逃亡

いわゆる「党の革命」過程における路線問題としては、この労働組合の名による「血債主義」排斥と並んで、ある意味でそれ以上に大きな問題として、労働組合の名による政治闘争の否定、反戦闘争・憲法闘争などの徹底的なネグレクト・ボイコットの問題があった。しかしこれは〇六〜〇八年課程より三年前の、〇三年五月のいわゆる「新指導路線」に遡る話である。清水「序章」はこの側面についてほとんど触れておらず、それは清水の「弱点」というか、「動揺」というか、難しいところだが、いずれにせよ避けて通る訳にはいかない。

「新指導路線」とは、このとき、中野主導で、清水主催で、中野お気に入りの労働者党員二〜三名を含め開いた会議で決めた方針で、実質的には中野による「クーデター」と言ってよい内容のものであった。〇三年の春、革共同は三つの課題を抱えていた。一つは、これが最も大きい世界史的出来事だが、三月二〇日に始まったアメリカ・ブッシュ政権のイラク戦争、小泉政権の支持・参戦である。同時に同年六月には、九七年の日米防衛新ガイドライン以降懸案になっていた武力攻撃事態法など有事三法が国会を通った。反戦政治闘争は決定的な正念場を迎えていた。いま一つは杉並区議選挙闘争で、これまで二議席を維持してきたが、三人目の新しい候補を立てたことである。もちろん都議選への挑戦をにらんだものので、投票日は四月だった。三つめは、動労千葉の春闘ストであったが、三月末の決起集会の参加者数が少なかった。

要するにこれに中野が逆上したことがことの発端である。「動労千葉をなめるな」ということであり、これに清水が屈して生まれたのが「新指導路線」である。その内容は、一言でいえば「労働運動への傾斜生産的投入」などという言い方に端的に表れているように、労働組合が全て、というより動労千葉が全て、反戦闘争や選挙闘争は切り捨てるという無茶苦茶な方針であった。動労千葉についてはその後「動労千葉特化論」という能天気な世迷い言にまで昇天し、杉並区議については、やはり「党の革命」過程で二人の党員区議の即時辞任要求にまで行きつく（〇六年九月）。断っておくが、私はかなり早い段階から(七〇年代後半以降)動労千葉の運動に親しく接し、その意義を高く評価してきた者である。だがそれは、「動労千葉特化論」などという冗談話とは全く異なる次元での評価であった。

反戦政治闘争について言えば、私は当時「とめよう戦争への道・百万人署名運動」にかかわっていたので、やや詳しく記述する。この運動は、九七年日米新安保ガイドライン締結時に発足した運動で、著名人を呼びかけ人にそろえ、全国に数十の連絡会をつくり、戦争法案反対の百万人の署名を集めようとする運動であった。運動立ち上げ課程では、中野も呼びかけ人オルグで沖縄などを回った。そして新ガイドライン関連法として、まず九九年に周辺事態法が出てくる過程で、この運動は九〇万筆近くの署名を集めた。新左翼の運動としては画期的な数字であった。またこの運動は、当時ナショナルセンターを超えて結成された陸・海・空・港湾二〇労組の闘いとも連動して成果をあげた。署名依頼は当然これらの労働組合にも全力で行った。一例をあげれば、私自身も六本木に本部のある海員組合を訪ね、もともと同盟系のこの組合が二〇労組に加わったのは、先の大戦で無数の民間船の乗組員が海の藻になったこと、そして同組合は今でも「海の墓標」というサイトで彼らを追悼していること、「だから周辺事態法に反対する闘いはわれわれにとって単なる平和運動ではない、組合員の命を守る闘いなんだ」と教えられた。既成の政党や労働組合が大きく後退する中で、戦争に反対して、地べたを這いまわって署名集めから始めるという運動にわれわれは手ごたえを感じていた。そしてその最大の山場が、〇三年通常国会の有事三法との対決だった。そしてその前夜にイラク戦争が起きた。

ところがそのただ中に革共同が出したのが「新指導路線」である。これは白昼公然たる階級的逃亡行為に等しかった。だがそれではなぜ数年前までは百万人署名運動立ち上げにも尽力していた中野がこれほど無様に変わったのか。中野自身、動労千葉自身、過去において幾多の政治闘争を闘いぬいてきている。七〇年過程では沖縄闘争の先頭で、千葉県反戦青年委員会の旗を掲げて闘いぬいた。そしてこの沖縄闘争と国鉄反マル生闘争の勝利は完全に表裏一体の関係にあった。七〇年代後半では三里塚ジェット闘争に組織に挙げて決起した。「俺たちはゼニカネのためだけに闘うんじゃない」が動労千葉組合員の合言葉になっていた。この闘いこそ、その後八〇年代半ばの国鉄分割・民営化に反対する動労千葉の闘いのエネルギーを形成した。それがなぜここまで変われるのか。

これは「党の革命」などという愚劣な茶番劇の直接的な背景でもあるが、中野における動労千葉防衛路線、動労千葉至上主義への転落にあり、その決定的なきっかけは、二〇〇〇年における国労闘争団をめぐる四党合意攻防において反対派が負けた、いや中野が負けたと思い込んだ、その結果、国労と国労闘争団に中野が絶望した敗北主義にあったと私は思っている。「動労千葉特化論」などへの昇天も、この中野における国鉄労働運動と日本労働運動、とりわけ国労闘争団への絶望の産物である。そして絶望ゆえの幼児退行である。中野はこのとき骨が折れたということではないか。そしてこの絶望に革共同も道連れにしようというのが、「新指導路線」であり、「党の革命」であった。

反戦政治闘争の蒸発

いずれにせよ、この〇三年、つまりイラク戦争と有事立法が重なって出てくるような情勢において、反戦政治闘争を切り捨てるというようなことは、革共同の長い歴史の中でもかつてないことであった。それは別の言い方をすれば、レーニン「なにをなすべきか？」の全面的否定・清算であった。レーニンのこの著作についてはさまざまな批判があることは私も知っている。私にも意見はある。しかしその経済主義に対するレーニンの仮借ない批判、つまり労働者階級は、その直接的・職業的利害からのみ立ち上がるとか、その自然成長的発展の先にのみ革命を展望するというのは全く間違っていること、革命のためには、革命に向かって進むためには、どうしても革命党が、政治を、全面的な政治暴露を、全面的政治的宣伝・扇動を、定期的に発行される新聞などを通して、系統的・計画的・組織的に階級の中に「外から」持ち込まなければならない、としたのは圧倒的に正しかったのである。

しかし「党の革命」が叫ばれているころ、盛んに言われたのが「職場闘争とマルクス主義を結び付ければ革命がみえてくる」というような空文句であった。これは果たして正しいのか。いや全く間違っている。なぜならここには政治闘争がないからだ。革命とは、ブルジョア国家権力を政治的に転覆し、奪取するという歴史的事業である。もちろん革命の主体は労働者階級である。労働者の職場生産点における資本との営々たる闘いが一切の土台である。このことを忘れ、革命を一握りの革命家の政治的陰謀によって成し遂げようというような考え方をブランキズムという。

それでは逆に、職場における経済闘争を正しい理論と路線、つまりマルクス主義で指導すれば、その単純延長線上に革命が展望できるかといえば、そうではない。経済闘争と並んで、もう一つの柱としての政治闘争、戦争や人権破壊などそのときどきの国家権力の攻撃に対する職場・地域・街頭からの政治闘争が必要なのだ。そのときどきの政治闘争に全力で取り組まない組織では、生きた政治討論が行われない。政治討論も行われない組織は、細胞の隅々にまで酸素が行きわたらない。「革命」の空文句をどんなに高唱しても、それで死んだ組織を蘇らせることはできない。

経済闘争と政治闘争と理論闘争が必要なのであり、これは今も昔も変わらぬマルクス主義にイロハのイである。ところが清水「序章」は、確かに政治闘争そのものを正面から否定することはしていないが、五月テーゼ以降の闘いの成果として、動労千葉を先頭とする階級的労働運動と「マルクス主義基本文献シリーズ」刊行の意義を繰り返し強調し、五月テーゼ以降もさまざまにあった反戦政治闘争については全く触れていない。そして気にかかるのが、そもそも基本文献シリーズの中に、レーニンの「帝国主義論」と「国家と革命」は入っているが、「なにをなすべきか？」はないということである。ここにどういう意思が働いているのか、いずれにせよ不可解である。

なおこの政治闘争の蒸発問題は、〇三年の一過的な問題ではない。明らかに清水はこの問題を気にしていたし、動揺していたと思う。そして〇四年になると、清水の指示で憲法問題の学習会が一〇回ほど公然面で開かれ、多少の曲折はあったが、〇五年九月には一冊の憲法本が出版された。私も中心的にかかんでいた。第一次安倍政権下での改憲攻撃が動き出したころである。だがこの本はまず中野によって徹底的に排斥され、百万人署名運動は〇六年に九条改憲反対の新たな署名運動を呼びかけるが、革共同指導部によって徹底的にサボタージュされた。憲法問題の重要性を訴える声は、「労働運動の力で革命を」とか「労働運動こそ改憲闘争だ」などという革命的乱痴気騒ぎの喧騒の中にかき消されていった。

杉並二区議の議員辞職強要

路線問題として付け加えておくべき問題として、杉並選挙問題がある。すでに述べたように革共同は〇六年の段階で杉並の党員区議二名に議員辞職を迫っている。要するに二人が動労千葉に日参しなかったというのが理由のすべてなのだが、表向きは、議会で、民営化を推進する議案に賛成したというのが理由で、私は詳しく知らないが、もしそれが間違った対応だったというのなら、党が指導して正せばいい。議員に反省を迫り、自己批判を要求すればいい。それもせずに即時辞職要求などしても、そもそも二人を支持した杉並の後援会、支援者に通用するはずがない。案の定、この革共同の方針は杉並区民の猛反発にあい、二人は翌〇七年四月の選挙に、区民におされて革共同（都政を革新する会）と手を切り、無所属で立候補、一人が当選し、一人が僅差で落選した。この後杉並では二回区議選があったが、二人はいずれも高位当選し、革共同から出た他の一人は二回続けて落選している。革共同は一九六七年以降、革マル派との最も厳しい戦争の時も含めて杉並区議会での議席を維持してきた。だがこの間議席〇である。

清水「序章」はこの点について次のように言っている。「一連の選挙闘争における革命的議会主義の適用において、党のための闘争を自立化し、選挙闘争において当選を自己目的化する誤りを犯したということである。これは当然にも党を議会主義的腐敗に導くものであった」。だが選挙は、一定の地域の住民全体を対象とする最大の政治運動・党派闘争であり、平時における権力闘争である。当選か落選か、二つに一つ、当選を度外視するなどというのなら、選挙などやめればいい。泡沫的落選を続けながら、「勝った、勝った」などとはしゃいでいるのが恥ずかしくないのか。ところが、革共同はその後も、杉並を舞台にする、区議選、都議選、国政選挙などで選挙運動という形をとった「革命的ままごと遊び」をくりかえしている。限りなく空疎で自滅的なスローガンを絶叫しながら、莫大な供託金をドブに捨てるこのような愚行に組織内から何の異論も出ていないことが不思議だが、これがカルト集団というものなのだろうか。

組織問題の核心にある合非の関係

さて、次は組織問題である。清水「序章」は、これに関連してこのように言っている。「言うまでもなく、五月テーゼまでの二〇年におよぶ超長期の内戦的情勢のなかで、反ファシスト戦争を闘いぬくことに党のあり方を局限することになったため、軍事的機動性に引きずられて、党建設上はさまざまな歪みを余儀なくされるという側面はあった」。ずいぶん客観主義的な表現のように思うが、ここまではいいことにしよう。しかし続いて、例の通り、五月テーゼ以降、動労千葉型労働運動とマルクス主義の学習によってそれを克服しようとしたが、それだけでは不十分で、「党の全面的変革・根底的変革、あえて言えば党の革命が必要だということが、厳然として存在していたのである」となると、ちょっと待ってくれと言わざるを得ない。なぜなら、いわゆる「党の革命」によって、この党の歪み、党の病気、党の官僚主義と権威主義と印籠政治は、癒されるのではなく、逆に昂進し、重篤化し、全党化し、党の全気孔を覆うところまで進んでいるように見えるからである。

そもそも革共同の組織問題とは何か。一番重要なことは、それが、決して一部地方組織、あるいは一部産別組織、一部戦線組織、一部の機関組織の組織問題などではなく、革共同最高指導部の、中央政治局の組織問題としてあったということである。Yその人が、五月テーゼ以降、政治局の一員であった。しかしYはその前から問題を抱えていた人物だったのか。そうではないだろう。私は個人的には殆ど知らないが、部落解放運動出身の、優れた、党中央に忠実な(やや忠実過ぎたきらいがあったのかもしれないが)幹部党員であったことは間違いない。最大の問題は、政治局がYをダメにしたということである。しかもYは決して一人でも、初めてでもなく、Yの前にも、何人ものY的人格がほかならぬ政治局とその周辺から生まれていたということである。革共同政治局はあまりにも多くのタブーを抱えこんでいた。門外不出のタブーの山の重みで潰されそうになっていた。この核心点をあいまいにして、問題を労働運動対部落解放運動などと描き上げるのは誤魔化しである。では何が問題なのか。私は、もちろんこの問題に一番大きな責任をもっているのは清水だと思うが、しかし決して問われているのは単なる清水個人の能力や努力の問題ではない。

「序章」は、このような党の病を軍事路線のせいにしている。確かにその側面はあるし、否定できない。しかし「党の革命」段階でも五月テーゼという軍事路線からの転換から十数年の歳月が流れている。血債主義者がいたから、党の歪みは正されなかったなどというのは、全く的外れな責任逃れに過ぎない。問題はデリケートであり、抽象的に言う以外にないが、私はこの問題は、結局のところ、一九六九年の沖縄闘争における革共同への破防法発動、これに伴う、本多延嘉書記長（当時）の逮捕と清水をはじめとする政治局の大半の地下移行、いわゆる党の非合法・非公然体制への移行の問題にまで遡ると思わざるを得ない。問われていたのは、合法活動と非合法活動の関係、いわゆる合非の関係、合非の問題である。

「序章」はさまざまなことを述べた最後の最後に、「ある意味で最も大切な確認をしよう」として、「プロレタリア革命は本質的にブルジョア国家権力打倒の暴力革命としてのみ実現される」、「プロレタリア党は本質的に非合法・非公然の党である」「非公然党の防衛と建設の闘いは階級闘争における最深の、最高の闘いだ」と言っている。本質論には異議はない。また現実論としても、革共同は、六九年に党首の本多が破防法で逮捕され、数年後には（これと一体のものだが）本多が革マル派に虐殺されるという重い歴史を負っている。残された指導部が、権力と革マル派から自分の身を守ることを何ものにもまさる優先的課題にすえたのは全く当然であり、正しい選択であった。このことに疑う余地はない。もちろん党の最高指導部だけではない、権力から不当な手配が出ている仲間を守るためにもそれは必要だった。いずれにせよ、権力にガラス張りの革命党など革命党ではない。革共同が革命党をめざす組織である以上、合法活動と非合法活動を正しく結びつけ、合非の問題を絶えず正しく解決していくことが求められるのは当然である。

だが清水「序章」は、この点について合非の問題として問題を提起するのではなく、非合法・非公然体制が重要だということ以上のことを言っていない。しかし肝心なことは、非合法活動が重要なのはその通りだが、それは合法活動・公然活動のしっかりした土台の上に初めて成り立ちうるということである。そして強調しなければならないのは、少なくとも本多なきあとの最高指導者であった清水についていえば、六九年から今日まで五〇年近い地下生活を送っているということである。これを、権力と革マル派から守られてきたからそれでいい、最高の勝利だなどと言ってすますことができるだろうか。非合法・非公然活動の経験のない私などに多くのことは言えないが、しかしそれでも、今日にいたる党とその路線の歪み・病の根幹にはこの問題が横たわっていると思う。

殿上人と地下人の関係

もともと革共同の政治局とはどういう存在だったか。私なども学生のころ、よく労働者職場への朝ビラに駆り出された。だがそこでは、本多や清水などの政治局員がいつも先頭に立っていた。あるいは六七年一〇・八羽田闘争などの現場にも彼らは立って、陣頭指揮していた。もともと清水などは徹底的に現場の人であった。大学に来ても、自ら先頭に立ってクラスオルグに、寮オルグに入っていった。その清水がその後徹底的に非公然活動に徹するようになるものもちろんわかる。特に、対人関係を、あるいは合法陣地における闘いを重視した本多が、非公然的存在形態にもかかわらず、しばしば表の党員などと会い、その隙をつかれて革マル派に殺害されるなかでは、そうする以外になかったともいえるだろう。しかし私に言わせれば、長い年月の間、そうした表裏の関係が続き、合非の関係が硬直化することによって、革共同という組織にどれだけの歪み、病気、血の巡りの悪さ、風通しの悪さ、いや殆ど組織の窒息・壊死ともいえる状況を生み出したことについて、結局清水は十分理解できなかったのではないか。理解しようとしなかったのではないか。

分かりやすい話をしよう。殿上人と地下人（ぢげにん）の話である。長年の非合法・非公然体制が、革共同の中につくりだした階級格差の問題である。やや品のない表現を、しかし実際七〇年代ごろから、特に本多が殺されて以降使ってきた言葉だから、そのまま使うが、殿上人とは定期的に殿上に上り、御簾の奥で御前会議を持ち、そこで決定した何らかの方針を、しかるべき地下人に伝達する幹部たちのことである。御簾の奥の最高指導者たちは非公然的な存在で、特定の殿上人以外は顔を合わすこともない。そして地下人は全体として、しかるべき最高指示を文書で受け取るだけである。もちろん地下人といえども、方針に反対したり、意見を言うことはできる。ただし、あくまで文書を通してである。こうして私などに言わせれば、まず、直接われわれ地下人に方針を伝える殿上人には何を言っても無駄、これはその殿上人の能力の問題などではなく、御前会議で決められた方針を覆す権限など誰にも与えられないということからであった。残された方法は、御簾の奥に直接手紙を出す以外にない。だが、直接会って話し合えば、五分で解決する問題が、手紙のやり取りでは五週間かかる、いや五カ月かかる、あるいは結局解決しないということもしばしばあった。そうすると、結局面倒くさくなって、もう意見を言うのを止めるようになる。諦めるということである。他方で、党の方針は、御簾の奥から発せられ、それが整然と画一的に全党化していく。やんごとなき一通のしかるべき文書の読み合わせが、会議の基調報告の代わりとなる。かくて何も考えない、何も言わない党員が大量的に生産されていったのである。かつてあったような党と階級との生き生きした相互作用、党の指導部と党員大衆との間の打てば響くような関係、一言でいえば組織の感受性と民主主義が急速に奪われていった。

もちろん、特定の細胞会議や機関会議で、特定の問題をめぐって殿上人が持ち込んだ方針を拒否し、それを修正させるなどということが無かったわけではない。しかしそれは例外的な出来事であり、非常の決意と覚悟を必要とすることだった。そこで必要とされるエネルギーの大きさを考えると、私なども一再ならず二の足を踏んだ。このような組織の現実がどのように不健全な、忌むべきあり方であるかは、七〇年代から分かっていた。しかしわれわれはこれを、ともかく革マル派との戦争に決着をつけるまでは耐えなければならない現実として飲み込まざるをえなかった。もう少し辛抱すれば、昔のような風通しのよい組織が蘇ると信じようとしていた。

中野に公前面を丸投げ

そして五月テーゼが出た。それは、そこまで殿上人とは全く無縁だった中野と一貫して御簾の奥にいた清水のヘゲモニーで出されたことも含めて画期的な路線転換だった。ただし三つの問題があった。一つは、転換があまりにも遅かったことである。それは本多が殺されてから十数年後である。いま一つは、それまでの軍事路線、武装闘争路線の総括が殆ど行われていないこと、三番目は、組織的な合非の関係が一定改善されたが、根本的な骨格は変わらなかったことである。要するに、累積した組織問題の根っこが切開されなかった。最後の点に関して言えば、確かにその後中野自身もまもなく殿上人になり、Yなどいわゆる「血債主義派」も新たに殿上人になった。だがこれによって何が変わったのか。私などに言わせれば、殿上人間のいさかいが増していったぐらいではないかと思っている。その末路が「党の革命」である。

中野について私は七〇年代後半からさまざまな接触を重ねてきた。彼が動労千葉の極めて優秀な活動家であり、指導者であったことはよく知っている。彼は私などにも、「分割・民営化のストも三里塚・ジェット闘争も全部俺が一人でやったんだ。党の指導など全然受けていない」と繰り返していたが、これは事実だろう。だが言い換えれば中野にとって党とは、結局労働組合の書記集団のような存在以上ではなかったと思う。中野にとっては、革共同などというのは、動労千葉という職能主義的ローカルユニオンの手段でしかなかったのだろう。だから〇三年三月の春闘集会への党の動員が少ないことに怒って、「動労千葉特化論」などという愚かな結論にいたるのである。中野は動労千葉を党を通してではなく、良くも悪くも個人の力で指導・掌握した。私は五月テーゼ以降の革共同の混迷は、党について、党的全体性について何の経験も見識もない中野のような人物（それは決して彼自身の責任ではないが）を政治局の中心に据え、それを十分コントロールできなかったところにあったと思っている。

労働者出身幹部を殿上人にしたからといって、党が労働者的な感性・健全性を取り戻せるわけではない。問題は誰を殿上人にするかではなく、殿上人と地下人というような階級構造そのものを速やかに清算することではなかったのか。もちろん合非の問題の正しい解決、このことと権力や革マル派から組織を防衛することが両立されなければならないことが最大の問題だが。しかし清水は、〇六年段階でその破産が突きつけられる中で、自身はあくまで非公然部門に留まるという選択をしつつ、表の指導は中野に丸投げするという選択をした。それが「党の革命」での自己批判を経ての清水の結論であった。しかしそれによって生じたのは、私に言わせれば革共同の指導の底が抜けたということである。半世紀をこえる歴史をもつ革共同でその後奇々怪々、正視に耐えないことが次々起こったのも不思議ではない。

『チトーは語る』が教えていること

『チトーは語る』という古い本が私の手許にある。何十年か前に読んだ本だが、言うまでもなく、第二次世界大戦=独ソ戦の後、東ヨーロッパでは多くの「社会主義政権」が生まれたが、それらはことごとくソ連軍の進駐を背景にした傀儡政権・ソ連の衛星国だった。ただチトーが率いるユーゴスラビアだけが、自力でナチスドイツとのパルチザン戦争を戦い抜き、勝ち抜いて打ち立てられた政権だった。だからでもあるが、チトーはスターリンの言うなりにならず、戦後直ぐに、コミンフォルムから破門される。このころ作られたのがこの本で、その波乱に満ちた激動の過程に引き込まれた記憶があるが、なかでも強い印象に残っているのが、チトーがユーゴ共産党の臨時書記長に任命された際に、彼がそれまで国外に置かれていた党本部を、国内に移す決断をした箇所の記述であった。

「私は一九三八年はじめにパリについた。数日の後、ユーゴに向い、党再組織に着手することにした。この再組織はつぎの原則によるものであった。

第一――中央委員会はユーゴ国内に置き、人民の間で活動する。指導部が戦場から離れていては、労働者の民主的な運動が成功するのを期待することはできない。外部からの指令を待つこと、自分の頭を使う代わりに、誰かほかの人の頭を使うことは、この種のどんな運動にとっても非常に危険である。さらに、国外で亡命生活をすることは、政治的にいくら得るところがあるにしても、人間をだらくさせる。政治的亡命は、政治的に活動するものにとって破滅の前兆である。たとい生命の危険があろうとも、自分の国で、自分の人民と一緒にいて、人民とともに戦うことができ、いいこともわるいことも人民と一緒にすることができる方が、運動から遠く離れ、人民から遠く離れてさまよい歩くよりはズットいい。それでユーゴ共産党中央委員会書記長になるとすぐ、私は、ある国から他の国へと六ヵ年も転々としていた中央委員会本部をユーゴに移した。……

第二に――党の統一が必要である。ユーゴ共産党指導部は過去十五ヵ年間分派抗争の害をうけて来た。測ることができないほどのエネルギーが口さきだけの闘争に浪費された。大衆の間での活動に使われたのは僅かにすぎない。それゆえ、党の統一のための闘争は、大きな決定的な意味を持っている。……

第三に――党が外国から財政支援を受けないようにすることが必要であった。これこそ、成功のための根本条件の一つであった。もし援助を外国からしか期待できないとなると、人間は自分が住み、そして、活動している自分のまわりから支援を求めようと決して力めないようになるというくせに捕われる。一九一九年から三七年までの間に、共産党の活動の全期間を通じて、モスクワから金をもらったということは害になっただけである。私が党の責任者になった瞬間から、私たちは外国から補助金をもらわないことにした。そうなると、財政問題は政治問題になったわけだから、私たちは私たち自身の力にたよるほかなくなった。私たち自身の金が、賃金のうちから労働者がだした金であり、少しばかりの売上代金から農民がだした金であれば、その金をどう使うかという注意もそれだけ念入りになる。……」

かつての革共同に対して、中国共産党の関係者が資金援助を打診してきたが、本多が断ったという話を、伝聞だが聞いたことがある。周恩来が来日したときだったという。そういうこともあったのかもしれない。そしてもちろん革共同の最高指導部は海外亡命してきたのではなく、国内で地下活動を行ってきた。さらに一九三〇~四〇年代のユーゴと六〇~七〇年代の日本の革命運動を機械的に同じレベルで論ずることなどできない。しかし、私は右に引用したチトーの言葉は、古今東西のあらゆる革命運動に通ずる普遍的真理の一端を語っているのではないかと思う。

第Ⅲ部　現代社会を読む

――『ピスカートル』からの抜粋

「ピスカートル／漁をする人」は、２００９年10月に、「今、憲法を考える会」から創刊されたミニコミ誌である。発行人は日本キリスト教団牧師の小田原紀雄。小田原の没（２０１４年）後は、同じ教団牧師の星山京子が引き継いで、今日まで発行を続けている。私・岩本は、木村信彦というペンネームでここに随時文章を書いてきた。以下、そのうちの幾つかを選んで掲載した。

■「太陽をとらえた」近代科学の果てに
――フクシマが問うもの

・「原子炉立地審査指針」

東京電力は関東圏の電力をまかなう電力会社である。だが所有する主な原子力発電所は（日本で最初につくられた茨城県北部の東海村の原子炉を除いて）、福島第一、第二、新潟県の柏崎刈羽、そして建設中の東通原発も青森県下北半島と、全て関東圏外にある。これは法的決まりに基づくものだという。

原子力委員会が１９６４年に決定した「原子炉立地審査指針」いわく、

①原子炉の周囲は、原子炉からある距離の範囲内は非居住区域であること

②原子炉からある距離の範囲内にあって、非居住区域の外側の地帯は、低人口地帯であること

③原子炉敷地は、人口密集地帯からある距離だけ離れていること

要するに、意味不明な「ある距離」より近くは危険ということだ。

・もう一つの八百長とタブー

他方で東電などは、原発を建設しようとする地元住民には、その「絶対安全」性、「危険性など全くない」ことをくりかえし保障してきた。電力は経済の血液といわれ、事実東電からは経団連会

長なども出ているが、経済的復興と繁栄の道を驀進してきた戦後日本における、もう一つの八百長の国策化、二枚舌とイカサマの基本政策化がここにある。だからこれはタブーとされ、それを隠すためには手段を選ばなかった。

電源開発のための特別会計（電源特会）は年間数千億円、この潤沢な資金で与野党を問わず永田町を丸め込み、霞が関の天下り先を取りそろえ、原子力研究者の大半を接待漬け・研究費漬けで原発推進派に変え、地元住民と自治体は交付金で黙らせ、特に気を使ったのがマスコミで、巨大な広告主の地位を使って完全支配してきた。原発に反対する研究者を取り上げたドキュメンタリーを放映したら、その大阪某局の全番組のスポンサーから関電が降りたとか、タレントや芸能人が万一にも原発に疑問など漏らしたら、その世界では生きていけないというのが常識になっていたらしい。

・東電と闇の世界の関係

もちろん東電も関電も、それを背後で差配する経済産業省も、原発の危険性など百も承知。「原発ジプシー」とは80年代ごろから使われてきた言葉だが、究極の３Ｋ職場としての原発の建屋などの清掃作業などのために各地を渡り歩く労働者のことだ。日本では報じられないが、例えば福島第一の場合、東京のホームレスの肩を叩き、建設作業の倍の金を出すからと人材を集める。集める役割を担うのは東電に雇われた「原発親方」と呼ばれるヤクザ、日当は3万円、うち2万円をピンハネする。残り1万をもらった労働者の方はやがて癌で死ぬ。こうしたことが３〜４０年間習慣的に続いている。海外メディアはこれを「日本の原発奴隷」として報じていた。東電は、こうして一方では政・官・財・学・報道など権力に取り入り、他方では闇の世界に深く片足を置きながら、その経営を維持し、戦後日本の発展を支えてきた。われわれの知らないところで。少なくともフクシマまでは。

・「原子力の平和利用」なるもの

東電の隠ぺい体質、データのねつ造、原子力村の閉鎖性など、いろいろ言われている。この日本的特殊性には戦後的特殊性がからみ、ご多分に漏れずアメリカの影がある。最近沖縄の知人に「なぜ沖縄には原発がないのか」と聞いた。日本には10の電力会社があるが、沖縄電力にだけ原発がない。答えは明瞭で「在沖米軍が反対だから」ということだ。なるほど、フクシマの後、原子力空母ジョージ・ワシントンは母港・横須賀からあたふた出航していった。オバマの「クリーンエネルギー政策」とかで、原発推進に再度舵を切ったアメリカにとっても、沖縄米軍基地の近くに原発があることはまずいのだ。

原子力は第二次世界大戦末期に大量破壊兵器に仕立てられ、広島・長崎に投下された。その後米ソの原水爆実験競争が激化するが、54年1月にはアメリカが世界初の原子力潜水艦ノーチラス号を建造する。そして前年12月にアイゼンハワーは国連総会で「アトムズ・フォー・ピース」を打ち上げている。破壊兵器としてだけでなく、エネルギー源として原子力を使う、いわゆる「原子力の平和利用」の出発である。原潜が平和利用とはおこがましいが、それは米ソ核開発競争の新段階であると同時に、核兵器の大型化と死の灰の蔓延に怒る世界を欺くための苦肉の策でもあった。特に日本に対しては。

・日本の反米化を阻止する心理戦

54年3月1日、ビキニ環礁での水爆実験によって第5福竜丸事件が起こる。これを契機とする原水爆反対の署名運動は、ヒロシマ・ナガサキの記憶も呼び覚ましながら爆発的広がり、たちまち3千万をこえ、ワシントンを震撼させた。それはアメリカの世界支配の要である日本を失う危機、反核を引き金とする反米化・中立化という恐怖を生み出した。対日占領終結後の「心理戦上の最大の失敗であり、外交上の大きな汚点」とされた。ここで日本側で、それ以前から原子力政策に熱心だったのが中曽根康弘だが（明確に日本核武装化の野心を秘めて）、他方ＣＩＡが「対日心理戦のエース」として着目し、接触を深めるのが読売新聞の正力松太郎だった。後に「原子力の父」と呼ばれる正力が、ＣＩＡのエージェントとして日本の原発政策をいかに進めたかは、最近のアメリカの情報公開によって詳細に暴露されている。それを支えたのは、日本の経済成長の電力需要であるとともに、日本の世論の反核・反米化を阻止するところにあった。湯川秀樹も鉄腕アトムも動員された。その後日本は今日まで日本の核武装を許していない。しかし狭い地震列島に54基の原発の林立を許している。

・核燃料廃棄物はどこへ？

フクシマは、最悪の破局的可能性（チェルノブイリの何倍かの核爆発）も４月中旬段階で残っている。しかし最善の場合も事故以来続いている放射能の海と陸と空とへのたれ流しが、政府発表でも数か月、あるいは数年続くといわれる。そして廃炉するにしても、10年とも、いや数十年ともいわれる。常識的な話かもしれないが、標準的な１００万ｋｗの原子炉1基を1年動かすと、ヒロシマ型原爆の１０００発分の死の灰（核分裂生成物）を生む。60年代中葉に東海1号炉が動き出してから今日まで、日本の原発が生み出した核のゴミの総量はヒロシマの１２０万発分だという。だがこの放射性廃棄物をどこにもっていくのか。当面は下北半島らしい。「再処理」とか「核燃料サイクル」とかの夢物語でカモフラージュしながら。だからそこは原子力半島と呼ばれている。だがそれ以上増えたらどうするのか。どうしようもないし、そんなことはどうでもいい。重要なのは、さしあたりの成長と発展と効率、繁栄と光と宴。我が亡きあとに洪水よ来たれ——昔も今もこれが資本主義の変わらぬ精神である。

・「太陽をとらえた」という慢心

54年元旦から正力を社主とする読売新聞は、原子力の平和利用のための大々的キャンペーンを張った。そこにおける連載特集記事のタイトルが

「ついに太陽をとらえた」。だがその半世紀あまり後にフクシマが起きた。これは、古代バビロニアにおける、天までとどくバベルの塔とその崩壊の物語の21世紀版なのか。原子力という禁断の科学技術をどこまでも自在に操ることができるという慢心を人間は捨てることができるのか。原始時代の人類は、日本を含む世界各地で、さまざまな違いを持ちながら、しかし共通して太陽を神とあがめてきた。その太陽を「とらえた」というのが神を捨てた近代の結論なのか。これだけのことが起きた。だがその直後、4月冒頭の世論調査では、「今後国内の原発をどうすべきか?」という問いに、「増やすべき」「維持すべき」が計56%、「減らすべき」「なくすべき」が計41%(読売新聞)。この数字をどう見ればいいのか。4月10日、杉並・高円寺で、若者を中心とする1万5千人の反原発デモが起こった。

(2011・4・16　第11号)

■経産省前テントをめぐる裁判闘争
――あるいは生存権と抵抗権について

・福島第1原発事故と生存権

憲法25条は、「すべて国民は、健康で文化的な最低限度の生活を営む権利を有する」と定めている。いわゆる「生存権」だが、福島第一原発事故が、今なお避難生活を強いられている16万人の住民から、この基本的人権の重要な柱を根こそぎ奪っていることは明白である。そしてこの原発震災は、いまなお、ネズミが原因で長時間の停電・冷却停止を起こしたり、膨大な汚染水が貯水槽の手抜き工事でダダ漏れしたりと、何一つ問題は収束していないだけではなく、何よりも子どもたちの甲状腺ガン・異常の急増というかたちで、その災厄の全貌がこれから明らかになろうとしている。

経産省前テントは、震災・事故から半年後の2011年9月11日に建てられ、今日まで600

日近く、昼夜を問わず、冬も夏も、嵐の日も雪の日も維持されてきた。これを根本的なところで支えてきたのは、同年10月27日から3日間にわたる百人を大きく超える福島の女性たちのテント前座り込み行動だった。これを契機に、全国から、いや全世界からここを訪れる人々が急増し、ここで出会い、交流し、交歓し、同時に原発政策の元締め・経産省と霞ヶ関各省庁に対する交渉・抗議の砦・基地として守られてきた。毎朝、経産省の職員が来て、「ここは違法占拠だから出て行ってくれ」とはいうものの、それ以上のことが出来なかったのは、このテントの後ろにある福島の怒りの大きさ、それを包む脱原発の大きな世論を彼らも知っていたからだ。

だが安倍内閣になって国は動きを速め、この3月29日、つまり年度末ギリギリに、国がテントの占有者と特定したたった2名を被告として、テントの撤去と土地の明け渡しを求める訴訟に踏み切った。同時に経産省は、2名に、この間の「土地使用料相当損害金」として1100万円の納付も求めている。東京地裁での第1回口頭弁論は5月23日と指定された。訴状に明らかなように、国はあくまで占有権原の有無に論点を絞り、原発問題も、福島問題も関係ないという立場で臨もうとしている。これに対し、被告・弁護団側は、当事者を2名に絞っている敵の矛盾・破綻性を衝きながら、原発政策の是非を問う裁判に持ち込むことを追求している。

・現行憲法にみる抵抗権

原発の非人間的・反倫理的実態については別に譲るとして、ここでは「テントの正当性」について、憲法との関係で何が言えるかを若干考えたい。前文、16条請願権、21条表現の自由等いろいろ言えるだろうが、特に注目したいのが12条「自由・権利の保持の責任」、すなわち「この憲法が国民に保障する自由及び権利は、国民の不断の努力によって、これを保持しなければならない」という箇所である。

ここは、現憲法全体のなかでもかなり特異な条項である。なぜなら、そもそも憲法は、よく言われるように、国家が人民を縛る法律ではなく、人民が国家を縛る法律としてある（現憲法では主語は「人民」ではなく「国民」となっているが）。このことを典型的に示しているのが、99条「憲法尊重擁護の義務」で、「天皇又は摂政及び国務大臣、国会議員、裁判官その他公務員は、この憲法を尊重し擁護する義務を負う」とある。重要なのは、ここでの主語が、天皇から公務員までの国家の構成員で、国民は含まれていないことだ（一言付言すれば、最近の自民党の改憲草案では、このように国家と人民を対立的にとらえることそのものの否定、つまり憲法そのものを否定する内容をもっており、これは9条改憲以上に重大な問題である）。

ところがこの12条は、「自由・権利の保持の責任」を果たすための「不断の努力」を国民に義務づけているのである。現憲法では、「努力」という用語はもう一ヵ所出てくる。97条「基本的人権の本質」で、「この憲法が日本国民に保障する基本的人権は、人類の多年にわたる自由獲得の努力の成果であって、これらの権利は、過去幾多の試練に堪え、現在及び将来の国民に対し、侵すことのできない永久の権利として信託されたものである」とある。

現憲法が敗戦後のマッカーサー占領下で、GHQスタッフが作成した新憲法草案を下敷きにして作られたものであることはよく知られている。ところが当初のGHQ草案を、帝国議会にかける日本政府案に翻訳・書き換えするとき、日本の官僚たちは幾つかの用語を意識的に誤訳し、改竄している。先に触れた点との関連で言えば、peopleを「人民」ではなく「国民」とした箇所もそうだ。この結果、在日朝鮮・中国人などは憲法の埒外に置かれた。そしてわれわれの関心を引く12条、97条の「努力」だが、GHQ草案では、努力を意味する英語のendeavorではなく、struggleという用語が使われていた。事実、GHQ案が出た直後の当時の外務省訳では、ここは「此ノ憲法ニ依リ日本国ノ人民ニ保障セラルル基本的人権ハ人類ノ自由タラントスル積年ノ闘争ノ結果ナリ」となっていた。「努力」ではなく、もともとは「闘争」だったのだ。こうして、12条の謳う「不断の努力」は、憲法教科書的には、抵抗権概念の復活としてとらえられているのである。

・資本の暴走と人類の未来

近代憲法における基本的人権には、自然権と社会権があり、前者は「国家からの自由」、後者は「国家による自由」とも呼ばれ、生存権などは後者に属する。これに対し自然権とは、ブルジョア革命の初期から主張された天賦人権論に基づくもので、1789年フランス人権宣言では、「これらの権利は、自由・所有権・安全および圧制への抵抗である」とされた。そして1793年にジャコバン派の手で作成された憲法案では、より激しく「圧制にたいする抵抗は、それ以外の人権の帰結である」「政府が人民の権利を侵害するときは、叛乱は、人民および人民の各部分のため権利の最も神聖なものでかつ義務の最も不可欠なものである」と謳っていた。

抵抗権は、革命をへてブルジョアジーの支配が安定してゆくとともに後景化し、没却されていく。しかし第2次世界大戦後、再び光があてられる。第2次世界大戦の本質はもちろん帝国主義戦争だが、同時にそこでは、特に対独・対日の無数のレジスタンス運動、ゲリラ・パルチザン戦争、民族解放闘争が激しく闘われ、これが戦局にも少なくない影響を与えた。抵抗権概念の憲法上での復活の背後にはこの世界史的現実がある。

もちろん、近代憲法の背後には近代国民国家があったが、その近代国家そのものが、特に1970年代以降大きく揺らぎ、あらゆる近代的価値観（マルクス主義を含む）の再検討が迫られていることは確かである。しかし裸形の資本主義の暴走が、ただ恐慌と貧困をもたらすだけではなく、戦争と植民地主義をもたらすだけではなく、恐るべき自然破壊を通して人類を滅亡の瀬戸際に追いやりつつあることを示したのが、福島第一の事故ではなかったのか。いや、今に始まったことではない。人類はすでにチェルノブイリを経験している。「3度目の正直」などという言葉も日本にはある。フクシマから何も学ばなければ、日本人というよりも、人類は終わりではないのか。そして、この土壇場の闘いにおいて、われわれは、依然として、先人たちの「多年にわたる自由獲得の闘争＝努力の成果」から多く学ぶべきことがあるのではないか。

・5月23日は東京地裁に！

経産省前テントに話をもどせば、それは原発震災を前後して福島と日本でまかり通っている不条理に対する極めて控えめな異議申し立てにすぎず、原発放射能による自然と社会の破壊から福島の子どもたちを始めとするわれわれのいのちを守るための極くささやかな「努力」にすぎない。これに対して、国は原発事故などなかったかのごとき強制排除に動き、さらに1千万円を超える「損害金」なるものの支払いを迫っている。全く容認することはできない。5月23日午前11時、東京地裁に集まろう。

（2013・4・25　第21号）

■原子力ムラの闇を照らした光
――福島原発告訴団に不起訴決定

・東京地検公安部へ移送という暴挙

昨年、福島県民を中心に全国の14716人（福島原発告訴団・団長武藤類子）が、東京電力役員ら33名を相手どって起こした刑事告訴に対して、東京地検はこの9月9日に全員不起訴処分を発表した。強制捜査も現場検証もなく、ただ東電が任意に提出した、つまり東電に都合にいい「証拠」だけに依拠した不起訴である。

もちろんこれ自体全く許しがたいことだが、ただこれだけなら、「ああやっぱり。検察も原子力ムラの一員。想定内」で済ますこともできる。最近でいえば、小沢事件や村木事件等、検察の手段を選ばぬ政治的立ち回りは周知のことだ。しかしこの不起訴にはさらに見過ごすことのできない異常性がある。そもそも福島原発告訴団は福島地検に告訴したので、当然同地検が決定すべき案件だ。ところが今回は、不起訴発表1時間前にこれを東京地検に移送した。東京地検の同種案件と併合するという名目で。

この件は、一定の段階から今年8月中にも不起訴というマスコミ情報がリークされていた。そこでは、どこでも判で押したように「菅直人元首相ら不起訴」と報じられた。だが福島原発告訴団は被告訴人を東電役員、経産省官僚、御用学者などに絞り、菅を含む政治家を一人も告訴していない。

だが実は告訴団とは何の関係もなく、11年段階で、菅や枝野や海江田を東京地検に告発した人物がいた。「被災地とともに日本の復興を考える会」とかを名乗る高部某がそれで、ブログもない幽霊団体のこの人物をネットで検索すると、「元自衛官、傭兵、チャンネル桜」などの言葉が出てくる。アフガンなどを「転戦」したという戦争マニアによる、当時の民主党政権を攻撃するための個人的パフォーマンス・売名行為以外の何ものでもない。ところが検察庁は恥かしげもなくこれに飛びついた。

現行制度では、いったん不起訴になっても、検察審査会で2度「起訴相当」の結論が出ると強制起訴になる。そこで検察庁は福島県民からなる福島検察審査会より、東京検察審査会の方がその「危険性」が少ないと判断し、札付き右翼の告発に「併合」し、東京地検に「移送」したのである。マスコミは何の疑問も解説もなくこの検察情報を垂れ流した。

さらにもうひとつは、これが刑事告訴であるにもかかわらず、東京地検の刑事部ではなく公安部に移送されたことだ。つまり検察は、この案件を、原発事故の原因究明と責任追及のために扱ったのではなく、公安事件として、言いかえれば、東電役員ら33人の被告訴人ではなく、原発反対などという「不埒」なことを申し立てる1万数千人の告訴人の身元を調べるために1年余の歳月を費やしたのだろう。そして付け加えれば、不起訴発表はマスコミがオリンピック報道に塗り潰される瞬間を選んで行われた。この姑息さとあさましさ、「秋霜烈日」が聞いてあきれる。どこかで大江健三郎が語った通り、「われわれは侮辱のなかに生きている」。

・タブーと神話の日本的共同体

それにしても検察庁も危ない橋を渡っている。姑息さでは検察庁に負けない東電は、福島第一の汚染水問題の深刻化を7月参院選前につかみながら、直後に発表した。この汚染水問題が突き出した核心点は、3・11以降国は、あくまで東電と東電を中心とする電力システム、原子力政策の枠組みを維持しながら事故を収束させようとしてきたが、そんなことは全く不可能であることを明らかにしたことだ。ある科学者は、福1事故収束を「百年の計」と言った。日本という国は、いま3・11の後始末をつけるために気の遠くなるような国家プロジェクトに踏み出すことを求められている。その第一歩が3・11の原因と責任を明らかにすることだ。その結論は当然、責任者の処罰であり、それは必然的に東電そのものの解体に行きつく。福島原発告訴団の運動は、このことを鋭く国に迫ったのである。そしてこれに対する国の底知れぬ恐怖が、検察庁の姑息で恥知らずな不起訴決定の裏側に張り付いている。

安倍亡国政権は、原発の再稼働・輸出という真逆の道を暴走しつつある。一見するとそれは、政・財・官・学・報・労にまたがる原子力コングロマリットに支えられて盤石であるかに見える。しかしその前提は、人びとが福島と原発を忘れることだ。そのために去年は、尖閣列島狂想曲が奏でられ、今年はこれに東京オリンピックというヒロポン注射が加わった。だが福島はチェルノブイリより深刻ともいわれている。3・11を経て「原発がヤバい」ことなど、〈今とカネと自分だけ〉の大人以外は三歳の童子も理解している。いや三歳の童子どころか小泉純一郎さえ理解している。

小泉などに一かけらの幻想を持たないが、小泉発言は現象として重要である。言ってはならないことを言ったからだ。原子力ムラはまさに「ムラ」である。そこにはムラの掟がある。それを破ったものはムラ八分にされる。誰もがそれが怖くて口をつぐむ。原発安全神話と原子力ムラはその上に成り立ってきた。自分の本心、本音を隠し、みんな右を見て、左を見て、全体の空気を見て、口裏をあわせる。責任者は誰もいない。もちろんこの背後には「放射能との共存」のＩＡＥＡが控えている。さらにマンハッタン計画以来の核の時代が横たわっている。だが同時に異論を唱える者は石もて追われる、このタブーと神話の原子力ムラは極めて日本的な共同体でもある。

・3・11と8・15と近代日本の闇

しばしば３・11と８・15が比較される。あのときも日米戦争など勝てるわけがないと思っていたものは支配層の中にも多くいた。だが決して疑問や異見を出せなかったのは、もちろん警察の弾圧もあるが、それ以上に空気のせいだった。かくて日本は誰も責任をとらず、ただ「神風神話」に乗って８・15に行きつく。問題は、このような日本的ムラ社会、あるいは「国体」が、戦後も根本的なところで変わらなかったことだ。国体の原点はもちろん明治維新だ。京都御所の奥深くにいたお稚児さんを引っ張り出して、現人神＝大元帥に仕立てたのは、押し寄せる西欧列強から近代日本を守るための大久保利通や伊藤博文の狡知によるが、彼らにとって天皇はただの手段に過ぎなかった。だがやがて手段は目的となり、至高の存在になり、「国体神話」が独り歩きし始める中で破滅への道は敷かれていった。八紘一宇や大東亜共栄圏の夢を追いかけて。

敗戦後の日本は、日米合作の象徴天皇制になるが、ともかく国体を維持した。そこではむき出しの専制に代わって、一見、平和と繁栄と民主主義が謳歌された。だがそれは、米ソの核の恐怖の均衡の下で、かつ朝鮮やベトナムでの極めて凄惨な戦争に支えられていた。戦後の日本の平和が憲法９条のおかげという議論はあまりにナイーブすぎる。日米安保条約・体制の下で、アジアの戦争と沖縄の犠牲と日本の「一国的平和」は一体のものとして実現したのである。この戦後の国体＝日米安保に対する闘いは何度も熾烈に闘われた。だがそれは戦後日本という欺瞞の時代を打ち破れなかった。経済成長至上主義と科学技術万能主義に負けたのだ。だがその終着駅は日本の核武装と核戦争だ。「積極的平和主義」とかの下で、この破局はさらに近づきつつある。

・国家支配の動揺と特定秘密保護法

3・11の歴史的重要性は、まさにここに根本的疑問符を突きつけたことである。引退した元首相の言動などどうでもいい。だが現役の霞ヶ関官僚が『原発ホワイトアウト』などという匿名小説を書く時代だ。官僚の中にも動揺が広がっている。タブーと神話だけでは秩序が維持できない。だから安倍にとって特定秘密保護法がいま必要なのだ。

福島原発告訴団の闘いは、東京地検では不起訴となった。だがそれを通して、原子力ムラの闇、近代日本の闇に光をあてた。同告訴団は、挫けることなく10月16日に東京検察審査会に審査申し立てを行った。

（2013・10・21　第23号）

■東京都知事選挙の悲劇と喜劇
――原発をめぐる保守の分裂と「左翼」の危機

・都知事選でさらけ出された「倫理的破産」

白井聡が、「原発問題はそれでも最大の争点だった――都知事選を終えて」と題する文章（WEBRONZA）で、マスコミの選挙報道を批判したうえで、「マスコミの問題とは別次元に、『原発問題は都政とは関係ない、ゆえに争点化は不適切』という意見が目についた。驚きのあまり空いた口がふさがらない。言うまでもないが、福島県の原発は首都圏に向けて電力を送っていた。一体都民のどの口が『関係ない』と言えるのだろうか？……ましてや投票率は50％未満。それは、すでに払われてしまった犠牲についても、『どうでもいいや』という態度表明が有権者の半数からなされたことを意味する。ここに表れているのは、都市住民の倫理的破産以外の何物でもない」と語っている。同感である。ただつけ加えれば、投票所に行った46％もまた、原発問題を必死で隠す舛添や、その相対化・後景化に全力をあげた宇都宮に票を入れることで「倫理的破産」の片棒を担いだということだ。

もちろん原発問題はワンイッシューだ。だがこれがなければこの選挙は多くの争点をめぐる選挙になったのか。否、ノーイッシュー、何の争点もない選挙になっただろう。細川が立たず、舛添と宇都宮だけの選挙を想像してみればいい。本質的には3・11とその後の運動によってだが、直接的には細川という元首相が老骨に鞭打って名乗り出たことで、原発問題が初めて選挙の争点になった。しかし結局争点にし切れず、無残な敗北に終わり、何人もの細川支援者が訴えた「最後のチャンス」は失われた。次のチャンスは、第二の3・11まで待たなければいけないのかもしれない。これは悲劇である。

・原発をそっちのけにした「自共対決」論

この過程の真の主役は、どの候補でも、政党でもない、東京電力と電力マフィアと原子力ムラである。細川立候補の動きを察知した瞬間から、彼らは手段を選ばず、あらゆる陰険・卑劣な、謀略的手段も総動員して細川潰しに動いた。まずマスコミ工作で、エネ基本計画の1月閣議決定も延期し、原発隠しと都知事選隠しで低投票率を狙い、投票日前日の大雪にも助けられて大成功した。次に舛添へのテコ入れ。特に民主党の最大の支持基盤である連合東京を、東電労組出身の会長を使って舛添側に引きはがした。細川選対は、当初事務局長になった馬渡某という極右政治家（少なくとも細川の対極）のもとで、告示日を挟んだ2週間、細川当選ではなく落選のために全力をあげた。宇都宮選挙にも東電が手を突っ込んだことは疑う余地がない。細川の票を減らすためには、宇都宮に大いに頑張ってほしい。読売・産経などの露骨な報道だけでなく、恥ずかしげもなく宇都宮広報班に堕したＩＷＪ（岩上チャンネル）などの背後で何が動いたのか。かくて宇都宮は東電の意を戴した「細川主敵」論を満展開した。

いま電力マフィアのボスたちは、原発再稼働のフリーハンドを手に、勝利の美酒に酔いしれている。だがもちろんそんな姿は公表されない。他方、宇都宮と日本共産党の方は、舛添に負けた悔しさなど一片もなく、ただ細川に勝ったことの嬉しさに舞い上がっている。投票日翌日の『赤旗』には、「勝った、勝った、大躍進」の見出しとともに、幸せいっぱいの顔、顔、顔の写真が掲載された。東電の掌の上で「ジキョウタイケツ」を高唱し、歌い、踊っている。笑えぬ喜劇である。

・「一本化」工作に対するネトウヨ的罵詈雑言

だが東電・原子力ムラのこうした動きはことの半面に過ぎない。今回の都知事選にはもっといやな、危ない何かを感じる。それは宇都宮支持者を名乗るものからの細川と小泉、さらに「脱原発候補の一本化」を追求した表現者などへの、ネット、ツイッターなどでの、前代未聞、常軌を逸した、執拗・陰湿な攻撃である。特に「一本化」工作の先頭に立った鎌田慧などに対しては、「死ね」「焚書しろ」などのネトウヨ的ヘイトスピーチ・罵詈雑言が洪水のように集中した。東電工作員が宇都宮陣営に紛れ込んで煽動したことはありうる。しかしどうも事態はそれを超えている。

2月3日、細川、宇都宮に、あくまで脱原発候補の統一を申し入れようという著名人の記者会見がプレス・センターで行われた。10人足らずが並び、真ん中に99歳のむのたけじが坐った。全員発言の後質疑に入ると、フリージャーナリストと称する最前列の女が、「ここには若い人がいない。宇都宮側には若者やワーキングプアが多い。この選挙は、世代対決・階級対決と言われているがどう思うか」と質問した。99歳の老人の目の前で「若い人がいない」と言うこの女の心臓に呆れたが、それよりも私はその場で、見てはいけない宇都宮選挙の内幕を見てしまったと思った。細川打倒が全ての彼らにとって、この「世代対決・階級対決」はキーワードであったようだ。

細川、小泉へのネガキャンだけならまだ分かる。2人とも首相経験者で数々の悪政に手を染めたのだから。もっとも、この選挙ではイラクや新自由主義が争点だったのではなく、原発を争点にできるか否かが全てだった。そして原発に関しては、何度も認めた。2人とも政治家としての自分たちの過ちを街宣でを持ち出し、原発を相対化することで、安倍や舛添に「左」から塩を送る政治的愚かさは論外だ。

だがもっといやなのは、細川支援者への暴力的な罵りである。周知のように支援者には驚くような顔ぶれが並んだ。原発と安倍の暴走への居ても立ってもいられぬ危機感からの決起である。いちいち名前を挙げないが、例えば最終日も吹雪の街宣車に立った澤地久枝。彼女は80歳を超える病身で、しかし一本化のために最後まで奔走した。私にはおよそ戦後日本を手放しにたたえる考えなどない。しかし今回の細川応援に起った人々を見ると、ここに最も良い意味での戦後的良心と知性が結集していたという気がする。言いたいことは、宇都宮選挙はこれに対する悪態と嘲笑に突き動かされていたということである。

・歴史観・大局観を失った「左翼の壊死」

「高度経済成長で大儲けした年寄りたちに新自由主義は心地いいに違いない」などとも言われていたという。格差・貧困を放置していいはずがない。宇都宮に投票した人の大半は、共産党員とその周辺だろう。それと「まじめで、良心的な左翼」。だがこれがなぜ在特会顔負けの兇徒と化したのか。鎌田は、選挙の旬日後のメールで、「小生への攻撃はまだ続いている」として、そこに「歴史観の欠如」「葦のズイから覗く視野狭窄」「大局を見ない仲間意識」「決断できない無責任主義」「批判者の怨念の化石化」等を指摘している。極めて的確だと思う。この連中には「細川か宇都宮か」はあっても、歴史の主体としての己がない。脱原発知事の実現で安倍政治に風穴を空け、そこを手掛かりに生活から戦争の問題にいたるわれわれの闘いを前進させるという発想がない。虫眼鏡で、細川と宇都宮の選挙公報を比較しただけだ。あるブログは「左翼の壊死」と表現した（「世に倦む日日」）。

だがこれだけの低投票率で、宇都宮は票数を伸ばした。その中には若者票もあるという。私はこの若者が、明日は、同じく若者を含む60万票を超えた田母神に合流するのではないかと危惧している。合言葉は「希望は原発」、「希望は戦争」だ。1930年代のドイツもこんな感じだったのではないか。それはまさしく倒錯と憎悪と暴力の時代だった。ヒトラーの「匕首伝説」からスターリンの「社会ファシズム論」まで、敵を見失い、間違え、ただ憎悪をたぎらせるなかでドイツは地獄への道に突き進んでいった。破産したワイマール民主主義への「左右」からの集中砲火はそのままナチズム礼賛に直結していく。今日明日の生活のためには分別など無用だった。アウトバーンと戦争でドイツの労働者の「生活」は救われ、昨日までの共産党・社民党支持者が丸ごとナチス支持者に変身していったのだ。

・**生きた感性と主体性を取り戻そう**

しのびよる戦争の影、高まるファシズムの足音、今年は第1次世界大戦からちょうど100年、アメリカが世界の警察官の時代も終わり、それを背景に安倍政権の暴走も続いている。都知事選後の脱原発運動はどうなるのか。選挙が終わればまたノーサイドなどというきれいごとは信じない。だが原発再稼働は川内からとも言われている。小泉の悪行についての分かりきった解説などと無縁なところで、「小泉発言ウェルカム」（ミサオ・レッドウルフ）と言い切れる感性と主体性が救いであり希望である。

（2014・3・10　第25号）

■憲法と戦争と沖縄
——絶望のむこうにみえてきた希望

・**戦争立法と日米新ガイドライン**

重要影響事態とか、存立危機事態とか、グレーンゾーン事態とか、国際平和共同対処事態とか、うんざりするほど「事態」を乱立させ、自衛隊がこれに「切れ目なく対応」するための戦争法制を今国会で成立させるという。安倍が執念を燃やす改憲は、いきなり9条ではなく、緊急事態権などでの「お試し改憲」を経て、来年参院選後に俎上にのせるらしい。だが改憲を待つまでもなく、今回の戦争立法で憲法9条はトドメを刺される。

4月末には、日米ガイドライン（防衛協力の指針）が2＋2（日米の国防・外務相会談）で18年ぶりに改定された。憲法に違反しているのみならず、現行安保を踏みにじる安保大改定、全く新たな世界大の軍事同盟の登場であり、戦争法制と一体である。世界は戦争と戦争の火種に満ちている。何よりもアメリカの衰退とパックス・アメリカーナの危機、中国の台頭と中ロ枢軸の形成、これに対抗する「アジア太平洋リバランス（再均衡）」。同時に中東・イスラム圏をめぐる軍事抗争は、冷戦崩壊以降いよいよ泥沼化し、今回の戦争立法＝新ガイドラインは完全にここを射程に入れている。

前回のガイドライン（97年）の後、周辺事態法や武力攻撃事態法などの有事3法、有事7法が揃うまでには7年かかった。今回はそれを何ヵ月かで強行するという。舐めきっている。

もちろん反対運動は高まっている。しかし残念なのは、憲法9条にすがっていれば戦争が阻止できるかのような考えがまだ存在することだ。9条をなぶり殺しにしようという政治過程が進行するなかで、こうした戦後的幻想ほど愚かなものはない。もちろん憲法9条は、それに絡みつくあらゆる政略的思惑・打算をこえた、原点的なところで守られるべきである。憲法前文の「政府の行為によって再び戦争の惨禍がおこることのないよう」という言葉が示しているように、9条の背後には、人類史上前例のない悲劇をもたらした第2次世界大戦がある。これを繰り返したら人類は終わりだという切迫した危機感がある。だが憲法とその精神は、これを基本法とする戦後日本国家の根本的な欺瞞性・虚構性を押し隠すことによってではなく、暴き出すことを通してのみ、守り、引き継ぐことができるのだ。

・GHQと天皇裕仁

まず憲法制定権力の問題がある。あいも変わらぬ安倍の「押しつけ論」に対して、「いや日本人も制定過程に関与した、議会でも修正もされている」などと抗弁するのは全く無力だ。一、二の憲法研究者や議員が幾つかの条項に影響を与えたことは事実だ。しかしこの憲法原案を作ったのは、マッカーサーの指示で動いたGHQスタッフである。そこには新憲法に男女平等を盛り込んだ、弱冠22歳の優れた女性もおり、当時の日本の石頭憲法学者など及びもつかぬ知性を発揮したが、それがGHQスタッフであったことは事実である。

しかし憲法の主語はいうまでもなく「日本国民」である。天皇もまた「日本国民の総意に基く」というこの憲法は、あくまで国民が作成・制定したという体裁になっている。しかも、GHQ草案では、主語は「人民（people）」であったのが、制定憲法では国民に変えられた。日本側が極めて意図的に介入し変更した最も重要なひとつだが、この点は後述する。

三番目に注目すべきは、この憲法が天皇裕仁の名において発布されたことである。新憲法は、形式的には46年3月の天皇の勅語・発議による明治憲法の改正手続きにふまえて動き出し、裕仁の名において46年11月3日に公布、翌年5月3日に施行された。その後、新憲法は民定憲法か欽定憲法かという論争が起きるが、形のうえではあくまで後者である。現行憲法は、GHQと日本国民と天皇裕仁という3つの顔をもつ、極めて鵺（ぬえ）的な性格を出発点からもっていた。

・在日朝鮮人と沖縄人を排除

さらに重大な問題は「日本国民」である。これは憲法10条で国籍法によって要件を定めるとされているが、重要なことは、新憲法制定の前日、47年5月2日に、明治憲法下最後のポツダム勅令＝外国人登録令で、在日朝鮮人・中国人に国籍はないとされたことである。昨日まで植民地出身の日本人として戦争に駆り立てられてきた在日は、いまや変わらず日本に住み、生活していながら、憲法の埒外に追いやられ、様々な公的権利を奪われ、いわゆる「第三国人」に突き落とされた。新憲法の制定は、周知のように東京裁判と密接に連動しながら進んだが、その内実においても、戦前の日本の侵略戦争責任・植民地支配責任を完全に居直るものとして出発したのである。

これと並んで重要なのは、内国植民地・沖縄の問題である。沖縄は8・15以前から続く米海軍ニミッツの軍政下で、マッカーサー占領下の本土と切り離されるが、国内法的には45年12月の選挙法改定によって、沖縄県民の選挙権が（在日のそれとともに）停止されたことが大きい。これは婦人参政権を定めた選挙法改定として有名だが、同時に翌46年4月の戦後初の総選挙にむけたものであった。そしてこの選挙で生まれた衆議院（帝国議会）は、実質的な憲法制定議会としての性格をもっていた。だがそこにはそもそも沖縄選出の議員はいなかった。沖縄人は新憲法が生まれる前から、その圏外におかれていた。

・日米合作の天皇制と沖縄基地

このような憲法誕生過程の諸問題に等閑視して、「護憲」のスローガンを繰り返すことがいかに空疎か。そもそも現行憲法制定は、戦後労働運動の爆発的高揚過程であり、それは明白に革命の現実性を孕む時代だった。しかし当時圧倒的な影響力をもっていた日本共産党は「憲法よりメシ」ぐらいしか言っていない。明治維新後の自由民権運動期の草の根的な立憲主義的運動との乖離は大きい。戦後革命の予防、この一点で裕仁もマッカーサーも一致していた。そのためには東京裁判の被告席に裕仁を坐らせない、天皇の戦争責任を不問にする、国際世論から裕仁を守るための「避雷針」（当時の日本の政治家の言葉）として9条が必要とされた。敵は革命を恐怖していたが、人民は革命を自覚していなかった。

いや、それどころか、日米合作の象徴天皇制を喜々として受け入れ、日米共同の沖縄基地＝切捨てを見て見ないふりをし、そして日本の戦争責任をめぐる裕仁と日本国民の「共犯関係」が形成され、その後70年間、問い直すこともせず、いまや安倍の歴史改竄と戦争立法と全面改憲を前に立ちすくむ現実を許しているのである。

だがこうした戦後日本の正体が認識され始めたのは、比較的最近のことである。確かに60年安保闘争や70年沖縄闘争は戦後日本の繁栄と平和の裏側には朝鮮戦争やベトナム戦争が貼りついていることを厳しく糾弾するものだった。だがそこではいまだ、戦後の原点、日米合作の戦後天皇制と憲法9条と沖縄基地、歴史に頬かむりする裕仁と日本国民の共犯性などの自覚が決定的弱かった。この突破のためには、冷戦崩壊、裕仁の死、アメリカの情報公開などによる研究深化、そして何より直近の事件では3・11福島原発事故が大きかった。あれだけの惨劇に誰も責任をとらないという驚くべき現実は、8・15の責任を一部軍部に押しつけ、裕仁も日本国民も何の責任も取らず、その後のうのうと戦後の繁栄を謳歌してきた、この国のかたち、「醜い日本人」（大田昌秀）の姿を誰にでも分かる形でわれわれに突きつけた。この戦後日本の絶望的現実が見えてきたこと、ここにこそわれわれの希望がある。

・沖縄が問う近代日本

そして決定的なのはこの間の沖縄の動きである。95年少女暴行事件に遡るうねりは、いま翁長県政下の辺野古新基地建設絶対反対の闘いで頂点を迎えつつある。「復帰責任」という言葉も使われているが、「平和憲法を戴く祖国への復帰で基地はなくなる」という幻想から「日本への復帰は間違っていた」という認識への転換が、「オール沖縄」と呼ばれる新たな島ぐるみ闘争の底流を貫いている。ここには近代日本への根源的批判が横たわっている。沖縄は憲法への幻想を捨てた。ヤマトの人間が、軽々に「沖縄独立」などを語ることはできない。だがいま沖縄で起こりつつあるのは、沖縄戦以降の沖縄にとどまらない、1872年に始まる琉球処分（廃藩置県）以来の沖縄のあり方の根本的な問い直しである。これは必ず日本という国の骨格を揺るがす情勢を生み出すだろう。

左翼、特に戦後日本左翼は、戦後や現代を語ることはあっても、近代についてあまりにも没却してきた。それでは通用しないことを、いま沖縄と福島（科学技術万能主義の末路）が突きつけているのではないか。

（２０１５・５・１５　第30号）

■国家緊急権と立憲主義の死
―「ナチスの手口に学ぶ」安倍政権はどこへ行く

・正面から9条壊憲をアピール

自民党政調会長の稲田朋美が先日の予算委で、「憲法学者の7割が自衛隊は違憲だと言っている。すでに現実に合わなくなっている9条2項をこのままにしていくことこそが、立憲主義を空洞化するものだ」と発言、安倍がこれに応え、9条改憲の必要性を訴えたという。盗人猛々しい掛け合い漫才とでもいうほかない。

現憲法を踏みにじって日米安保と自衛隊をつくり、２００３年の有事法制と昨年の安保法制で、日本はいつでも内外で戦争できる法制度を整えた。憲法は完全に死んだ。残っているのは憲法の残骸にすぎない。しかしそれも実際に戦争に突入すれば足手まといになるというのが、安倍を改憲に駆り立てている。しかもそこで声高に叫ばれているのは、緊急事態条項新設と9条改憲そのものである。2～3年前に「裏口入学」と批判され引っ込めた改憲手続き条項（96条）改悪など可愛いもので、いまや正面玄関からの押し込み強盗・居直り強盗そのものである。

衆院解散・ダブル選挙の可能性も含め、安倍は国民を舐めきっている。特に緊急事態条項は、最近「お試し改憲」などといとも軽々しく報じられているが、これこそ立憲主義解体の突破口であり、戦争への道の一里塚である。内閣№2が公言した通り、彼らは「ナチスの手口に学んで」いる。戦争が最大の焦点だが、そのためにも壊憲が至上命題になっているのだ。

・明治憲法下の緊急権国家

現行憲法は、象徴天皇制と戦争放棄を除けば、権力の分立と基本的人権という近代憲法の原理を徹底して貫いている。天皇制はいうまでもなく「すべての国民は平等」（14条）の最大の例外である。戦争放棄は第2次世界大戦という惨劇を二度と繰り返してはならないという誓いであり、この憲法の宝といっていい。憲法原案作成を統括したマッカーサーの政略的意図という面からいえば、①日本の再軍国主義化阻止、②裕仁の戦争責任免罪、③沖縄を憲法の外に置く＝分離・軍事要塞化ために、その担保として9条が必要だったのだが。しかしまた戦争を放棄することで、この憲法は戦時＝非常時に対応した緊急事態条項を基本的に持たない憲法になった。かろうじて54条に「参議院の緊急集会」が定められているだけである。衆議院の解散時点に「緊急の必要」が生じた場合のためである。

旧帝国憲法はまったく違っていた。明治以来の日本は、帝国の版図拡大を求めて戦争に明け暮れてきた。その担い手は「天皇の軍隊」であり、統帥権を初めとする軍事大権、さらに戒厳大権、非常大権などの緊急権に加え、いわゆる緊急勅令制度とその乱発・日常化という、文字通り天皇を頂点とする十重二十重の緊急権国家を形成してきた。

一般的に国家緊急権とは、例えば戒厳令が分かりやすいが、憲法が保障する権利や制度を緊急時において一時的に停止し、軍などに全権を委ねるもので、「法の究極にあるもの」「法を破る法」といわれる。そしてこの対極にあるのが、人民の抵抗権、フランス人権宣言が4番目の人権として謳った「圧制への抵抗」である。「上から」法を破る緊急権に対し、これは「下から」法を破る法といわれる。いずれにせよ問題は、例外状況における憲法のあり方で、「例外状況について決定を下すものが主権者である」という定言通り、旧憲法における唯一絶対の主権者は天皇だった。そこでは、特に緊急勅令の乱発、緊急権体制の恒常化によって、例外が例外でなくなり、例外がノーマル化し、その例外がさらに新たな例外を呼び、結局のところ明治憲法下の原則と例外の関係が最後的には完全に逆転してゆくのである。それはそのまま対中・対米全面戦争と破滅への道であった。

・自民党改憲草案の緊急権

戦後の日本でも、憲法の外には幾つも緊急権規定がある。警察法や自衛隊法、災害対策基本法、原子力災害対策特措法などにある緊急事態条項だが、さらに決定的なのは、有事法制の柱である武力攻撃事態法（日本有事に対応する法律）で、当然ながら戦争遂行・防衛出動発令下の超憲法的緊急権をこまごまと定めていることである。にもかかわらず、さらに憲法に緊急事態条項を盛り込もうとするのは何故か。自民党が２０１２年に発表した改憲草案の当該箇所を見れば明らかである。

そこでは、98条で「内閣総理大臣は、我が国に対する外部からの武力攻撃、内乱等による社会秩序の混乱、地震等による大規模な自然災害その他の法律で定める緊急事態において、特に必要があると認めるときは……緊急事態の宣言を発することができる」とし、99条で「緊急事態の宣言が発せられたときは……内閣は法律と同一の効力を有する政令を制定することができる」、そして「緊急事態の宣言が発せられた場合には、何人も……当該宣言に係る……国その他公の機関の指示に従わなければならない」としている。

簡単に言うと、緊急時には、首相が宣言を出し、内閣は国会の頭越しに政令を出し、これに基づく国その他の指示には何人も従わなければならない、ということだ。要するに、憲法に関する通念の１８０度の逆転、緊急事態に名をかりた立憲主義の完全な解体である。よく言われるように憲法は、国の最高法規だが、国家が人民を縛るものではなく、人民が国家権力を縛るためにある（尤も現行憲法では、ＧＨＱ草案段階での主語＝人民〔people〕が国民に変えられているのだが）。この点をより鮮明に示しているのが、「憲法擁護尊重の義務」の条項で、現憲法では「天皇又は摂政及び国務大臣、国会議員、裁判官その他の公務員」が義務を負う（99条）とされ、つまり国民の義務はないのに対し、自民党草案ではまず、「全ての国民は、この憲法を尊重しなければならない」とあり、続いて公務員の擁護義務の箇所からは、ご丁寧にも「天皇又は摂政」の文言が削られている。

・ワイマール憲法48条という墓穴

戦前のドイツのワイマール憲法は、近代憲法の典型であり、戦後日本国憲法のひとつの下敷きにもなっている。だがそこには有名な48条の緊急権条項があった。曰く「ドイツ国内において、公共の安寧秩序が著しく攪乱され、又は攪乱される危険があるときは、大統領は公共の安寧秩序を恢復するに必要な措置をとり、必要に応じて武力を行使することができる」、そしてそのためには表現の自由を含む幾つかの憲法条項の停止を可能とした。あらゆる緊急権がそうであるように、これもワイマール体制を非常事態下でも守るための条項とされた。だが実際には、ヒトラーはこの緊急権条項を使って、合法的に権力を簒奪し、ワイマール体制を解体する。なぜこんな条項がワイマール憲法に盛り込まれたのか。それは、この憲法が第1次大戦とロシア革命を政治的背景に生まれ、ドイツ革命の指導者、ローザ・ルクセンブルグなどを血の海に沈める中から成立したところに問題の根本がある。ヒトラーが全権委任法を手に入れ、ナチス独裁体制を築くためには、さらに国会焼き討ちなどの手荒な謀略も駆使した。もちろん歴史が同じ形で繰り返されるとは思わない。

・安倍が進める合法的クーデター

だが安倍は、国際的安全保障環境の激変を強調している。それ自体は全く正しい。中東における戦乱の泥沼化、ウクライナを焦点とする東欧情勢、そして東アジアにおける一触即発の危機。そのただ中で進行する世界経済・金融の崩壊的危機。年明けのＮＨＫドキュメントが、ボスニア・ヘルツェゴビナのセルビア人居住区でのひとつの銅像の除幕式の映像を流した。驚いたのは、それが何とニコライ2世の銅像であったことだ。世界は第1次世界大戦前夜を迎えているのか。

安倍やそれに連なる極右政治家が、尖閣での軍事的衝突を惹起させ、中国の侵略と騒ぎ、緊急事態として国家を乗っ取ろうとするなど十分ありうる。海洋版「満州事変」だ。2012年の野田政権がどこまで問題の深刻さを理解していたかはともかく、石原慎太郎などの挑発にやすやすと乗せられ、尖閣国有化を強行することで日中関係は最悪になった。あれは3・11から一年を超え、脱原発運動も頂点に達し、しかも政権は民主党という鋭い危機の中で、日本政治の流れを反転させる決定的役割を果たした。日本会議にハイジャックされた安倍政権が生まれるのはその直後だ。ナチスにならった「合法的」クーデターの歯車はすでに廻り出している。その最大の環が9条改憲と国家緊急権である。

（2016・2・15　第34号）

■人智をこえた人災から何を学ぶか
――フクシマ5年目、チェルノブイリ30年目の原発問題

・「廃炉」は可能なのか？

1986年4月に事故を起こしたチェルノブイリ原発は、多くの作業員の悲惨な犠牲のうえに丸ごとコンクリートで封じ込められた。「石棺」である。だが30年経って老朽化も進んだため、巨大なかまぼこ型の金属製新シェルターでこれを覆い放射性物質の飛散を防ぐ工事がこの間進んでいる。報道によれば、耐用年数は100年。100年後に廃炉というのではない。100年間ともかく放射能を出し続ける事故炉を封じ込め、その間廃炉の道を探るということだ。その先は何も決まっていない。

フクシマはどうなっているか。ここでは石棺など作っていないが、特に汚染水という形で放射能

は外界に漏れ続けている。凍土壁など気休めにすぎない。一番肝心なのはメルトダウンした核燃料デブリだが、到底人の手に負える代物ではなく、いまロボット開発に熱中している。しかし格納容器近くの極度の高線量ではすぐロボットもお釈迦になるらしい。仮にそれでも動けるロボットの開発に成功し、膨大なデブリ（3機分！）をいつか取り出せたとしても、最大の問題はそれをこの狭い地震列島のどこに保管するかだ。結局福島の原発跡地以外にないのか。しかしそれが無害化するには、フィンランドのオンカロではないが、10万年単位の歳月を要する。その間地震はないのか。汚染水はどうなるのか。要するに先延ばしは可能でも真の廃炉など不可能だ。原発災害に終わりはないのである。

福島第一原発の事故は甚大な被害をもたらした。しかしひとまずこの程度に止まったのは奇跡だった。3・11から5年目のテレビでも報じられていたが、水蒸気爆発した1、3号機よりも、最大の脅威は最後までベントもできず格納容器そのものも爆発寸前までいった2号機だった。だがなぜか爆発しなかった。結局格納容器が損傷し、どこかからガスが漏れたのだろうが、なぜそうなったのかは5年経った今も分かっていない。ただこの決定的瞬間に、当時の所長・吉田昌郎は「東日本壊滅の危機」を悟り、「下手をすれば日本という国がおかしくなるんじゃないかというところまで思いつめていた」という。

ここまで恐るべき災害を引き起こしておきながら、経産省・電力会社を中心とする原子力亡国利権集団は、いま川内を皮切りに原発再稼働の道をひた走り、熊本の大地震などどこ吹く風という厚顔ぶりである。そして彼らはまさにこのために、フクシマを忘れる、フクシマをなかったことにする、終わりのないフクシマを一日も早く終わらせることに血道をあげているのだ。多発する小児甲状腺がんをあくまで「原発事故とは無関係」と言いくるめ、これと一体で避難者、とりわけ3万数千といわれる自主避難・母子避難者に対する支援打ち切りを強行しようとしている。なりふりかまわぬ棄民政策である。

・「漂流」する避難者たち

福島県は昨年6月、いわゆる自主避難者への住宅無償提供を2016年度末、つまり来年3月で打ち切ると発表した。「復興の加速化」「帰還の促進」という国の意思である。

原発事故による避難指示区域を行政は三つに分けている。まず帰宅困難区域で、これは事故から5年経っても年間20ミリシーベルト以上の地域で、住民は強制避難の対象となる。双葉町、大熊町、飯舘村などだ。さらに居住制限区域、避難指示解除準備区域があるが、ここは20ミリシーベルト以下で、福島市、郡山市、いわき市など人口密集地域も含まれる。ここからの避難者は自主避難者と呼ばれる。そして行政は、この間除染が済んだとして避難指示解除を次々進めている。

問題はまず20ミリシーベルトで、3・11までは、1ミリシーベルトが被曝労働者も含め年間被曝限度とされていたのが、2011年末の事故収束宣言以降、20ミリシーベルトが被曝限度とされる。「人口流出を恐れる福島県に配慮して」というから、無茶苦茶な話だ。多くの母親は子どもや胎児が心配だから当然避難する。しかししばしば父親は仕事の関係で福島に残る。こうして自主避難は母子避難が多くなり、その長期化で「原発離婚」になる例もまれではない。強制避難者に対しては国も一定の補償をしてきた。だが自主避難者に対してはわずかな一時金を払っただけで、これまでは住宅提供がほぼ唯一の行政支援だった。これを今年度末で打ち切る。20ミリシーベルトを前提に、国は帰還か移住かは「自己責任」だと迫り、ともかく原発避難の幕引きを図ろうとしている。自主避難した母親たちからは「いのち綱を切らないで」という悲鳴が上がっている。

・被災者の孤立と広がる亀裂

避難はデリケートな問題である。避難したくても避難できない人もいるからだ。仕事がある、財政的理由、高齢者を抱えているから等々。だがここから避難、あるいは避難の権利をめぐる問題は、住民と行政・東電の対立から住民同士・家族同士の対立、亀裂、いがみ合いに絶えず転化してゆく。「いたずらに不安と風評被害を煽る」「福島の復興を妨げる」「いつまでも放射能を気にする神経質な人」「賠償をもらって家賃を払わない」。これは家庭を崩壊させ、地域を分断させ、さらに運動を分裂・疲弊させる。エートス運動(放射能との共生)なども絡んで。避難問題だけではない。

先日、福島で小児甲状腺がんと診断された5人の子どもとその親が「家族の会」を結成し、都内で記者会見が行われた。いよいよ健康被害が深刻化するなかで画期的な動きである。だがそのレポートで一番気になったのは、当該は一人も会見に参加せず、かろうじて二人の父親が、名前も顔も明かさず、音声も変えて、ネット中継で窮状を訴えたが、その言葉は控えめで、国や東電に対する告発・抗議はほとんど聞かれなかったことだ。

ベラルーシの作家、スベトラーナ・アレクシエービッチの『チェルノブイリの祈り――未来の物語』に次のような一節がある。

最近、私の娘がいいました。「ママ、私、もし障害児を生んでもやっぱり愛してやるわ」。考えられます？　娘は10年生ですが、もうこんなことを考えているんです。……

私の娘は1年間ピオネールキャンプですごしましたが、みんな娘にふれることをこわがりました。「チェルノブイリのハリネズミ、ホタル。あいつは暗闇で光るんだぜ」。娘は夜、庭に呼びだされました。ほんとうに光るかどうか確かめるために。

戦争だといわれています。戦争世代の人々は比較している。戦争世代？　あの世代の人は幸せじゃないですか！　彼らには勝利があった。勝ったんですもの。私たちは？　私たちはあらゆるものを恐れている。子どもの身を案じ、まだ、いもしない孫のことを心配している。みながうつ病気味で、絶望感をいだいている。

チェルノブイリ原発事故を発生直後のソ連政府は隠した。世界がそれを知るのは、1000キロメートル離れたスエーデンの原発が2日後に原因不明の高濃度放射能の検出を伝えた後だった。アレクシエービッチによれば、チェルノブイリの黒鉛炉はこの間燃え続け、怪しい発光もあり、近くの村から住民が子ども連れで見物に集まったという。そして後日チェルノブイリから避難した子どもたちは「ホタル」と呼ばれていじめられた。

・人災＝犯罪の原因と責任を糺す

フクシマの最大の被害者はもちろん福島県民である。だからこそ県内からは声を上げにくくなっている。しかしそれに抗して無数の、切実な叫びが上がっている。「ひだんれん（原発事故被害者団体連絡会）」も結成された。そこに集まる様々な運動の全てが死活的なものばかりである。だがあえて言えば、それが人災＝犯罪であることを暴き、糺すことは特殊に重要だと思う。人類は戦争犯罪人を裁くことを、ニュルンベルグ裁判や東京裁判以来、あらゆる欺瞞を孕みながらも続けてきた。いわゆる「福島原発告訴団」裁判が間もなく始まる。この10年裁判の行方を注目したい。

原発事故は、近代科学技術万能神話の暴走の成れの果てである。自然を征服・支配するという近代人の傲慢が招き寄せた黙示録である。電力とエネルギーを湯水のように浪費する大量生産・大量消費・大量廃棄の時代の根本的見直しが迫られていることだけは間違いないのではないか。

（２０１６・４・２６　第35号）

■菅政権という末期症状
――周回遅れの新自由主義と陰険・姑息な権力政治

菅政権が、コロナの第三波襲来に右往左往し、対応不能に陥っている。激しい経済の落ち込みにあわててGoToキャンペーンを強めたが、感染の急拡大に今度はあわてて急ブレーキをかけ、「静かなマスク会食」を国民に「お願い」するという珍方針のあげく、遂にはコロナ担当大臣が、コロナが今後どうなるかは「神のみぞ知る」を宣うにいたっている。確かにコロナには、隠蔽も、改竄も、忖度も、嘘八百も通用しない。「コロナを征服した証」としての東京五輪に最後までしがみついて、心中し、五輪中止とともに、菅政権の命脈にも終止符が打たれることを願うばかりである。

・生態系の崩壊が招いたコロナ・パンデミック

新型コロナ・パンデミックの根本的原因は、人間による自然の掠奪が限度をこえて進み、地球の生態系が崩壊過程に入りつつあるところにあることは明白だろう。その意味でそれは、地球温暖化による気候危機、ナオミ・クラインが「残された時間はあと10年しかない」とまで言っている人類史の危機の先ぶれといえる。地球温暖化をもたらす二酸化炭素の排出は、もちろん産業革命という近代資本主義出発以来のものだが、それは特に第二次世界大戦以降の高度経済成長で加速度的に増加し、さらに冷戦体制崩壊前夜からの新自由主義的な経済・グローバル資本主義とともに指数関数的に増加して今日にいたっている。

新自由主義とは、裸形の原始資本主義である。一定の福祉政策・階級融和政策も包含したケインズ主義（修正資本主義）の破産のうえに登場したむき出しの弱肉強食・市場万能主義である。それがこの40年余り、ソ連解体を招きつつ、全世界を呑み込んできたのであり、地球の環境・気候を破壊し続けてきたのである。だがそれだけではない。それ以上に深刻なのは、人類の生活・社会を各国でズタズタにしてきたことである。その推進路として掲げられたのが、緊縮化、自由化、国際化、金融化、情報化、民営化等であった。コロナに引き寄せていえば、コストカットを名目とする医師の削減、看護師の切り捨て、保健所の統廃合等々による医療崩壊の危機として世界各国で人々の生命を脅かしている。その意味で、コロナ・パンデミックは原発事故と全く同様に人災である。コロナは新自由主義経済の破綻の鋭い一端であり、露出なのである。

・安倍・菅政権の岩盤支持層としての新自由主義右翼

ところが菅が政権掌握とともにまず掲げたのが「自助・共助・公助」だった。国をあげた検査体制、治療体制などそっちのけにした自助努力の「お願い」だった。個人の力ではどうしようもないのがパンデミックである。この現実を前になお自己責任を説き、次は家族・地域の助け合い（共助）、国家・自治体・行政は一番最後（公助）というところに、竹中平蔵的な「今だけ、金だけ、自分だけ」に洗脳された菅の正体がよく表れている。しかも重要なのは、この新自由主義は国家主義や右翼ナショナリズムと極めて親和的なことである。いわゆる学術会議問題は、学問の自由の蹂躙という点でそれ自体重要だが、安倍時代から続く官邸の周りを公安警察官僚で固めたこの政権の体質・体臭という点でより鼻もちにならない。安倍の場合はその右翼性がまだ開けっぴろげで隙もあったが、菅になるとその目つき、顔つき、立ち居振る舞いの全てが、ただひたすら陰険・姑息な印象を与える。

『世界』11月号で、社会学者の橋本健二が「誰が安倍政権を支えたか――新自由主義右翼の正体」という論文を書いている。２０１６年首都圏調査（回答者２３５１人）をもとに「底堅かった安倍政権支持率」の内訳を分析したもので、回答者の僅か1割強の新自由主義的右翼が安倍政権の岩盤支持層を形成していると結論している。これは、内容的には、格差是認、規制改革、自己責任から9条改憲、反韓・反中、原発推進、沖縄基地支持などを主張する層で、全体では圧倒的少数派だが、自民党支持層のなかでは25%を超え、投票率も非常に高いと考えられる。これに対して、回答者の4割弱は穏健保守層、５割強がリベラルだが、リベラルの多くが支持政党を見つけられず、無党派となり、投票所にも行かない。こうして全体の投票率が5割程度の現状では、圧倒的少数派の新自由主義右翼が自民党を牛耳り、安倍政権を支えてきたというのである（菅政権の構図も変わらず）。各種世論調査でも、安倍・菅政権支持のトップに「他よりよさそう」が来ていることと裏腹の関係にあるのだろう。

・野党の低迷と国民の新自由主義的劣化

菅政権の支持率も当初の高水準から、学術会議、コロナ危機、そして直近では季節外れのサクラ吹雪でかなり下がっている。問題は野党である。立憲民主党が国民民主党の一部を吸収し、迫る衆院選挙に備えている。「かつての民主党とどこが変わったか」の質問に「新自由主義と決別した」という声が聞こえてくる。いいことである。中曽根の国鉄改革、橋本の構造改革、小泉の郵政改革などの一連の改革政治と闘わないできた過去と決別するというのなら。しかし新自由主義とは資本主義の末期形態である。真の新自由主義批判は、本来資本主義そのものの根源的な批判なしに成り立たない。しかしいまの立憲民主党にそんなラジカリズムが期待できるだろうか。ましてや今回の野党合体劇においても、背後では相変わらず連合会長あたりがうろついている。30年余り前に、「戦後政治の総決算」攻撃の総仕上げとして、総評が解体され連合ができたのだが、これこそ労働運動の新自由主義的牙城であった。野党第一党がいまだにこのような勢力をあてにしなければならないところに、今日の日本の政治の悲劇がある。「国民はその程度にふさわしい政府しか手に入れることができない」という。この安倍・菅政権を支えているのも結局のところ、数十年にわたって続いてきた日本国民全体の新自由主義的劣化・右傾化である。

・アメリカ大統領選挙の結果とＢＬＭ

アメリカ大統領選挙では、ギリギリであれトランプが負けたことに胸をなで下ろした。ヒトラー顔負けのフェイク政治に明け暮れ、Qanonなどの陰謀集団の跋扈を招くトランプ政権があと4年続くことは、世界にとっての災厄であり悪夢である。しかしこのことはバイデンにどんな幻想を持つことでもない。そもそも08年リーマンショックで新自由主義の破産が明らかになるなかでオバマが登場したのである。そしてオバマへの幻滅とともにトランプのアメリカ第一主義が登場したのである。バイデンはトランプ以前に戻るという。しかし、今回の選挙で露呈したアメリカ社会の深刻な分断と憎悪は、トランプが原因であるとともに結果なのである。バイデンにこれをなくす力などない。「第二次南北戦争」などという物騒な言葉まで飛び出すほどのアメリカの危機を克服することなどできない。

むしろ今日のアメリカ情勢で刮目すべきは、ＢＬＭ（ブラック・ライヴズ・マター）のうねりではないか。直接的には人種差別糾弾運動であるが、白人層、特に若者の参加が非常に多いといわれ、今回の大統領選挙を根底で支えたと思う。これは数十年前の公民権運動の復権だが、それにとどまらない。アフリカからの奴隷貿易に支えられて成立したアメリカ合衆国という国の歴史そのもの、そしてアメリカ資本主義の歴史そのものの見直しを迫っている。特にコロンブスの銅像を倒し、ジェファーソンの銅像を倒すというのは凄まじい行為である。ソ連でレーニンの銅像を倒すのと同じか、それ以上である。

アメリカの分裂は悪いことなのか。そう単純には言えない。少なくとも日本のように分裂さえなく、人々の大半が政治と選挙そのものに泥沼のような絶望と無関心に陥っているよりも遥かにいい。可能性がある。アメリカのＢＬＭで起きている歴史の見直しは、日本でいえば、さしずめ天照大神を祀る伊勢神宮を解体するようなことになるのか。ところでわが国の野党第一党の党首は、毎年、年が明けると伊勢神宮を集団で参拝してきた。来年の正月も参拝するのだろうか。コロナで自粛するのだろうか。何を勘違いしているのだろうか。

（２０２０・１１・２６　第57号）

■コロナ敗戦と亡国五輪
――インパール作戦の21世紀版か

・いまさらやめられない

考えうる限りで最低・最悪のコースを辿って、日本は亡国五輪の道を突き進みつつある。この夏はコロナ第5波のただ中になる。だから、飲食店を潰すだけではたらず、学校の運動会も、地域の夏祭りも、花火大会も中止し、お盆の墓参りさえブレーキを掛けながら、他方で幾十百万を動員して五輪の馬鹿騒ぎだけは盛大にやろうというのが、ガースー政権とIOCの腰巾着・一部五輪亡者たちの魂胆である。正気の沙汰ではない。テレビである開業医が「われわれはクラスターというボヤを消すために日夜必死になっている。そこに後ろからガソリンをかけ、火を付けるのが東京五輪だ」と言っていた。しかしなぜここまで愚かなことをやれるのか。答えは単純明快、「いまさらやめられない」の一言につきる。そしてここにわれわれは、かのアジア太平洋戦争で日本を滅亡に導いた旧日本軍のDNAを見ないわけにはいかないのである。

『失敗の本質』がコロナで再び売れているという。ノモンハン、ガダルカナルなど、旧軍の無謀で、無残な作戦とその惨憺たる敗北を軍事的に跡づけた40年来のロングセラーだが、誰もが80年前の「失敗」の再現を、今日の日本政治に見ているということだ。「史上最悪の作戦」といわれるインパール作戦を簡単にみておくと、これは1944年段階のビルマ戦線で、中国での形勢逆転のため援蒋ルートを断つことを目指した作戦だが、現地で主導したのが勇ましいだけが自慢の中将・牟田口廉也、これを督励したのが時の内閣首班・東条英機。既に日本の敗色も鮮明で、内閣の存立も危ぶまれる中、起死回生の「賭け」としてこの作戦は発動された。何やら「五輪で勝負する」現首相と同じだ。そこにあるのは過度の楽観主義と精神主義。戦略的急襲で局面を一変させる、少しでも疑問を呈するものは、「必勝の信念」が足りないと一喝され、乾坤一擲、九死一生が叫ばれる。今日の精神主義は〈南無安全安心・南無安全安心〉という疫病退散の祈祷・念仏に進化してはいるが。

・誰も「中止」を言い出せない

そして決定的なのは、補給・兵站をまるで考えず、雨期の泥沼に日本兵を追いやっていったこと。これも、ＰＣＲ検査抑制という信じがたい方針とワクチン接種率ＯＥＣＤ最下位で「コロナに打ち勝つ」などと繰り返される寝言と同じだ。日本軍内部にも作戦に慎重・反対の意見は多かった。しかし軍事的合理性はトコトン無視され、突撃一辺倒がまかり通った。専門家を御用学者に限り、それも都合悪くなれば排除する、医学的・科学的合理性の一片もないコロナ対策と瓜二つである。この作戦は、開始直後から破産はあまりにも明らかになり、軍高官の誰もがそれに気づいた。しかし「中止・撤退」を言い出すものがいない。いまさらやめられない、責任をとるのは嫌だということで、体面と保身と忖度となれ合いが支配する中で、作戦は4ヵ月間続いた。かくてビルマの、インパールに向かう山野には、日本兵16万人の戦死者・戦病死者があふれ、後にそれは「白骨街道」と呼ばれることになる。

一点つけ加えれば、この責任者である牟田口は、戦後も、戦犯にもならず生き延び、己の戦争犯罪を平然と開き直っている。それがまかり通っている。それが日本という国、戦後という時代だということはよく憶えておく必要がある。

・国威発揚と大金儲けと……

もっとも、近代五輪などというものは、コロナ以前的にロクなものではない。スポーツに名をかりた国威発揚と大金儲けがその全てだと言っていいが、それにとどまらない。１９３６年ベルリン、40年東京と第2次世界大戦前夜の五輪は、戦争放火者の国の五輪が続くが（東京は日本軍部が〝それどころではない〟と反対して返上）、これも偶然ではない。戦後も、64年東京大会時のＩＯＣ第5代会長のブランデージは熱烈な親ナチス・反ユダヤ主義者で、84年ロス大会を機に商業主義的肥大化に舵をきった第7代会長のサマランチは終生フランコ支持者（スペインファシスト党）であった。現9代目会長バッハはその直系である。ベルリン大会での「鍛え抜かれた美しい肉体の躍動」を映像化したレナ・リーフェンシュタールはヒトラーの絶賛をあび、ナチス党大会の「感動的な」映画も作っている。別にスポーツそのものを否定するつもりなど毛頭ない。しかしそれが過度なナショナリズムと結びついたとき、いかに危ういものになりうるかは明白ではないか。「平和の祭典」が聞いてあきれる。

コロナは全てを可視化した。資本主義のあくことなき自己増殖と経済成長が地球の限界をこえたところで現出したのが気候危機であり、パンデミックである。迫りくる破局が、さらなる疫病か、災害か、戦争か、恐慌か、あるいは次の原発事故かはわからない。いずれにせよ避けられない破局に備え、これを迎え撃つ覚悟が求められている。

（２０２１・７・２　第60号）

■連合べったりで自滅する立憲
――２０２１総選挙と日本の危機

・低投票率にみる政治への絶望

政治は国民を映す鏡だという。今回の総選挙によって示された日本の政治の劣化は、安倍・菅政権９年がもたらした惨憺たる現実を前に、なおその継続を選んだ日本国民の劣化の産物である。それを何よりはっきりと示しているのは投票率の低さである。今回の投票率は55・93％。戦後三番目に低く、一番目は２０１４年、二番目は２０１７年という。言い換えれば、安倍・菅政権は決してその政策が支持されたから長続きしたのではなく、国民の政治への無関心、もっと正確にいえば絶望によってダラダラ続いてきたということである。それが岸田のもとでも続いている。

世論調査で支持政党を問うと、自民党が必ずトップに来るが、その理由をさらに問うと「他よりまし」

が断トツで選択される。今回の選挙は、コロナ禍によって、二つの政権が立て続けに倒れる中で行われたもので、こうした構図をひっくり返す千載一遇のチャンスだった。直前の横浜市長選などでその可能性は十分見えていた。にもかかわらず惨敗した。何故か。有権者を投票所に向かわせるような選挙戦を野党が戦えなかったからである。

立憲民主党の代表選が典型だが、選挙の後、愚劣を極める総括が繰り広げられている。曰く「批判ばかりではだめ」、曰く「野党共闘の見直し」。アベコベではないか。まともな批判、ラジカルな自・公政権批判がなかったことが問題なのだ。「野党共闘」が問題なのではなく、真面目に腰をすえて野党共闘に取り組まなかったことが問題なのだ。へっぴり腰で、グズグズ、おどおどと、共産党の票は欲しい、しかし共産党と同一視されたらまずいと、例えば枝野は街宣で一緒になった志位と並んで写真を撮られたら大変と逃げ回っていたという笑い話があるが、要するに「共産党と手を組んでどこが悪い」と言えないのである。そして与党も野党も、「分配」「分配」と馬鹿の一つ覚えのように叫んでいた。その当然の結果が低投票率と野党惨敗である。

・諸悪の根源は反共連合

しかし、それもこれも、結局立憲民主党が、連合におんぶにだっこの政党でしかないところに根っこがある。三十数年前に国労と総評を解体して発足した連合は純然たる反共組織である。そのもとで、日本の労働者の賃金は低下の一途をたどり、非正規は4割を超え、「官製春闘」などという耳を疑うような言葉がまかり通っている。そもそも電力総連などのいわゆる民間6単産は労働組合の名に値しない存在だが、その中でついにトヨタ労組は、今度の選挙で組織内候補を取り下げ、自民党候補を支持するに至った。これが反共連合傘下の日本労働運動の一方の現実である。

この対極で起きているのが、言語を絶する関生弾圧だ。全日建関西生コン支部という産別組合に対し、警察、検察、裁判所が、ヘイト組織、ネトウヨ、マスコミとつるんで、「暴力団」「反社会勢力」のレッテルを張り、組合員を根こそぎ逮捕・長期投獄し、労働運動も労働基本権も根絶やしにしようという攻撃である。日本はすでに労働運動を「犯罪」とする社会に成り下がった。一点つけ加えれば、反共連合から排除された労組からなる全労連は、共産党の選挙運動は熱心だが、労働運動的には全く無力である。遠回りのように見えても、日本の政治を変えるためには、職場と地域から労働運動を作り直し、連合を解体する以外にない。そのためにも反戦・反改憲の運動、環境、原発、沖縄、ジェンダー等々の市民運動と選挙運動と労働運動の結合が求められている。

・維新という親ファシスト勢力

今回の選挙でさらに注目すべきは、維新の「躍進」である。弱者を切り捨て、弱者をいじめ、弱者の支持をかすめ取る、これが「身を切る改革」を高言する維新のおぞましい政治手法である。労組と公務員叩きを繰り返し、関西では関生攻撃の先頭にも立っている。究極の「自助」路線である。かつてトロツキーはファシストを「絶望の組織者」と呼んだ。新自由主義的「改革」主義に親ファシスト的な匂いがプンプンする。維新はこれまでローカル組織だった。しかし全国勢力を目指すとともに、声高に「改憲」などを叫び出している。維新の票は自民党への批判票である。ただし右からの批判票である。それが好戦的な国家主義に化ける日は近いのではないか。

民主主義と政党政治の危機の中で、戦前は軍部が政治を牛耳り、日本を戦争に駆り立てた。21世紀の日本はどうなるのか。ファシズムが横行する素地は十分整っている。改憲と戦争の危機が迫っている。〝それでも日本人は「戦争」を選んだ〟——歴史家の加藤陽子が十年余り前に書いた本のタイトルである。彼女はこんな本を書くから学術会議から排除された。将来の歴史家が再びこのようなタイトルの本を書かなくて済むようになることを願うばかりである。

（2021・12・1　第62号）

■泥沼化するウクライナ戦争と世界大戦の危機

・プーチンの戦争・バイデンの戦争

ウクライナ戦争は、今年2月のロシア・プーチンによる蛮行・古典的な侵略戦争によって決定的な新段階に入った。だがここから全てをプーチンの「狂気」によって説明し、悪玉プーチン打倒を目的化するアメリカ発プロパガンの洪水に浸っているだけでは何も理解できない。ソ連崩壊以降のＮＡＴＯの東方拡大、特に２０１４年のいわゆるマイダン革命＝ウクライナ親ロ派政権打倒・追放とそれに続くロシアによるクリミア併合、特に東部ドンバス2州における血みどろの内戦との関連ぬきに、今日のウクライナ情勢を語ることはできない。そして、この14年ウクライナ情勢に深く介在していたのが、当時米オバマ政権の副大統領であったバイデンで、彼は今日ウクライナに無制限の兵器投入・情報提供・軍事顧問派遣、他方におけるロシアへの空前の経済制裁という「世界戦争」的介入に血道をあげている。その意味でこの戦争は、プーチンの戦争であるとともにバイデンの戦争である。

それはウクライナを戦場とする、ウクライナ人民を犠牲にしたロシアと米・ＮＡＴＯの代理戦争の様相を呈している。長期化する正視に耐えない地上戦であると同時に、ロシアと欧米の間の高度な情報戦として展開されている。ロシアの国営メディアが露骨な翼賛報道でプーチンを支えているのは周知のことだが、いわゆる西側の報道も相当酷い。日本のテレビなども最近では、どこもかしこも「防衛省防衛研究所」の肩書の人物がとくとくと戦況解説をし、これも戦時翼賛報道そのものだ。別にロシア軍の戦争犯罪・大量虐殺がデマだとは思わない。何よりも戦場はウクライナ国内である。侵略したのはロシア軍である。だが少し遡れば、この戦争の源はウクライナ国内、特に東部ドンバス地方の内戦にたどり着く。そこでウクライナ政府軍は、いわゆる親ロ派系住民に対して何をやってきたのか。特に気になるのがいわゆるアゾフ大隊である。

・アゾフ大隊とは何か

アゾフ大隊について、日本のメディアは腫れ物に触るように言及することを避けてきた。しかしマリウポリの激戦の後は隠しきれなくなり、実はそれが東部戦線の主役であることを認め、これを「英雄」と称えるにいたった。もともとアゾフ大隊は、米白人至上主義者や欧州極右勢力などを含む傭兵・義勇軍で、その後ウクライナ内務省の軍隊になるが、東部で親ロ派住民を「テロリスト」と呼び、戦闘の前面に立ってきた。「テロリスト」とは絶対悪であり、せん滅の対象である。そこで何が起きたかは想像するに難くない。アゾフ大隊は公然とナチス親衛隊の記章を身につけ、日本の公安調査庁までがそれを「ネオナチ」と昨日まで規定していた(2月開戦以降あわてて削除するが)。

情報戦でさらに重要なのがゼレンスキーである。この極めて軽く、危うい、無責任な男を最悪のスポークスマンにして、米・NATOはウクライナに武器や情報を湯水のように送り込み、ウクライナ「抵抗戦争」のスターであるかのごとく押し出しているが、実はウクライナを導火線とする世界戦争の放火者の役割を演じさせているのだ。

・世界大戦前夜情勢の到来

経済のグローバル化でもはや戦争など起きないといわれる中で起きたのが百年前の第1次世界大戦だった。それに加え今回は、核抑止力でもはや大国間の戦争など起きないという幻想も裏切った。長い、複雑な歴史的・民族的背景をもつウクライナには、ロシア語話者とウクライナ語話者、親ロシア派と親EU派、ローマカソリック信者と東方正教信者が混在している。父親はロシア人、母親はウクライナ人などという家族が無数にいる。そこに修復不能の亀裂と分断を持ち込んだのがプーチンだった。そして反対側からそれを促進しているのが、「ロシアの弱体化」を求め、停戦に動かず、ひたすら戦争の長期化を追求するバイデンとゼレンスキーである。

民族自決権のもと、ウクライナの「被抑圧民族」の共和国としての独立を推進したのは他ならぬレーニンだった。ローザ・ルクセンブルグはこれを「民族を恣意的に創ることはできない」と批判した。だがそれは民族虚無主義として否定される。それでよかったのか。第1次世界大戦前夜情勢の再来といっても、そこにはレーニンもローザもいない。ロシア革命の展望もドイツ革命の展望もない。プーチンは地獄の窯の蓋を開けた。そこには、パンドラの箱と違っていまのところ「希望」の欠片を見い出すこともできない。

（2022・5・31　第64号）

■化けの皮が剥がれた自民党政治
――安倍暗殺と統一教会と朝鮮戦争

・永田町公認・天下御免の詐欺行為

統一教会の霊感商法詐欺と暴力団がらみの特殊詐欺・オレオレ詐欺では、人々から金をだまし取り、巻き上げる犯罪という点では同じでも、桁が違う。一方は、息子などを装い、舌先三寸で高齢者を罠にかけるのに対し、他方はカルト宗教的マインドコントロールで一家族を丸ごとターゲットにし、丸裸にする点で、その悪質さが全く違うのである。

しかも重要なのは、それが不断に政治に食い込み、政治の力で公安・警察の動きを封じ、長年にわたって白昼公然たる犯罪行為として野放しにされてきたことである。

有田芳生によれば、オウム事件直後の90年代中頃、警察庁と警視庁のデカを相手とする講演を頼まれ、そのとき幹部から「オウムの次は統一教会だ」と聞いた。ところが動きが何もないので10年後に「どうした」と聞くと、「政治の力だ」と答えたという。他方公安調査庁は2000年代中頃、毎年出す年次報告書で、「特異集団」という呼称で統一教会を調査対象としていることを公表していた。しかし第1次安倍政権の07年からこの記述が消えた。そして2015年には、文科省が統一教会の名称変更を認め、これによって「家庭」の名による家庭破壊詐欺・合同結婚詐欺・巨額献金詐欺、「個人」を否定する復古主義的家庭翼賛運動がさらに大っぴらに展開される。永田町・霞が関公認、天下御免のカルト犯罪行為である。

・朝鮮戦争の永続化と戦後日本

岸田内閣は、安倍暗殺に当初「民主主義への挑戦」などと喚いていた。笑わせる。民主主義とカルトとは相いれない。安倍は骨の髄までカルト政治家である。この数十年来続いてきた自民党の統一教会汚染は、安倍のもとで頂点に達した。いや、汚染や広告塔などという表現は軽すぎる、いまや自民党は丸ごと安倍一強という名のカルト政党と化した。その何よりの証拠は、岸田改造内閣のドタバタ劇である。統一教会関係者を一掃するという掛け声のもとに断行された改造だったが、蓋を開ければ、党役員人事を含め統一教会接触者は急増した。統一教会ぬきに自民党主体の政権など作れないということだ。挙句の果てに岸田は、安倍国葬をやるという。日本を総カルト国家化しようというのだ。

韓国発で、宗教の仮面を被った反共政治運動として始まった統一教会の起点は1950年朝鮮戦争にある。これを日本に引き込んだのは、朝鮮戦争を背景とする逆コースで命拾いした元A級戦犯・岸信介だった。以降その流れは、今日の自民党の最大派閥・清和会まで受け継がれている。だが岸だけではない。当時首相だった吉田茂も朝鮮戦争を「天祐」と喜んでいる。朝鮮特需で日本経済は敗戦後のどん底から抜け出た。戦後日本の基本政策としての日米安保も、自衛隊という再軍備も全て朝鮮戦争のおかげである。しかもそれは53年休戦協定を締結しただけで、以来今日まで終結していない。白井聡は「なぜ日本は朝鮮戦争の終結を望まないか」と問いかけている。戦後日本の国のかたち・あり方、戦後的「平和と繁栄」も「自由と民主主義」も、全てがこの朝鮮戦争の永続化を前提にしているのだ。このことと、統一教会などという珍妙な教義を掲げた似非宗教がここまで日本で跋扈していることは深く通底している。

文鮮明と金日成の「兄弟の契り」なども、「統一」という煙幕を張った朝鮮分断永続化工作の一環である。朝鮮統一ではなく朝鮮分断の一点で両者の利害が一致している。

・資本主義の末期的危機に喘ぐ世界

アメリカでも、トランプなどが安倍顔負けの統一教会礼賛に熱中している。中絶反対とか進化論否定などの妄想に取りつかれた共和党・宗教右派への浸透が進んでいるらしい。資本主義の危機は末期的様相を呈している。環境問題や世界戦争危機として露出しているが、同時に民主主義の危機も極めて深刻である。戦前の日本では、政党政治の行き詰まりは軍部の台頭・独裁に行き着いた。今日の日本の政党政治も完全に機能不全だ。何でもありうるが、やはりファシズムではないか。統一教会じたい多分に疑似ファシスト的である。最近の選挙では参政党とかNHN党などという怪しい政党も生まれている。ワイマール民主主義からナチスが生まれた。

問題の根本は資本主義に後がないことである。統一教会躍進の裏側にあるのは、冷戦崩壊後の左翼の衰退である。どんなに遠回りに見えようと、問われているのは、共産主義の復権であり、階級闘争の再生であると思わざるをえない。

（２０２２・８・２０　第65号）

GAZA　大量虐殺(ジェノサイド)の果てに
――呪われたシオニストの国・イスラエルはどこへ行く

「地上の地獄」「人間への冒涜」「人間の恥」「子どもたちの墓場」「死の地帯」「人類の危機」――ガザの惨状を伝える新聞報道から拾った言葉である。ジェノサイド（大量虐殺）が続いている。四方を封鎖され、水も食料も燃料も医薬品も断たれ、二百数十万人のパレスチナ人が飢え、渇き、病み、次々斃れている「天井のない監獄」に、呪われたシオニスト国家・イスラエルの軍隊が無差別絨毯爆撃を繰り返している。ハマスを追ってガザの北部から南部へ地上侵攻している。そして日本を含むG7・帝国主義国家がこれを恥知らずにも「自衛権」と称して支持している。この「国際社会」をバックにガザでは今日もイスラエルの戦争犯罪が白昼公然と、病院に、学校に、教会に、難民キャンプに襲いかかり、何万という無辜のパレスチナ民衆を惨殺している。

・「ガザを更地に」と叫ぶイスラエル

ガザは現代の「絶滅収容所」である。ハマス「殲滅」の名のもとに、イスラエルはパレスチナ人民を絶滅しようとしている。シナイの砂漠でも、東地中海にでも追い落とさない限り、イスラエルは枕を高くして眠れないということだ。ガザを「更地にしろ」とまで言っている。「核兵器も選択肢」とまで公言されている。なぜこんなに子どもを殺すのかという問いに、子どもも大きくなればハマスになる、だから今のうちに芽を摘んでおくのだと答えたという。

ネタニヤフはこれを「第二の独立戦争」と呼んでいる。言いかえれば「第二のナクバ（大災厄）」である。また彼は「ハマスとの最終戦争」とも言っている。愚かなことだ。当面の戦況がどうなるにせよ、パレスチナ人民を絶滅することなどできない。それは必ずその蛮行を通して、パレスチナの中から、16億イスラム教徒の中から、第二、第三、第四、第五のハマスを生み出す。イスラエルを導火線・火薬庫とする新たな中東戦争、世界戦争を招き寄せる。

「反ユダヤ主義」は、古代からロシアを含む欧州キリスト教社会に根付く宿痾であった。フランス革命以降の近代世界もそれを解決しなかった。こうして19世紀末、永年のディアスポラ（離散）状態を脱し、ユダヤ人の祖国をシオンの丘に作ろうというシオニズムの運動が始まる。これが、第一次世界大戦におけるイギリス帝国主義の三枚舌外交と結びつくことでイスラエルは出発する。第二次世界大戦を経て、アメリカ帝国主義の強力な後押しのもと１９４８年にイスラエルが建国する。ドイツ帝国主義・ナチスのホロコーストという「最終的解決」に対抗する英米の「植民地主義的解決」だった。だがそれが解決でも何でもないことはこの75年の歴史が教えているのではないか。帝国主義もユダヤ人問題を解決することなどできない。

・いまも「パレスチナ国家」は存在しない

当初はパレスチナをアラブ人とユダヤ人で分割するなどという話だった。それ自体がもともとそこに住んでいた70万パレスチナ人を難民にする大暴挙だったが、イスラエルは最初から満身を武装し、戦争に次ぐ戦争を重ね、首尾一貫してパレスチナ人の抹殺・一掃を目指してきた。今日、イスラエルという国はある。しかしパレスチナには「暫定自治区」とか「自治政府」しかない。いったんは93年オスロ合意などで決めたヨルダン川西岸などは、不断に続くイスラエル人の入植・占領・虐殺の連鎖で、虫食い状態というよりもズタズタボロボロ、ガザという野外監獄は周知の通りである。この現実を看過・没却・放置してきたのがわれわれの国際社会である。

ハマスの10・7蜂起「アルアクサ洪水作戦」はこれを打ち破った。イスラエルの最大の共犯者・アメリカのバイデンは「2国家共存が解決の道」などと言い出している。悪い冗談だ。今日なお「パレスチナ国家」は存在しない。いや、幾つものグローバル・サウスの国はそれを承認している。だが日本を含むＧ７は承認を拒否している。極悪非道の戦争万能国家イスラエルがイスラエルである限り、アメリカが国際法など完全に無視した拒否権乱発などでそれを守ろうとする限り、２国家共存など不可能だ。

唯一の希望は、イスラエルの目に余る「民族浄化」戦争に、イスラム圏だけでなく米英を含む全世界で、「反イスラエル・親パレスチナ」の運動が、特に若者の中で、ユダヤ人の中でも急速に拡大していることである。

（２０２３・１１・２３　第69号）

エピローグ――奥浩平とあの時代

「奥浩平の遺稿集を再刊したい。何か文章を書かないか」と旧友の川口顕から云われたとき、私は躊躇した。確かに私は奥浩平と一九六〇年代の一時期、ともに学生運動にかかわった、しかも同じ党派に所属していたということはあるが、別の大学(横浜市立大学)だということもあって彼と特別な親交があったわけではない。だからあまり書くこともないだろうと思ったが、ともかく渡された奥浩平のノートや手紙を編集し、発刊後かなりの刷数を重ねた「青春の墓標」を再読した。

そこで私は、奥浩平が熱心に参加した会議や集会や合宿やデモ等々の殆どに私も参加していたことに気づかされた。遺稿集はサブタイトルの「ある学生活動家の愛と死」にも示されるように、ただ活動の軌跡を書き連ねたものではなく、「恋人」との関係が党派闘争のなかで引き裂かれてゆく、それは奥浩平の自死にまで至るのだが、それをめぐる彼の悩みと葛藤の記述が全体を貫いている。私にはそんな艶っぽい話はなかったのだが、それでも彼の文章は私を「あの時代」に引き戻した。

さらに云えば、奥浩平が活動を始める決定的なきっかけになったのが樺美智子の死だということだ。早熟な彼が高校二年、私はすでに大学二年生、しかも奥浩平はその数年後に生を閉じ、私はその後数十年経た今日まで馬齢を重ねてきたという違いはあるが、一九六〇年六月一五日の出来事がその後の生涯に大きな影響を与えたという点で奥浩平と私は共通している。今さらながら彼と近いところにいた自分を感じた。そんなこともあって、依然として奥浩平その人について書けることは少ないが、われわれが共に生き、闘った「あの時代」について何か書きたいという気持ちがわいてきた。奥浩平も私も、誰もかれも、何より日本の革命的左翼の運動も組織も、すべてが若かった「あの時代」が懐かしい。

明るい時代だったという印象が強い。みずみずしい、風通しのよい活動の日々だったように思う。もちろん青春に特有の悩みも苦しみもあり、限界も未熟さもあったが、あらゆる可能性を孕んだ時代だった。奥浩平の遺稿集を読んでも、彼じしんの悲劇的結末にもかかわらず、そこには暗さや痛々しさはみじんも感じられない。ある評論家が本の帯に書いているように、そこには「かがやかしい二一才が、ゆたかに息づいているのである」。

なぜあんなに明るかったのか。もちろん高度成長で右肩上がりの社会だったからではない。こと運動に関していえば、六〇年安保・三池の敗北を境にそれは急速な停滞・右旋回をとげ、六〇年安保闘争の先頭に立った知識人が「昼寝の季節」を云々するような時代だった。

そんなかで、奥浩平を含むわれわれを、意気軒昂とした活動に駆り立てた根源には、〈スターリン主義からの決別〉の一点があったと思う。われわれこそ新しい時代をきりひらく、新しい階級闘争と革命運動を築きあげるという、もちろん若気の至りも含む、しかし戦闘的気概と革命的批判精神が横溢していた。

私が大学に入ったのは五九年だが、それはまだロシア革命から四〇年あまり後でしかなかった。さらに第二次世界大戦の帰趨を決した独ソ戦でソ連赤軍がナチスドイツを撃破してから十数年しか経っていなかった。ソ連は「社会主義の祖国」と呼ばれ、それに中国革命が続き、世界が資本主義から社会主義に移行するのは時間の問題と思われていた。

そのような時代背景のなかで、五六年ハンガリア事件を重要な契機として、ソ連はやっぱりおかしい、間違っているという主張、しかもそれまでのソ連批判は必ず帝国主義への迎合に行き着いていたが、あくまで革命の立場を堅持しつつ、むしろソ連こそ世界革命の阻害物であるという主張が、国際的なトロツキー反対派の流れを受け継ぎ、日本における革命的共産主義運動として出発するのが五〇年代後半だった。

ソ連をどうとらえるのかが論争になった。「国家資本主義」という者もいた。「堕落せる労働者国家」というトロツキー以来の規定を主張する者もいた。これに対して奥浩平と私が属する党派（革命的共産主義者同盟全国委員会）は、これを「スターリン主義」と規定した。これに対しては、ソ連という国家の階級性（資本家の国家か労働者の国家か）を曖昧にしているという批判があびせられた。だがわれわれは、ソ連という官僚制国家支配体制を静態的に分析するのではなく、あくまで、世界史の資本主義から社会主義への移行期において、世界革命を達成するという実践的・主体的立場から、それを国際共産主義運動の反革命的疎外態として、動態的に捉えようとしたのである。そして、世界革命の綱領的立脚点として「反帝国主義・反スターリン主義」の旗を掲げた。

重要なのは、われわれは決してソ連をただ客体として、客観的分析対象としてのみ論じようとしたのではなく、すぐれて主体のあり方を問うものとして捉えようとしたことである。日本における革命的共産主義運動の創成期を担った者にとって、スターリン主義とは、遠いソ連の体制の問題にとどまらない、なによりも昨日まで日本共産党に属していた己じしんの自戒、自省、自己批判、そしてそこからの決別の問題としてあった。スターリン主義の問題は、われわれにまさしく革命の主体はどうあるべきか、どうあってはならないかを突きつけた。こうしてわれわれは、従来のスターリン主義的な組織に濃厚にあった客観主義的な革命論、そして正しい情勢分析と正しい路線・方針で一致すればそれだけで運動は前進するという考え方を超え、もちろんそれらは重要だが、それと並んで、ときには立ち止まり、振り返り、主体を切開し、総括を積み重ねていく、それを通してスターリン主義を乗り越える真の革命党を建設することを決定的に重視したのである。

転機は六二年秋の革共同のある会議（第三回全国委員総会）において訪れた。「党と階級の生きた全面的交通関係の形成」が、そこで出された路線のキーワードだった。この直後にこの路線の是非をめぐって組織は分裂し、反対派、つまり奥浩平の遺稿集にいわゆる「山本派」(1)は、これを「党建設をおろそかにする大衆運動主義」と批判した。だがわれわれはそう考えなかった。労働運動であれ、学生運動であれ、反戦運動であれ、もっと一般的に大衆運動といってもよいのだが、われわれ革命的共産主義者は階級闘争の先頭に立つ、その全責任を引き受ける、そのるつぼのただ中においてこそ、真に革命的な労働者の党も建設できるという考えだった。スターリン主義的官僚主義をうち破るということは、組織論的には何よりもこの「党と階級の生きた関係」をいかに形成するかの一点にかかっていたのである。

奥浩平はこの分裂の直後に大学に入り、彼の短い学生運動は、スターリン主義から真に決別した組織と運動をつくろうというこの路線を、分裂を乗り越えて貫徹してゆこうとした時期のそれであった。しかし「恋人」との党派的・路線的齟齬・対立のなかから、遺稿集に見られるような彼の苦悩、葛藤、思索が結晶してゆく。

「あの時代」について、さらに言い換えればそれは開かれた時代であったと云うこともできる。何より反帝・反スターリン主義とは、開かれた綱領的立脚点であり、硬直したドグマチズムと偏狭なセクト主義はわれわれが最も忌避したものだった。

六〇年安保闘争の敗北のなかで、われわれは社会党や共産党の破産を嫌というほど見せつけられ、それに代わる真の革命党、闘う労働者の党をつくろうとしていた。それはわれわれにとってあらゆる活動の集約点であり、目標であった。しかし肝心なことは、次の瞬間においてそれは階級闘争の前進のための手段であったことだ。党とは目的であり、かつ手段であった。党の建設と階級の形成、階級闘争の前進は一体的にのみ実現できるとわれわれは考えた。(もちろん革命と「自由の王国」という究極目標との関係では、革命党は純然たる手段・捨て石である)

超一般的な話で恐縮だが、人が何か社会的課題に取り組もうとするとき、必ず仲間をつのる。必ず集団、組織、結社をつくろうとする。それなしにどんな仕事も達成できないからだ。だがそれはしばしば体制を脅かし、秩序を乱す。だからいつの時代でも、権力者は人々が徒党を組むことを恐れ、禁圧してきた。現代憲法が必ず「結社の自由」や「労働者の団結権」を謳っているのは、長い、全世界的な人民の流血の闘いを通してかちとられたものである。もちろん闘いのないところでは、それはたちまち画餅になるのだが。

しかし問題はこのような組織ないし結社が、どのようなよき意図から出発し、よき事業を目指したものであれ、権力の弾圧やさまざまな困難や長い時間を経過するなかで、しばしば潰され、あるいは歪められていくことだ。そしてここで潰されるよりもっと深刻なのは、潰されずに組織・結社は残るがその変質が進むことだ。より踏み込んでいえば、その自己目的化が進み、官僚化と化石化が進行していくことだ。自己目的化はそのまま、自己保身化・自己絶対化と直結している。だが自己絶対化された組織は、当該主体がどのように主観しようとも、それを構成する個人を圧殺し、すりつぶし、その当初の目標の役に立たなくなるだけでなく、その最悪の阻害物に転化するのである。

二〇世紀の国際共産主義運動においてこうした現象を典型的に、世界史的規模で現出させたのがスターリン主義だった。スターリン主義とは一国社会主義である——私は若いころこう教えられた。ロシア革命を世界革命の突破口とすることを断念し、（スターリンによって）ロシア一国で社会主義を建設することは可能だとしたときから、ソ連防衛が全世界の共産主義者の至上命題とされ、各国の共産党は、それぞれの国における革命の担い手ではなく、ソ連外交戦略の将棋の駒のような役割を担わされていく。スターリン主義は決して官僚主義一般なのではなく、ロシア革命の勝利という栄光を背にした、ソ連という「一国社会主義」の自己目的化であったが故に、巨大な物質力で国際共産主義運動を反革命的に変質・解体することができた。

だが私は、スターリン主義といわなくとも、スターリン主義もどき現象は、革命の勝利、権力の奪取を経なくとも、さまざまな形でいたるところに転がっていると思う。先に述べた革共同全国委の方針に反対して分裂していった諸君たちは、「反スターリン主義」を言葉の上では最大の売り物にしていたが、実践においては、党を大衆運動の上におき、大衆運動を党づくりの手段ととらえ、党を「永遠の今」として自己目的化・自己絶対化し、党の同心円的拡大の先に革命を展望するに至った。その帰結は周知の通りである。

われわれの組織は、この組織の化石化・官僚化の危機を十分自覚し、絶えずそれをうち破ることを意識的に追求してきた。スターリン主義をうち破り、レーニン主義を蘇らせようとした。だからもちろん一言断っておけば、これは党派性一般の否定ではない。逆である。政治の世界では誰も党派性から逃れることはできない。自分はあらゆるセクトと無縁だと称する者こそ実は最もセクト主義的である事例をわれわれはいたるところで見ている。問題は党派性の有無ではなく、その中身である。党と階級の関係である。

そして、さらにもう一言付け加えさせてもらえば、ここでいう党をたとえば労働組合に置き換えても同じことが云える。組織・結社をより一般的・抽象的な団結に言い換えても同じである。団結はいつでも、どこでも、言うまでもなく闘いの決定的な、不可欠の武器だが、自己目的化された「団結」は必ず闘いの桎梏に転化する。

奥浩平は「あの時代」を通して、「恋人」との関係も含め、この問題と格闘した。それがどういう闘いであったかは、かれの手記や手紙を一読すればわかるはずである。ルカーチは「理論と実践を媒介する形態は、組織そのもの」だと云っている。しかし組織問題をめぐる論争は「徹底した理論研究がなされるという点では、現在最も遅れている」とし、それは「革命に関するたんなる技術的な（テヒニッツ）

問題として取り上げられることが多くて、革命に関する最も重大な、精神的な（ガイスティヒ）問題として取り上げられることは、少ない」と記している。一九二三年のことだ。ボルシェビキのスターリン主義的変質を予感しているような言葉だ。

奥浩平がマルクス主義をいかに精力的に学習していたかは遺稿集に明らかである。しかし同時に彼が、決して教条としてそれを身につけようとしたのではないことは、彼のマルクス主義の枠を越えた豊かな読書の記録からも明らかである（私はその足下にも及ばなかったが）。同時に奥浩平は、実践活動においても積極・果敢に大衆のなかに入り、その先頭に立った。この奥浩平のどん欲で、進攻的な理論活動と実践活動を支えたのが、「反スターリン主義」をただお題目としてではなく、全活動領域に貫こうとしたわれわれの組織であった。

奥浩平や私の関わったのはもちろん学生戦線だったが、労働戦線でも同様の闘いが進められていた。それは全学連を再建し、反戦青年委員会を戦闘化させ、沖縄、大学、国鉄、狭山、三里塚等々をめぐる、さらには七・七自己批判を含むというべきだろう、あの七〇年闘争の爆発を準備する過程そのものであった。それは、最近の世界危機の中で改めて光が当てられている「六八年世界革命」にむけての世界史的うねりの一端を担うものであったともいえる。

私はいまも、奥浩平とともに生きた「あの時代」を私の生涯の貴重な財産だと思っている。革共同全国委分裂後の党派闘争がその後どのようは展開をとげたかはいまさらいうまでもない。それも含め「あの時代」からすでに半世紀近くが経った。さまざまなことがあった。日本における革命的共産主義運動の現状は、最大限抑制的に云っても極めて厳しい。だが私はここで、この問題についてこれ以上あれこれ云うべきだとは思っていない。

ただ私は絶望はしていない。この現実をそれとして直視し、認識する勇気が残っていれば、乗り越える道は自ずから開かれると信じるからだ。気を取り直して、最後に、もう一度、「人をして語るにまかせよ、汝の道を歩め」という、六二年革共同三全総報告の結びに引用された言葉を自分の胸に刻み込みながら、このつたない文章を終わらせたい。

（二〇一六年一〇月 執筆）

【注】

（1）山本派／革共同の議長だった黒田寛一は組織名を山本勝彦といった。ここからわれわれは三全総以降分裂していった革マル派のことを「山本派」ないし「Y派」と呼んでいた。

おわりに

今回、この本を出すにあたって、新たに書き下ろしたのは、第Ⅰ部の「私と革共同―光と影の幾歳月」の個所のみである。実は数年前にもなんとか本を書けないかと思い、挑戦したことがある。しかしうまくいかなかった。理由ははっきりしていて、革共同の短くない歴史を、何か大上段に、上から目線的に総括しようとしたところに無理があったと思っている。そこで今回は、随所に、そのときどき私は何をしていたかに立ち返り、あくまで私が関わった限りで、革共同の歴史を振り返るという書き方に徹した。初めからそうする以外にないことなど分かり切っていたはずだが、何か私個人の情報を活字にすることに躊躇いがあって、こんなことになったと思っている。

第Ⅱ部の「革共同の諸問題」は以前に書いて、パソコンにしまってあった文書である。まず二本の松本意見書は私の離党の一年前と直前に書いたものである。「松本」は私の当時の組織名である。これは一部の地方ではパンフ化されているが、私がなぜ革共同を離れたかは、この意見書を読んでもらう以外にないので、改めて掲載することにした。「迷走する綱領草案」と「国鉄一〇四七名『和解』」は、私が離党(〇八年一月)してから二年ぐらい後に書いたもので、まだ現役意識が残っている。「党はどこへ行ったのか」は革共同の組織的末期症状について触れたもので、数年前に書いたものである。

第Ⅲ部に集めた論評は、私が革共同を離れたあと、あるミニコミ誌に書いたものである。半世紀に近い私の革共同との関りについて、もちろんさまざまの反省はある。革共同という組織は私が離れて十数年経ったいまも存在している。ただ率直のところ今となってはあまり関心もないし、幻想ももっていない。今日の日本の階級闘争そのものの深刻な危機について、もう少し何とかならなかったのかという気持ちを日々反芻しているが。

極く最近のことだが、ネット情報などをかいま見ると、なにやら革共同が「いまや世界戦争の時代だ。反戦闘争としての反戦闘争こそが重要だ」などと叫び出しているらしい。「いまさら何をおっしゃいますか」とでも言うほかない。戦争は労働者の団結が解体されたときに起こる。だから戦争を阻止するためには、何よりも団結を強める労働組合運動、階級的労働運動こそ重要だったのではないのか。そのことを、「党の革命」とか「党の階級移行」とかの乱痴気騒ぎとともに高唱し、革共同はいよいよ本物の革命党に生まれ変わったのではなかったのか。いやいや、過ちを正すのに遅すぎるということはない。反戦闘争が重要だというのは全くその通りで、大いに頑張ったらいい。しかしそこには総括がない。戦争は昨日今日の話ではない。少なくとも二〇年前のイラク戦争、有事三法、自衛隊海外派兵を革共同はもう忘れたのか。この間の路線的放蕩と組織的迷走の切開はないのか。

私はこの本で、革共同の今日の惨状を打開する方向・展望を書くことは出来なかった。その気力も体力も残っていない。ただ、なぜ革共同がここまで無残な集団になり果てたのかを後づけることはしてきたつもりである。総括ということである。革共同は〈反スターリン主義〉という原点・立脚点とも深く関係するが、不断の総括を決定的に重視してきた。言葉を変えて言えば、今日の無残な革共同の根本問題は、総括を忘れた、総括をする主体性・感受性を失った集団になり果てたところにあるのではないか。

私の総括が、革共同に関心をもつ人たちの間で、多少とも何らかの刺激になることがあるとすれば幸いである。

二〇二三年一〇月

岩本愼三郎

＊レッド・アーカイヴズ顛末記

川口　顕

レッド・アーカイヴズは十二年前に私が発案し、シリーズ企画として手探りで進めてきました。第五巻を持って一区切りとします。いずれの巻も日本の革命を志し国家権力との確執の間ただ中に戦い抜き、生き延びた革命家たちの記録です。しかし、四巻までには革命運動の核心＝政治的前進がどれほどのものであったか、全体的な記述についてはほとんどありません。体験的、自伝的な文章です。歴史的な記述はさらに五十年後になるか、消え去るかでしょう。

しかし、日本の未来、すなわち革命運動を考えるならば、このシリーズが提出した問題は避けてとることはできないと思っています。昨今「未完のレーニン」「マルクス」（白井聡）「ゼロからの資本論」（斎藤幸平）などの左翼系書物が売れ始め、「ゼロからの資本論」は十五万部突破という。驚きです。

レッド・アーカイヴズにはもう一つの動機があります。それは、次の一文に惹かれたからでした。

「ごく稀に人は生涯のある時期、自分自身を充填して爆ぜねばならぬ時がある。それが発火したにもかかわらず、不発に終わった時はどうするか。そのようなとき、残余の生命が未だ死なない本能で僅かに何かを営むとする。その魂の内側と外側で、営みを促すのは何であろうか」（「西南の役伝説」石牟礼道子、初出雑誌「現代の記録」一九六三年）

六三年という年は私が横浜市大に入学した年なので、妙な感慨がありますが熊本で創刊された「現代の記録」に出会うわけもなく、八〇年頃に朝日新聞社から出版された後に読みました。すでに組織から抜けて自分の会社を立ち上げているときだったので、その文章に傍線を書き込んだのでした。さらに三十年後に生活のための仕事は終わり、会社をたたみ始めた頃、自分の仕事として「現代の記録」のようなドキュメントが必要だ、と発心したのでした。

◇

このシリーズを通読していると、六〇年代の甘いノスタルジーが沸き上がってきて、先へ進めなくなるのは困ったことです。特に一巻と五巻の第一章は六〇年代半ばの六つ又ロータリー前進社での会議の風景を思い起こさせます。毎週月曜日の八時から始まり十時には終わります。会社や学校でビラを撒いたり、活動家のオルグが待っていたりするからです。全体の活動スケジュール確認や任務分担が終わり、散会間際に北小路敏が立ち上がり、

「あのう、ケトウの接待はどうしますか」と発言しました。

彼は関西なまりで「ケ」にアクセントがあったので三十人あまりの活動家全員が理解できませんでした。「毛唐」だったのです。三秒後に全員が気づき笑いが起ます。

窓際のデスク前の中央に座っていた本多さんはクックッと笑いながら、

「そういう言い方は清水にまかせておけ」（笑）

「北小路は、『外国のお客様の接待』は、というんだ」（大笑）

とまとめた。

微笑ましいといってもよい場面でしょう。その頃の私は新米の活動家でしたので、革共同と安保ブントリーダーとの位置関係がはじめて良くわかりました。

「トロツキー選集全十三冊」は現代思潮社から出版され始めていました。ラーヤ・ドナエフスカヤの著作も同社から出版され、ラーヤを記念講演に招致するという企画が進行していたのです。「ケトウ」とはラーヤのことです。

◇

本多さんと話しているときに「愼三郎」のことが時々でたのを思いだします。第五巻著者、岩本愼三郎のことです。七二年ころでした。他の活動家のことは、「六本木のまんじゅう屋どうしてる」とか「成城のパン屋は？」とか名前では呼ばないのです。

愼三郎のことだけ「世間に出て通用するのは編集局でも彼しかいない」と褒めるのでした。私は名前で呼ばれている彼にうらやましい気分もしました。

後に岩本さんとこのシリーズの相談をし始めた頃、彼は「毎週、原稿をチェックのために会っていたが、ほめるどころじゃなくて、滅茶苦茶けなされて罵倒されたときもあった」と明かしました。これも又、私を羨ましがらせたのです。見込みのない活動家はそんなには叱らないからです。

レッド・アーカイヴズ第四巻を発刊し、出版記念集会を終えてから、第五巻を全体的なまとめのようにしたいという気持ちが強くなり、改めて企画書を書き、支援者からの資金集めを始めました。出版されている書籍、前進バックナンバーのすべて、諸党派の出版物などなどを通読し歴史の文脈に落としていく、最短でも三～四年はかかる、とてつもない計画になり、必要な予算はデータマン数人、スタッフの生活費、出版費などなど、相当な金額になってしまいました。十人くらいが費用を出し合えばなんとかなる、とも考えましたが、確信もなくて結局そのプランは頓挫しました。甘かったのでした。

「それをやって難しいのはそのディテールを一つの結論にまとめ上げることです。(中略)そもそも『膨大なディテール』というものは『一人でまとめ上げる』という能力を超えたところにあるものだからです。」(「それでも日本人は『戦争』をえらんだ」加藤陽子著、解説　橋本治)

岩本さんは『前進』編集長の時代、本多さんから「革共同機関誌の編集長は政治局に対して意見を言う位でなくては」と励まされたことがあるそうです。その意味で、この第五巻は本多さんへの経過報告の手紙ともいえると思います。

◇

二〇一二年四月二二日、高田裕子さんからメモをもらいました。

アーカイヴズの川口さんへ

・しゃべれば自己弁護になる

・他の誰かを責めることにもなる

・一兵卒といえども、相応の責任はある

・政治と軍事の逆転がとりかえしのつかない道へ

（戦前の陸軍省参謀本部・軍中央と関東軍…）
（参謀本部、対ソ戦派（中国への深入り消極的）

彼女はすでにガン末期、浅間病院で二回目の化学療法を始めて、その入院中に書かれたものです。私は彼女の発症前にレッド・アーカイヴズの企画を提案して、一度は「忙しいから無理」（武さんも同じく）と断られていたのですが、音声記録で良いから応じてもらえないかと食い下がっていました。当初の計画では各人の二冊を考えていたのです。

高田武・裕子夫妻
2008年11月引っ越し後に、最初で最後のマイスイートホームにて

「一年遅かった」と悔やみます。

私は裕子さんが死期を迎えていることとの無念、革命運動の核心的な体験を聞きそびれた悔しさで体が震えました。（七月、自分で葬儀の段取りも整え没す）

自己弁護でいいじゃありませんか。誰かを責めてもいいのです。「一兵卒としての責任感」と「政治と軍」の問題意識を腹の底に持っていれば、そういうディテールは昇華されるでしょう。ここ百年解決のつかなかった歴史的な問題、日本人の歴史的課題の一端に参画したのではありませんか。

革共同がどこまで行ったのか、革共同革命軍の地平は高田裕子の地平でもあったのです。

◇

レッド・アーカイヴズ全五巻を読み返していると、私にはこんな幻想が浮かんできます。

広場に巨大な、業火ともいうべき炎が上がっています。私たち四人がその周りに立ちながらじっと火を見据えています。四人はおのおのその炎の中から火種を移し、懐に収めると、炎はおとなしく、猫のように丸まりながらそこにとどまっています。

高田武の分け火は時に大きく燃えあがり、渦を巻き、ゆらぎ、時にゴウッと音を立てたりします。岩本愼三郎の炎は静かに、しかし、力強く、ジジジッと音を立てたりしながら燃え続けています。斉藤政明の火は西国の孤島の灯台の明かりとなって、少年たちの舟の行く手を照らしています。

私の火種はといえば、腰の火縄に移されて、しかるべき時に備えています。

おわり

末筆ながら、社会評論社松田健二社長に辛抱強く、ご協力いただいたことを厚くお礼申し上げます。美しい草花で表紙を飾ってくださった装幀・中野多恵子さん、編集・本間一弥さんありがとうございます。そして、遠藤英也さんはじめレッド・アーカイヴズ「同人」の皆さんご協力ありがとうございました。

○著者紹介

岩本　慎三郎（いわもと しんざぶろう）
1940 年生。59 年に東京工業大学に入学。
その直後に革共同全国委員会に加盟。
2008 年に革共同を離党。

党はどこへ行ったのか
私と革共同　　　　　　　　レッド・アーカイヴズ 05

2023 年 12 月 26 日　初版第 1 刷発行

著　者――――岩本慎三郎
装　幀――――中野多恵子
発行人――――松田健二
発行所――――株式会社 社会評論社
東京都文京区本郷 2-3-10
tel.03-3814-3861　Fax.03-3818-2808
http://www.shahyo.com
組　版―――― Luna エディット .LLC
印刷製本―――倉敷印刷 株式会社